Aspekte|neu
Mittelstufe Deutsch

Lehr- und Arbeitsbuch, Teil 2

von
Ute Koithan
Helen Schmitz
Tanja Sieber
Ralf Sonntag

Filmseiten von Ulrike Moritz und Nana Ochmann

Klett-Langenscheidt
München

Von: Ute Koithan, Helen Schmitz, Tanja Sieber, Ralf Sonntag
Filmseiten von: Ulrike Moritz, Nana Ochmann

Redaktion: Annerose Bergmann und Cornelia Rademacher
Layout: Andrea Pfeifer
Umschlaggestaltung: Studio Schübel, München (Foto Treppe: drsg98 – Fotolia.com; Foto Grashalm: Eiskönig –
        Fotolia.com)
Zeichnungen: Daniela Kohl

Verlag und Autoren danken Harald Bluhm, Ulrike Moritz und Margret Rodi für die Begutachtung sowie allen
Kolleginnen und Kollegen, die Aspekte | neu erprobt und mit wertvollen Anregungen zur Entwicklung des
Lehrwerks beigetragen haben.

Symbole in Aspekte

 Hören Sie auf der CD 2 zum Lehrbuch
2.2 Track 2.

 Hören Sie auf der CD zum Arbeitsbuch
2 Track 2.

▶ Ü 1 Hierzu gibt es eine Übung im gleichen
Modul im Arbeitsbuch.

Rechercheaufgabe

Zu dieser Übung finden Sie die Lösung
im Anhang.

Aspekte	neu 1 – Materialien	
Lehrbuch mit DVD	605015
Lehrbuch	605016
Audio-CDs zum Lehrbuch	605020
Arbeitsbuch mit Audio-CD	605017
Lehr- und Arbeitsbuch 1 mit Audio-CD, Teil 1	605018
Lehr- und Arbeitsbuch 1 mit Audio-CD, Teil 2	605019
Lehrerhandbuch mit digitaler Medien-DVD-ROM	605021
Intensivtrainer	605022

www.aspekte.biz
www.klett-langenscheidt.de/aspekte-neu

Die Audio-CD zum Arbeitsbuch finden Sie als mp3-Download unter www.aspekte.biz im Bereich „Medien".
Der Zugangscode lautet: aS4g!M2

In einigen Ländern ist es nicht erlaubt, in das Kursbuch hineinzuschreiben. Wir weisen darauf hin, dass die in den
Arbeitsanweisungen formulierten Schreibaufforderungen immer auch im separaten Schulheft erledigt werden
können.

1. Auflage 1 ⁵ ⁴ ³ ² | 2016 2015 2014

Satz und Repro: Satzkasten, Stuttgart
Gesamtherstellung: Print Consult GmbH, München

ISBN 978-3-12-605019-7

MIX
Papier aus verantwor-
tungsvollen Quellen
FSC® C084279

Inhalt

Inhalt

Für immer und ewig 7

Arbeitsbuchteil

Kaufen, kaufen, kaufen 8

Arbeitsbuchteil

Inhalt

Endlich Urlaub 9

Arbeitsbuchteil

Natürlich Natur!   10

Arbeitsbuchteil

Berufsbilder

A

Fahrradkurier

Maskottchen

B

Taxifahrer

C

Küchenhilfe

D

Sie lernen

Modul 1 | Notizen zu einer Umfrage machen

Modul 2 | Eine Geschäftsidee entwickeln und einen Aushang schreiben

Modul 3 | Bewerbungstipps in einer Zeitschrift verstehen

Modul 4 | Texte über Personen mit ungewöhnlichen Berufen verstehen

Modul 4 | An einem Chat teilnehmen

Grammatik

Modul 1 | Zukünftiges ausdrücken (Präsens/Futur I) und Vermutungen und Aufforderungen aussprechen (Futur I)

Modul 3 | Verben mit Präpositionen und Präpositional- adverbien/Fragewörter

▶ AB **Wortschatz**

E

Erntehelfer
bei der Weinlese

F

Möbelpacker

G

Stadtführer

H

Zimmermädchen

1 Wählen Sie einen Beruf. Die anderen im Kurs stellen Ihnen Fragen, um den Beruf zu erraten. Sie dürfen nur mit Ja oder Nein antworten.

2a Wählen Sie ein Foto und beschreiben Sie die Personen. Wann/Wo/Wie arbeiten sie?

b Hören Sie vier Erfahrungsberichte. Über welche Arbeit wird jeweils gesprochen? Welche positiven und negativen Aspekte werden genannt? Machen Sie Notizen und vergleichen Sie.

2.5

3 Als was haben Sie schon gearbeitet? Welche Erfahrungen haben Sie gemacht? Was war interessant? Berichten Sie.

Wünsche an den Beruf

1a Notieren Sie fünf Punkte, die Ihnen im Beruf sehr wichtig sind. Erstellen Sie dann im Kurs eine Liste.

2.6
b Hören Sie die Radiosendung. Was ist Jugendlichen am wichtigsten im Beruf? Notieren Sie 1 (sehr wichtig) bis 8 (nicht wichtig) hinter die Wünsche.

| hohes Einkommen ___ | Sicherheit auch in der Zukunft ___ | kein Umzug ___ |

| Anerkennung ___ | Beruf gut mit Familie vereinbar ___ | Spaß am Beruf ___ |

| Aufstiegs- und Karrierechancen ___ | Beruf mit Herausforderungen ___ | |

▶ Ü 1   **c** Welche Unterschiede gibt es zu Ihrer Liste in 1a? Welche Gründe kann es dafür geben?

2.7–10
2a Hören Sie eine Straßenumfrage, in der vier Personen erzählen, wie sie sich ihr Berufsleben in zwei Jahren vorstellen. Machen Sie Notizen zu den Personen (Beruf, aktuelle Situation, Wünsche an die Zukunft).

b Welche neuen Wünsche haben die Personen genannt?

c Über die Zukunft sprechen. Hören Sie noch einmal den Friseur. Ergänzen Sie die Regel und
notieren Sie je ein Beispiel.

Zukünftiges ausdrücken   G

Präsens   oft mit Zeitangabe (z. B. *morgen, in zwei Jahren*)

Beispiel: _____

Futur I   „_____" + Infinitiv

Beispiel: _____
                                                                              ▶ Ü 2

d Mit Futur I kann man auch über die Gegenwart sprechen. Was drücken die Sätze aus? Kreuzen Sie an.

	Zukünftiges	**Gegenwärtiges**	
		Vermutung	Aufforderung
1. Hast du Marco gesehen? – Nein, er wird schon in der Kantine sein.	☐	☐	☐
2. In zwei Wochen werde ich unseren neuen Kunden treffen.	☐	☐	☐
3. Sie werden das Protokoll jetzt bitte sofort schreiben.	☐	☐	☐
4. Hast du den neuen Beamer schon getestet? – Nein, er wird schon funktionieren.	☐	☐	☐
5. Was macht denn der Müll hier auf Ihrem Schreibtisch? – Ich werde ihn gleich wegräumen.	☐	☐	☐
6. Die Adressliste hier muss noch überprüft werden. – Ja, das wird unsere Praktikantin übernehmen.	☐	☐	☐

▶ Ü 3

3a Notieren Sie auf einem Zettel Ihren Namen, Ihren beruflichen Zukunftstraum und wie Sie ihn
erreichen könnten. Dann werden die Zettel gemischt und verteilt.

> *Nora*
> *Zukunftstraum:*
> *eigenes Café eröffnen, Spezialitäten: selbstgebackene Kuchen, gute Musik*
>
> *Realisierung:*
> *Kurs für Unternehmensgründer besuchen, jede Woche neue Kuchenrezepte*
> *ausprobieren …*

b Ziehen Sie einen Zettel und stellen Sie die Person vor. Sagen Sie nicht den Namen. Die anderen raten.

*Diese Person hier will ein eigenes Café eröffnen. Sie wird in dem Café selbstgebackene Kuchen anbieten und
es wird dort immer gute Musik laufen. …*

4 Suchen Sie im Internet eine Seite mit einem Test zur Berufswahl. Geben Sie Ihre Wünsche ein.
Recherchieren Sie Informationen zu dem Beruf, der Ihnen vorgeschlagen wird, und stellen Sie ihn
kurz vor.

Der Test hat mir folgenden Beruf vorgeschlagen: …
Die Ausbildung zum … dauert … Jahre. Man kann die Ausbildung entweder bei … oder …

Ideen gesucht

1a Was braucht man, um sich selbstständig zu machen? Welche Eigenschaften und Talente sind wichtig? Sammeln Sie.

Man muss gut organisieren können.

b Arbeiten Sie zu dritt. Jeder liest eine Anzeige und das Kurzporträt dazu. Welchen Service bieten die Leute an? Wie kamen sie zu ihrer Idee? Berichten Sie.

Handwerker-Expressdienst
24 Stunden für SIE da!
Mobil: 0133 – 300 20 103

- Ihr Regal hängt schief?
- Der Kleine hat die Wand eingecremt?
- Die Gardinenstange will nicht an die Wand?
- Probleme beim Teppichverlegen?
- Der Rasenmäher macht keinen Mucks mehr?
- Kleine und größere Katastrophen?
- ▶ Da kann ich helfen!

Schnell anrufen!!!
Kompetenter Handwerker kommt sofort!
schnell – sauber – preiswert – persönlich
7.00–17.00 Uhr; 35,– € / Std.; unkomplizierter Service
Notdienst nach Absprache

Siggi Hausmann hilft, wenn nichts läuft, wie es soll. Noch vor Kurzem hatte er selbst eine Baufirma, dann kam die Pleite. Heute arbeitet er mit dem, was ihm blieb: einem Kasten mit Werkzeug, seinem handwerklichen Talent und seinem Mut, etwas Neues anzupacken.

Sie haben Probleme mit Ihrem Hund?

Sie möchten eine harmonische und stressfreie Beziehung zu Ihrem Hund?

Sie wollen Ihren Hund endlich verstehen?

Die Hundeflüsterin hilft!
Tierpsychologin bietet professionelle, kompetente Beratung und individuelles Einzeltraining mit modernen und innovativen Erziehungsmethoden.

Wo: Hundeschule Münstererstraße 45
          (großes Trainingsgelände) oder bei Ihnen zu Hause
Kosten: 50 Euro pro Stunde

Erziehen Sie Ihren Hund – ich helfe Ihnen dabei!

Kontakt: Mira Kleinstuber 0178–45020423 oder
              info@hundefluesterin.de

Mira Kleinstuber wollte schon immer etwas mit Tieren machen. Als sie dann vor sieben Jahren einen Hund aus dem Urlaub mitbrachte, fing sie an, sich intensiv mit Hundeerziehung zu beschäftigen. Ein paar Jahre später machte sie ihr Hobby zum Beruf.

Unser Sommer-Special!

Last-Minute-Picknick

Sonntag, Sonne und nix im Kühlschrank?
Wir versorgen euch ruckzuck mit einem großartigen
Picknick und leckeren Snacks.
Geschirr, Besteck und Gläser liefern wir gleich mit.

Zum Beispiel:
Dicke-Freunde-Picknick für zwei Personen:
Auswahl an Brat- und Grillspezialitäten
(Frikadellen, Hähnchenschenkel u.v.m.),
zwei Sorten Salate, Baguette, Käseplatte,
Dessert, Getränke nach Wahl für 44,- €   *44,- €*

Nutzt unseren zuverlässigen und
praktischen Service!
Picknick-Alarm
0221-113779086 (Lieferung frei Haus)
<u>**www.picknick-alarm.de**</u>

Die Geschwister Dieter und Steffi Hausmark liefern Picknick im Raum Köln. Die Idee wurde in ihrer WG geboren, in der eines Sonntags nichts Essbares mehr zu finden war. Sie träumten von einem leckeren Picknick im Park und erfüllen heute anderen Menschen diesen Traum.

c   Welche Geschäftsidee wird Ihrer Meinung nach den größten Erfolg haben? Warum?

d   Welche Adjektive verwenden die Leute in den Anzeigen, um für ihren Service zu werben? Markieren Sie und sammeln Sie weitere.

kompetent …   ▶ Ü 1–2

2a   Bilden Sie Gruppen. Welche Fähigkeiten und Talente gibt es in Ihrer Gruppe?

Ich kann nähen!   *Cem kann gut organisieren.*   *Du spielst doch so gut Klavier.*

b   Welchen Service oder welches Produkt könnte Ihre Gruppe anbieten?

Für wen? Für welche Situation?	Was?
Menschen, die in eine neue Wohnung ziehen.	*Kissen, Gardinen, Vorhänge etc. für die neue Wohnung. Alles fertig bis zum Umzug. „Neuer Look fürs neue Heim"?*

c   Klären Sie dann die folgenden Fragen:

1. Wie nennen Sie Ihre Dienstleistung / Ihr Produkt?   2. Welchen Service bieten Sie an?
3. Was kostet Ihr Angebot / Ihr Produkt?   4. Wie kann man Sie erreichen?

d   Schreiben Sie eine Anzeige für Ihr Angebot. Verwenden Sie auch die Adjektive aus 1d. Hängen Sie die Anzeigen im Kurs auf und vergleichen Sie. Welches Angebot würden Sie nutzen?   ▶ Ü 3

Darauf kommt's an

1a Was gehört zu einer Bewerbung? Zu welchen Teilen einer Bewerbung könnten Sie Tipps gebrauchen? Sammeln Sie.

b Was sagen die Profis? Lesen Sie die Tipps von drei Personalchefs aus unterschiedlichen Branchen. Werden Ihre Themen aus 1a angesprochen?

Peter Brandt,
Städtische Betriebe Dresden

Heiner Stölter,
Verband Deutscher
Kreditinstitute

Beata Gräser-Kamm,
Reiseallianz Österreich

Denken Sie daran, dass viel vom ersten Eindruck abhängt. Die Bewerbungsunterlagen sollten ordentlich zusammengestellt und voll-
5 ständig sein, also ein Anschreiben, einen lückenlosen Lebenslauf, ein Foto, das letzte Schulzeugnis und die Arbeitszeugnisse der letzten Arbeitgeber enthalten.
10 Sorgen Sie dafür, dass in Ihren Unterlagen keine Fehler sind. Dass sich Eselsohren und Fettflecken gar nicht gut verkaufen, sollte selbstverständlich sein.
15 Wer in seiner Freizeit bei einem Verein mitarbeitet oder Theater spielt, sollte darauf ruhig eingehen. Damit kann man zeigen, dass man über soziale Kompetenzen verfügt.
20 Aber bitte nicht übertreiben – und vor allem bei der Wahrheit bleiben!

Wer sich als neuer Mitarbeiter bewirbt, sollte sich im Vorfeld gut über das Unternehmen informie-
25 ren, z. B. bei der Firma anrufen und sich nach weiteren Informationen zu der Stelle erkundigen.
Im Anschreiben und im Gespräch sollten die Interessenten zeigen,
30 wofür sie sich bei der Firma besonders interessieren und mit welchen Tätigkeiten sie vielleicht schon vertraut sind.
Wir achten also nicht nur auf Fach-
35 wissen, sondern auch auf Engagement und Motivation.
Wer zu einem Vorstellungsgespräch eingeladen wird, sollte natürlich und gepflegt auftreten.
40 Dort kann der Bewerber den Arbeitgeber dann von seinen Qualitäten überzeugen.

Fast alle Unternehmen erwarten von den Interessenten eine
45 Online-Bewerbung, die wenigsten Bewerber schicken ihre Unterlagen noch per Post. Bei allen Bewerbungen kommt es darauf an, dass die Unterlagen nicht nur
50 formal korrekt sind, sondern auch das Interesse der Unternehmen wecken. Das Schreiben sollte auf die Frage antworten: „Warum sollen wir ausgerechnet Sie neh-
55 men?" Vergessen Sie nicht in der Anzeige geforderte Informationen beispielsweise zu Gehaltsvorstellungen oder Eintrittstermin.
Auf das Vorstellungsgespräch soll-
60 te man sich gut vorbereiten. Am besten trainiert man vorher in einem Rollenspiel, wie man seine Stärken am besten präsentiert.

c Fassen Sie die Tipps zusammen. Was war besonders interessant für Sie?

▶ Ü 1   Vorbereitung   Bewerbungsunterlagen   Vorstellungsgespräch   Sonstiges

2 Worauf sollte man bei einer Bewerbung in Ihrem Land achten? Was ist gleich/ähnlich? Was ist anders? Berichten Sie in Gruppen.

Bei einer Bewerbung ist bei uns der persönliche Kontakt am wichtigsten. Im Gespräch ist es sehr wichtig, etwas Positives über die Firma zu sagen oder ein kleines Kompliment z. B. über das Büro zu machen.

3a Markieren Sie die Verben mit Präpositionen in den Texten. Nennen Sie ein Verb, Ihr Partner / Ihre Partnerin ergänzt eine passende Präposition. Dann tauschen Sie.

abhängen ...?   *... von!*

b Einige Verben haben mehr als eine Präposition. Verbinden Sie die beiden Beispielsätze. Schreiben Sie dann mit zwei weiteren Verben ähnliche Sätze.

1.	*diskutieren + mit* + Dativ	Ich diskutiere *mit* meinem Chef.
2.	*diskutieren + über* + Akkusativ	Ich diskutiere *über* mein Gehalt.
3.	*diskutieren + mit* + Dativ + *über* + Akkusativ	*Ich*_____

Ebenso: *sich informieren bei + über*   *sich bewerben bei + als*   *sprechen mit + über*
            sich entschuldigen bei + für   *sich erkundigen bei + nach*   *sich beschweren bei + über*

4a Präpositionen mit *wo(r)…/da(r)…* oder Präposition mit Pronomen? Wann verwendet man was? Vergleichen Sie die Dialoge und ergänzen Sie die Regel.

A
○ Na, dein Gespräch war wohl nicht so gut.
● Ja, leider. Ich habe mich so *darüber* geärgert.
○ *Worüber* denn genau?
● *Über* die blöden Fragen.
○ Echt?
● Na ja, eigentlich mehr *darüber*, dass ich so unsicher war.

B
○ Und *auf wen* warten Sie?
● *Auf* Herrn Müller.
○ Ach, der kommt bestimmt gleich.
● Ich warte auch erst fünf Minuten *auf ihn*.
○ Ah, da kommt er ja.

Präpositionaladverbien und Fragewörter
wo(r)… und *da(r)…* verwendet man bei _____ und _____.
da(r)… steht auch vor Nebensätzen (*dass*-Satz, Infinitiv mit *zu*, indirekter Fragesatz).
Präposition und Pronomen/Fragewort verwendet man bei _____.

Sachen

Personen

Ereignissen

b Schreiben und spielen Sie kleine Dialoge wie in 4a. Wählen Sie Verben mit Präpositionen aus der Liste im Anhang.

▶ Ü 2–3

c Notieren Sie fünf Fragen mit Verben mit Präpositionen. Gehen Sie durch den Kursraum und stellen Sie Ihre Fragen.

Interessierst du dich für Wirtschaft?

Nein, dafür interessiere ich mich nicht. Über wen …?

▶ Ü 4–7

Mehr als ein Beruf

1a Ordnen Sie die Ausdrücke den Fotos zu. Manche Ausdrücke passen mehrmals.

als Türsteher arbeiten ~~eine Geschäftsreise machen~~ ~~mit Hunden unterwegs sein~~ Patienten behandeln
mit der Bahn reisen Krankengeschichten beachten Menschen einschätzen
für Ruhe sorgen Stammgäste begrüßen schwere Aktenkoffer tragen in den Bergen wandern
unangenehme Gäste hinausbegleiten jemanden massieren Kühe, Ziegen und Schafe hüten
Vorträge halten Bergschuhe anziehen eine Hütte/Alp bewirtschaften
an Besprechungen/Konferenzen teilnehmen sich mit der Anatomie gut auskennen
Gymnastikübungen erklären wichtige berufliche Termine einhalten Telefonkonferenzen abhalten

Mann mit Hunden	Mann am Bahnhof	Mann in Praxis	Mann vor der Bar
mit Hunden unterwegs sein,	eine Geschäftsreise machen,		

▶ Ü 1

b Was machen die beiden Männer wahrscheinlich beruflich? Wählen Sie eine Person aus und beschreiben Sie ihren Alltag.

VERMUTEN	
Ich kann/könnte mir gut vorstellen, dass …, denn/weil …	Der Mann wird … sein.
	Der Mann sieht aus wie ein …
Es kann/könnte (gut) sein, dass …	In seinem Alltag wird er …
Ich vermute/glaube / nehme an, dass …	Er wird vermutlich/wahrscheinlich …
Vielleicht/Wahrscheinlich/Vermutlich ist/macht …	Es ist denkbar/möglich/vorstellbar, dass …

▶ Ü 2

c Lesen Sie die Texte über die beiden Personen und kreuzen Sie die richtigen Aussagen zu den einzelnen Texten an.

Rudolf Helbling, 45

Nach einem Forschungsaufenthalt in Neuseeland erfüllte ich mir meinen großen Traum und wurde Alphirt. Meine Frau und unsere vier Kinder leben in der Nähe von St. Gallen. Aber von Mai bis Oktober arbeite und wohne ich auf unserer Alp. Sie liegt zwischen 1.800 und 3.000 Metern über Meer im Kanton Graubünden.

Auf der etwa 2.500 Hektar großen Alp hüte ich mit meinen Angestellten 1.600 Schafe, 250 Kühe, 300 Ziegen
5 und 30 Pferde. Die Tiere gehören den Bauern aus dem Unterland. Ich bin von morgens früh bis abends spät mit meiner Herde unterwegs. Insgesamt ist die Alpwirtschaft eine große physische und psychische Herausforderung. Das Material wird mit Pferden und Maultieren, teilweise mit dem Helikopter auf die Alp geschafft. Ich liebe die Arbeit in der freien Natur und bewege mich gerne in dieser rauen Welt.

Mein zweites Standbein ist die Tätigkeit als Dozent an der Uni St. Gallen. Die Alpwirtschaft und meine
10 Lehrtätigkeit haben einige Gemeinsamkeiten, geht es doch an beiden Orten um ökonomische, ökologische und politische Fragen. Bis jetzt habe ich mein abwechslungsreiches Doppelleben nicht bereut. Nicht immer einfach ist, dass ich im Sommer meine Familie nur selten sehe.

1. In dem Text geht es um einen Mann, der …

[a] in Neuseeland als Farmer arbeitet.

[b] in der Schweiz Forschungs- arbeiten macht.

[c] zwei Berufe hat.

2. Rudolf Helbig …

[a] arbeitet im Sommer ganz alleine.

[b] besitzt viele verschiedene Tiere.

[c] ist im Sommer den ganzen Tag mit Tieren unterwegs.

3. Im Winter …

[a] arbeitet Rudolf Helbig an einer Universität.

[b] können nur Helikopter die Alp erreichen.

[c] arbeitet Rudolf Helbig als Unternehmer.

Manfred Studer, 30

Freitagmorgen, 5:30 Uhr: Ich mache mich auf den Weg in meine Praxis, denn um 7:00 Uhr wartet schon der erste Patient. Vor inzwischen sechs Jahren bin ich mit meiner Ausbildung zum Physiotherapeuten und Heilprak- tiker fertig geworden. Dann habe ich viele Jahre in einem Krankenhaus in Luzern gearbeitet, aber vor einem Jahr habe ich eine eigene Praxis eröffnet. Ich bin sehr froh darüber, nun mein eigener Herr zu sein, aber die Kon-
5 kurrenz ist groß und die Miete für die Praxisräume ist sehr hoch, also habe ich mir einen zweiten Job gesucht.

Ich arbeite freitags und samstags von 21:00 bis 3:00 Uhr für eine Bar in der Innenstadt. Ich bin Türsteher und passe auf, dass nur die Gäste reinkommen, die erwünscht sind. Betrunkene Gäste zum Beispiel sind hier nicht gerne gesehen. In diesem Beruf kommen mir meine Erfahrungen mit Menschen sehr zugute.

Ich bin zufrieden mit meinen Jobs, aber Freizeit habe ich nun so gut wie keine mehr. Im Grunde hoffe ich
10 doch, dass ich bald so viele Patienten in der Praxis habe, dass ich nicht mehr als Türsteher arbeiten muss.

4. In dem Text geht es um …

[a] das Nachtleben in Luzern.

[b] das Schweizer Gesundheits- system.

[c] finanzielle Probleme und wie ein Mann sie gelöst hat.

5. Manfred Studer …

[a] arbeitet nur am Wochenende und nachts.

[b] ist in einer Klinik tätig.

[c] möchte selbstständiger Physiotherapeut bleiben.

6. Menschenkenntnis …

[a] ist vor allem im Beruf eines Türstehers wichtig.

[b] ist in beiden Berufen von Manfred Studer zentral.

[c] hat Manfred Studer in seiner Ausbildung erlernt.

▶ Ü 3

2 Sammeln Sie im Kurs Vor- und Nachteile eines Lebens mit zwei Jobs. Überlegen Sie, was man alles anders organisieren muss. Berichten Sie auch von eigenen Erfahrungen.

Mehr als ein Beruf

2.12

3a Berufswechsel. Hören Sie den Beginn eines Interviews und notieren Sie: Als was hat Valerija zuerst gearbeitet, was macht sie jetzt und warum?

Arbeit früher: _____

_____

2.13

b Hören Sie das ganze Interview und ergänzen Sie die Übersicht. Vergleichen Sie dann Ihre Notizen mit Ihrem Partner / Ihrer Partnerin.

1. der Anfang: Valerija taucht zum ersten Mal	**2. die Idee: Valerija will Tauchlehrerin werden**
Urlaub Ägypten mit Freund	
3. der Entschluss: als Tauchlehrerin arbeiten	**4. der Abschied: die Freunde und die Familie**
5. Beruf Tauchlehrer: Was ist schwer?	**6. Beruf Tauchlehrer: Was ist schön?**

<table>
<tr><td rowspan="4">STRATEGIE</td><td>Beim Hören Notizen machen</td></tr>
<tr><td>Notieren Sie nur die wichtigsten Informationen und lassen Sie Platz für Ergänzungen nach dem Hören.</td></tr>
<tr><td>Verwenden Sie Abkürzungen („+" für und, „/" für oder, „→" für Konsequenzen).</td></tr>
<tr><td>Lassen Sie Pronomen weg und notieren Sie Nomen ohne Artikel und Verben im Infinitiv. Das spart Zeit.</td></tr>
</table>

c Was ist für Sie an Ihrem Beruf oder Ihrer Ausbildung besonders schön oder schwer? Berichten Sie.

d Welche anderen Hobbys oder Interessen kann man zum Beruf machen? Sammeln Sie im Kurs.

4a Anstrengender Arbeitsalltag. Lesen Sie den Chat. Kreuzen Sie an, was für die Sprache in einem Chat typisch ist.

Animator an Coolmax um 23:25:12
Hallo! Ich hab 'ne Krise. Der Job hier ist nix für mich! Jeden Abend lustig sein, immer gute Laune haben. Hab echt keine Lust mehr!

Coolmax an Animator um 23:25:28
Soooo schlimm? Hey, bist doch erst 4 Wochen im Club. Macht's denn gar keinen Spaß?

Animator an Coolmax um 23:26:31
Nee 😫!!! Meine Kollegen reden nur über Essen und Gäste. Und die Gäste wollen mich von 8 bis 0 Uhr immer gut gelaunt. Ich hab nie meine Ruhe!

Coolmax an Animator um 23:27:07
Na komm, Kopf hoch! Hier ist's auch nicht besser … 😠 Mein Chef nervt tierisch! Muss jetzt ins Bett! Biba und gute N8!

---

	für einen Chat	
	typisch	**untypisch**
1. komplexe und lange Sätze	☐	☐
2. verkürzte Wörter (Endungen oder Vorsilben weggelassen …)	☐	☐
3. Ausrufe wie in Alltagsgesprächen (*Ah, Oh* …)	☐	☐
4. Smileys (😊 / 😠 / …)	☐	☐
5. Anrede: *Sie*	☐	☐
6. direkte Rede	☐	☐
7. Abkürzungen	☐	☐
8. lange Absätze	☐	☐
9. Personalpronomen weglassen	☐	☐
10. viele Nebensätze	☐	☐

SPRACHE IM ALLTAG 〉〉

Abkürzungen in E-Mails, Chats und SMS

Biba = bis bald
N8 = Nacht
LG = liebe Grüße
GG = großes Grinsen
kA = keine Ahnung
WD = wieder da

▶ Ü 4

b Schreiben Sie zu zweit den Chat weiter. Jeder übernimmt eine Rolle.

Rolle A: Animator
Unterhalter in All-inclusive-Ferienclub
sehr unglücklich mit Job, weil:
• anstrengend
• immer dasselbe
• Clubgäste stellen immer gleiche Fragen
• manche meckern immer
• Heimweh
• …
Sie wollen nach Hause.

Rolle B: Coolmax
guter Freund von Animator
seit 5 Wochen neue Stelle in Reisebüro:
• Arbeit gut
• aber Chef sehr launisch
neidisch auf Job von Animator, weil im Ferienclub:
• immer schönes Wetter
• Arbeit mit gut gelaunten Leuten
• Essen inklusive
• wohnen im Hotel mit Service
Sie wollen Animator überreden, nicht aufzugeben.

▶ Ü 5

DaWanda

Eine Geschäftsidee für Kreative

Die DaWanda-Gründer Michael Pütz und Claudia Helming

Selbstgemachtes ist wieder in. Besonders wenn man etwas Besonderes sucht, das nicht jeder hat. Nachdem fast alles in Massenproduktion hergestellt wird, dreht sich die Welt jetzt wieder ein bisschen zurück. Im Netz entstehen Läden, in denen man Handgemachtes kaufen kann: Einzelstücke oder Kleinserien, in teuren Industrieländern gefertigt, womöglich im heimischen Wohnzimmer von Hobby-Schneiderinnen, die gleichzeitig Ladenbesitzerinnen sind. Oder von der Oma für ihren verkaufstüchtigen Enkel.

Für den Trend hat in Deutschland vor allem ein Internetportal gesorgt: DaWanda. Das Portal gibt es seit Dezember 2006 und es ist schnell gewachsen. Es trägt ein Herz im Logo, das Lieblingswort der Verkäufer lautet „süß" und das Angebot ist mit 3,5 Millionen Produkten schier unüberschaubar. 220 000 Menschen verkaufen auf DaWanda ihre Sachen – vom Schulranzen über Kapuzenpullis und selbstgeschriebene Gedichte bis hin zu irren Dingen wie Häkelbikinis oder einem Sarg als Bett. Alles handgemacht, so das Versprechen. In Zeiten, da man sich eher fünf Paar

neue Socken kauft, als die alten zu stopfen – mal abgesehen davon, dass man gar nicht wüsste, wie das geht – ist die Rückkehr zum Selbstgemachten überraschend. Das bedeutet nicht, dass die Kunden jetzt den kratzigen Ringelpullunder von Tante Agathe tragen wollen. Aber sie suchen originelle Einzelstücke, mit denen sie ihre Grundausstattung aus H&M-Shirt, Ikea-Regal und Apple-Handy aufpeppen können. Gerne darf es auch witzig sein. Die weitaus meisten Liebhaber der selbstgemachten Dinge sind Frauen – auf DaWanda mehr als 90 Prozent der Käufer. DaWanda-Gründerin Claudia Helming erklärt sich das damit, dass Frauen mehr Lust zum Stöbern haben. Und auf DaWanda vergeht schnell eine Stunde mit Klicken, Gucken, Vergleichen und Weiterklicken. „Männer kaufen lieber zielgerichtet ein", sagt Helming. Auch die Verkäufer sind vor allem Frauen. Viel mit ihren Verkäufen verdienen, das schaffen sie allerdings selten. Denn – Handarbeit hin oder her – die Kundinnen sind jung und nicht gerade Millionäre. Deshalb ist vieles erstaunlich günstig.

Urlaubsreife der Welt, outet euch! Zum Beispiel mit diesen Ohrringen

www Mehr Informationen zu DaWanda.

Sammeln Sie Informationen über Firmen, Geschäftsideen oder Persönlichkeiten aus dem In- und Ausland, die für das Thema „Arbeit und Beruf" interessant sind, und stellen Sie sie im Kurs vor. Sie können dazu die Vorlage „Porträt" im Anhang verwenden.

Beispiele aus dem deutschsprachigen Bereich: Vaude – Lala Berlin – Heidi Klum – Stefan Raab

1 Zukünftiges ausdrücken

Zukünftiges kann man mit zwei Tempusformen ausdrücken.

| **Präsens** (oft mit Adverbien und anderen Zeitangaben) | *Bald **habe** ich einen besseren Job.* |
| **Futur I** (*werden* + Infinitiv) | *Ich **werde** (bald) einen besseren Job **haben**.* |

Das Futur I wird auch oft verwendet, um Vermutungen oder Aufforderungen auszudrücken.
*Hast du Marco gesehen? – Ach, der **wird** schon in der Kantine **sein**.* Vermutung
*Sie **werden** das Protokoll jetzt bitte sofort **schreiben**.* Aufforderung

Aufforderungen mit Futur I sind sehr direkt und eher unhöflich.

2 Verben mit Präpositionen

Viele Verben stehen mit einer oder mehreren Präpositionen. Bei Verben mit Präpositionen bestimmt die Präposition den Kasus der Ergänzungen.

*diskutieren **über** + Akk.*	*Wir diskutieren **über** <u>die neuen Arbeitszeiten</u>.*
*diskutieren **mit** + Dat.*	*Wir diskutieren **mit** <u>unserem Chef</u>.*
*diskutieren **mit** + Dat. **über** + Akk.*	*Wir diskutieren **mit** <u>unserem Chef</u> **über** <u>die neuen Arbeitszeiten</u>.*

Eine Übersicht über Verben mit Präpositionen finden Sie im Anhang.

3 Präpositionaladverbien und Fragewörter

Sachen/Ereignisse	**Personen/Institutionen**
***wo(r)* + Präposition**	**Präposition + Fragewort**
○ ***Woran** denkst du?* ● ***An** unsere Zukunft!*	○ ***An wen** denkst du?* ● ***An** meine Kollegin.*
○ ***Wovon** redet er?* ● ***Vom** neuen Projekt.*	○ ***Mit wem** redet er?* ● ***Mit** dem Projektleiter.*
***da(r)* + Präposition**	**Präposition + Pronomen**
○ *Erinnerst du dich **an dein Bewerbungsgespräch**?* ● *Natürlich erinnere ich mich **daran**. Ich erinnere mich auch **daran**, wie nervös ich war.*	○ *Erinnerst du dich **an Sabine**?* ● *Natürlich erinnere ich mich **an sie**.*

Nach *wo…* und *da…* wird ein *r* eingefügt, wenn die Präposition mit einem Vokal beginnt:
auf → *wo**r**auf/da**r**auf*

da(r)… steht auch vor Nebensätzen (*dass*-Satz, Infinitiv mit *zu*, indirekter Fragesatz).

Auf der Walz

1 Wie und wo erlernt man normalerweise einen Beruf? Wie sammelt man Berufserfahrung?

2a Sehen Sie das Foto an. Beschreiben Sie das Aussehen der beiden Männer. Welchen Beruf üben die beiden wahrscheinlich aus?

b Lesen Sie den Info-Text. Was bedeutet der Begriff „Wanderschaft"?

> Was in früheren Jahrhunderten in Handwerksberufen üblich war, machen heute nur noch wenige junge Handwerker: Die Gesellen – so heißen Handwerker, wenn sie ihre Lehrzeit mit einer Prüfung abgeschlossen haben – gehen auf Wanderschaft. Während dieser Zeit, die auch „Wanderjahre" oder „Walz" genannt wird, arbeiten sie an verschiedenen Orten und sammeln in unterschiedlichen Betrieben Berufserfahrung.

3a Sehen Sie die erste Filmsequenz. Was erfahren Sie über die beiden Männer? Kreuzen Sie die richtigen Informationen an.

- ☐ 1. David und Christian sind Zimmerleute.
- ☐ 2. Die beiden sind immer nur zu Fuß unterwegs.
- ☐ 3. Sie haben nicht viel Geld und wenig Gepäck.
- ☐ 4. Sie müssen immer aufpassen, dass ihnen nichts geklaut wird.
- ☐ 5. Zu ihrer Ausrüstung gehört ein Hammer.

b Was bedeuten die folgenden Ausdrücke? Ordnen Sie zu.

___ 1. per Anhalter unterwegs sein	a	nur mit viel Mühe zu schaffen
___ 2. nur das Allernötigste dabeihaben	b	jemandem etwas Unangenehmes zufügen
___ 3. mit großer Anstrengung verbunden sein	c	nur das mitnehmen, was man unbedingt braucht
___ 4. jemandem etwas verpassen	d	Autostopp machen

c Sehen Sie die Sequenz noch einmal. Welche Kleidung und Ausrüstung ist typisch für einen Zimmergesellen auf Wanderschaft? Welche Informationen bekommen Sie darüber?

d In welchen Berufen gibt es besondere Bekleidungen? Sammeln Sie Beispiele und beschreiben Sie die Kleidung.

4a Sehen Sie die zweite Filmsequenz. Was erfahren Sie noch über die Wanderschaft?

b Wie reagieren die Leute, wenn sie einen Zimmermann auf Wanderschaft sehen?

5a Was denken Sie? Welche Eigenschaften muss ein Zimmergeselle, der auf Wanderschaft gehen will, wahrscheinlich haben? Warum?

a Er darf nicht verheiratet sein.

b Er darf keine Schulden haben.

c Er darf nicht älter als 29 Jahre sein.

d Er muss sportlich sein.

e Er darf nicht anspruchsvoll sein.

f Er muss viele Sprachen können.

b Sehen Sie die dritte Filmsequenz und überprüfen Sie Ihre Vermutungen.

c Was bedeutet der Ausdruck „von der Hand in den Mund leben"?

6 „Die Walz, eine Schule fürs Leben." Sehen Sie die dritte Sequenz noch einmal. Wie hat die Wanderschaft die beiden Männer verändert?

7 Könnten Sie sich vorstellen, wie David und Christian auf Wanderschaft zu gehen? Warum (nicht)? Was finden Sie positiv, was negativ? Diskutieren Sie in Gruppen.

Für immer und ewig

A

B

C

D

E

Arbeiten Sie zu dritt. Ordnen Sie die Fotos zu einer Geschichte. Schreiben Sie dann Dialoge oder kurze Texte zu den Bildern und tragen Sie Ihre Geschichte vor.

Lebensformen

1a Es gibt viele verschiedene Lebensformen. Welche passen zu den Fotos? Welche kennen Sie noch? Sammeln Sie im Kurs.

> Patchworkfamilie   kinderlos   Single   Fernbeziehung   Wohngemeinschaft   alleinlebend
>
> geschieden   Großfamilie   verwitwet   Partner   alleinerziehend   Lebensgefährte

b Diskutieren Sie in Gruppen: Warum gibt es heute so viele verschiedene Lebensformen? Was sind die Vor- und Nachteile dieser Lebensformen? Vergleichen Sie dann im Kurs.

▶ Ü 1

Wenn Kinder in einer Patchworkfamilie aufwachsen, lernen sie …
Fernbeziehungen haben auch Vorteile, zum Beispiel …   *Früher konnten sich Paare nicht trennen, weil …*

🔊 2.14-15

2a Hören Sie einen Radiobeitrag und erklären Sie kurz, worum es geht.

🔊 2.14

b Hören Sie den ersten Abschnitt noch einmal und beantworten Sie die Fragen.

1. Was ist das Lebensziel der meisten Deutschen?

2. Wie hoch ist die Scheidungsrate in Deutschland?

3. In welchen Familienformen leben Kinder in Deutschland?

_____ % mit beiden leiblichen Eltern

_____ % mit einem alleinerziehenden Elternteil

_____ % in einer Patchworkfamilie

c Hören Sie den zweiten Abschnitt und notieren Sie.

2.15

Lebensform?

Familienmitglieder?

Situation?

Frau Schröder und Lara

Herr Massmann

d Schreiben Sie anhand Ihrer Notizen ein kurzes Porträt zu einer der beiden Familien.

▶ Ü 2

3a Im Radiobeitrag haben Sie diese reflexiv gebrauchten Verben gehört. Wählen Sie drei Verben und schreiben Sie Beispielsätze.

sich scheiden lassen – sich sehen – sich gut verstehen – sich treffen – sich entschließen – sich wünschen – sich trennen – sich verlieben – sich gewöhnen an – sich etwas sagen lassen – sich zusammenraufen – sich ändern

b Welche anderen reflexiven Verben kennen Sie? Sammeln Sie in Gruppen und vergleichen Sie.

c Lesen Sie die Beispiele. Markieren Sie dann die Verben und die Reflexivpronomen. Welches Beispiel gehört zu welcher Regel?

A Ich verstehe mich gut mit Peter.
Ich verstehe diesen Mann einfach nicht.

B Ich habe mich entschlossen, wieder zu arbeiten.
Er hat sich sofort in sie verliebt.

G

1. Manche Verben sind **immer** reflexiv. _____

2. Manche Verben können reflexiv sein oder mit einer Akkusativergänzung stehen. _____

C Ich ziehe mich an.
Ich ziehe mir den Mantel an.

D Ich wünsche mir mehr Zeit.
Merk dir dieses Datum!

G

3. Reflexivpronomen stehen normalerweise im Akkusativ. Gibt es eine Akkusativergänzung,

steht das Reflexivpronomen im Dativ. _____

4. Bei manchen Verben steht das Reflexivpronomen **immer** im Dativ. Diese Verben brauchen

immer eine Akkusativergänzung. _____

▶ Ü 3–6

4 Lesen Sie die Verben. Überlegen Sie sich zu zweit eine kurze Geschichte und erzählen Sie.

sich scheiden lassen   sich kennenlernen   sich trennen   sich interessant finden

sich verabreden   heiraten   sich gut verstehen   sich verlieben   sich verloben

Klick dich zum Glück

1a Sehen Sie die Bilder an. Welche Situation wird hier dargestellt?

b Wie/Wo lernt man in Ihrem Land einen Partner / eine Partnerin kennen?

2 Lesen Sie den Artikel. Notieren Sie Informationen zu den folgenden Punkten und vergleichen Sie im Kurs.

– Vor- und Nachteile der Partnersuche im Internet
– unterschiedliche Arten der Kontaktbörsen

◉ ◯ ◯

Mit einem Klick zum Partnerglück

Die Zeiten ändern sich: Vor noch nicht allzu langer Zeit waren Menschen, die über eine Zeitungsanzeige einen Partner suchten, nur schwer vermittelbar. Heute ist es ganz normal, über Online-Plattformen Freunde oder Lebensgefährten zu finden. Von den Singles in
5 Deutschland zwischen 20 und 70 haben bereits zwei Drittel schon einmal eine Online-Kontaktbörse genutzt. Online-Dating boomt.

Was macht die Partnersuche im Internet so attraktiv?

Die große Schwierigkeit bei der Partnersuche besteht oftmals darin, dass es nicht so einfach ist, mögliche Partner kennenzulernen. In den unterschiedlichen Partnerbörsen, Dating-
10 Portalen und Online-Partnervermittlungen hat man die Möglichkeit, eine große Anzahl Menschen zu treffen, die ebenfalls auf der Suche sind. Jemanden anzusprechen, fällt dort vielen leichter als auf einer Party oder bei einem Konzertbesuch. Ein Problem kann jedoch sein, dass man bei der Menge der Informationen überfordert ist, einen möglichen Partner auszusuchen. Suchmaschinen helfen, eine erste Auswahl zu treffen.

15 **Die richtige Partnerbörse finden**

Dank der großen Auswahl an Partnerbörsen gibt es für jede Zielgruppe den passenden Anbieter. So gibt es Partnerbörsen für Akademiker, für Senioren, für Alleinerziehende und viele mehr.
Darüber hinaus spielt bei den Partnerbörsen der Faktor Geld eine wichtige Rolle. Immerhin
20 sind die meisten Dating-Portale gebührenpflichtig und verlangen einen wöchentlichen, monatlichen oder jährlichen Beitrag. Natürlich gibt es auch Partnerbörsen, die völlig kostenlos sind und ausschließlich als Plattform dienen. Die Zahl dieser Plattformen ist stark gestiegen. Allerdings bieten solche Partnerbörsen keine besonderen Dienste, die die Partnersuche um ein Vielfaches erleichtern. Kostenpflichtige Portale zeichnen sich zum Beispiel durch
25 Persönlichkeitstests aus, die einem zeigen, wie gut man mit wem zusammenpassen würde.

 ▶ Ü 1

3a Sie haben im Internet den Artikel „Mit einem Klick zum Partnerglück" gelesen. Im Gästebuch lesen Sie die Meinung von Maria. Was hält sie von der Partnersuche im Internet?

Maria   16.06. | 19:35 Uhr

Ich kann mir das Kennenlernen eines Partners im Internet überhaupt nicht vorstellen. Das ist mir viel zu unpersönlich. Ich weiß gar nicht, wem ich da schreibe! Jemandem, den ich gar nicht kenne, könnte ich keine persönlichen Informationen über mich geben.

b Überlegen Sie sich Argumente für und gegen die Partnersuche im Internet.

pro	contra
schnelle Kontaktaufnahme	*falsche Angaben im Profil*

c Lesen Sie die Sätze und unterstreichen Sie die Redemittel, die Argumente verbinden.

1. <u>Zunächst einmal</u> denke ich, dass diese Art der Partnersuche effektiver ist.
2. Ein weiterer Vorteil ist, dass man zeitlich flexibel ist.
3. Weiterhin ist für mich wichtig, dass man eine große Auswahlmöglichkeit hat.
4. Ich glaube darüber hinaus, dass man so einen Menschen besser kennenlernen kann.
5. Nicht zu vergessen ist die zeitliche Flexibilität.
6. Schließlich möchte ich noch darauf hinweisen, dass die Partnersuche immer schwierig ist.

▶ Ü 2

4a Schreiben Sie nun Ihre Meinung (circa 80 Wörter). Entscheiden Sie, welche Redemittel aus 3c Sie verwenden wollen.

b Lesen Sie Ihren Text nach dem Schreiben noch einmal. Korrigieren Sie eventuelle Fehler.

STRATEGIE

Einen Text korrigieren

Lesen Sie Ihren Text mehrmals durch und achten Sie dabei auf häufige Fehler:
1. Ist das Verb richtig konjugiert?
2. Steht das Verb an der richtigen Position?
3. Stimmen die Endungen (Adjektive, Nomen)?
4. Sind alle Wörter richtig geschrieben?

c Arbeiten Sie zu zweit. Tauschen Sie Ihre Texte und korrigieren Sie sich gegenseitig. Wo gibt es Probleme? Was verstehen Sie nicht? Verbessern Sie die Texte gemeinsam.

Die große Liebe

1 Die große Liebe – gibt es das? Kennen Sie Beispiele? Erzählen Sie.

2 Ein kleiner Augenblick, ein ganz besonderer Satz und plötzlich weiß man: Das ist die große Liebe. Lesen Sie die drei Texte aus einer Zeitschrift und beantworten Sie die Fragen.

1. Wie oder wo haben sich die Paare kennengelernt?
2. Was ist die besondere Situation der Paare?
3. Welche Pläne haben die Paare?

Ernst Kostner, 77: Maja habe ich vor einem Jahr durch eine Kontaktanzeige kennengelernt. In dem Moment, als wir uns angesehen haben, wusste ich: Das ist sie! Ich wollte gerne eine Frau, mit der ich etwas erleben kann. Maja ist meine große Liebe, weil wir zusammen lachen können und ich mit ihr alles nachholen kann, was ich verpasst habe. Einmal ist Maja nachts um drei ein Tanzschritt eingefallen, den sie dann geübt hat. Ich bin aufgewacht und wir haben zusammen weitergetanzt. Einfach so.

Maja Stinner, 73: Das, was mir wichtig ist, finde ich in dieser Beziehung, denn mit Ernst ist einfach immer etwas los. Er ist sehr aktiv, schmiedet immer Pläne. Nächsten Monat zum Beispiel fahren wir zusammen nach Prag, wo wir an einem Tanzwettbewerb teilnehmen.

Pia Fischer, 40: Wir passen einfach perfekt zueinander. Es gibt eigentlich nichts, was mich an ihm stört. Conni ist so begeisterungsfähig und wir teilen so viele Interessen. Nur unsere Umwelt hat immer noch ein Problem mit unserer Beziehung, denn der Altersunterschied ist etwas, was andere Leute komisch finden. Auch meine Familie kann nicht verstehen, dass ich mit einem Mann zusammen bin, der zwölf Jahre jünger ist

als ich. Komischerweise hat niemand ein Problem damit, wenn der Mann älter ist als die Frau. Mich interessiert dieser Altersunterschied nicht. Ich fühle mich einfach wohl mit ihm.

Cornelius Horsmann, 28: Kennengelernt habe ich Pia in dem Café, in dem ich jobbe. Ich fand sie sofort interessant. Pia ist eine faszinierende Frau, die weiß, was sie vom Leben will, und die schon eine Menge erlebt hat. Die Vorurteile, denen wir ständig begegnen, sind schon unglaublich. Aber mir ist es völlig egal, was die anderen sagen, und nächstes Jahr werden wir heiraten.

Paulo Gomes, 35: Ich komme aus São Paulo. Anne habe ich in England kennengelernt, wo wir beide bei einer Marketingfirma gearbeitet haben. Mir war ziemlich schnell klar, dass Anne die Frau ist, mit der ich eine Familie gründen will, und ich bin zu ihr nach Hamburg gezogen. Es hat dann eine Weile gedauert, bis ich eine Arbeit gefunden habe, aber jetzt arbeite ich in einem wirklich netten Team. Manchmal fehlen mir meine Freunde, die alle in Brasilien leben. Unsere Kinder sehen ihre Großeltern selten, was ich wirklich schade finde. Und die deutsche Mentalität ist mir oft zu ernst, ich vermisse die brasilianische Lebensart. Spätestens in zwei oder drei Jahren möchte ich mit meiner Familie nach Brasilien ziehen.

Anne Gomes, 32: Paulo ist der Mensch, dem ich grenzenlos vertraue. Er ist mein bester Freund und gleichzeitig meine große Liebe. Das passiert sicher nur einmal im Leben. Allerdings plagt ihn immer wieder das Heimweh und am liebsten würde er mit mir und den Kindern nach Brasilien ziehen, was ich mir aber gar nicht vorstellen kann. Dort eine Arbeit zu finden, die meinen Qualifikationen entspricht, wäre sicher sehr schwierig, zumal mein Portugiesisch nicht besonders gut ist. Und die Kinder müssten sich an eine Umgebung gewöhnen, die ihnen fremd ist.

▶ Ü 1

3a Wovon hängt die Form des Relativpronomens ab? Markieren Sie und ergänzen Sie dann die Regel.

1. Paulo ist der Mensch, dem ich grenzenlos vertraue.

2. Einmal ist Maja nachts ein Tanzschritt eingefallen, den sie dann geübt hat.

3. Anne ist die Frau, mit der ich eine Familie gründen will.

Artikel	Kasus	Informationen	Bezugswort

Relativsätze geben genauere _____, beschreiben etwas oder jemanden.

Form des Relativpronomens:

→ wie der bestimmte _____ (Ausnahmen: Dativ Plural *denen* und Genitiv *dessen/deren*)

→ Genus *(der/das/die)* und Numerus (Singular/Plural) richten sich nach dem _____.

→ Der _____ (Nom., Akk., Dat., Gen.) richtet sich nach dem Verb oder der Präposition im Relativsatz.

b Schreiben Sie zu zweit für jeden Kasus je einen Relativsatz. Tauschen Sie die Sätze mit einem anderen Paar und korrigieren Sie sich gegenseitig.

▶ Ü 2–3

4a Lesen Sie die Regel und ergänzen Sie die Beispielsätze.

Gibt ein Relativsatz einen Ort oder eine Richtung an, kann man statt Präposition + Relativpronomen auch *wo/woher/wohin* verwenden.

Ich habe Anne in der Stadt kennengelernt,

in der wir gearbeitet haben.	**in die** ich gezogen bin.	**aus der** mein Kollege kommt.
_____ wir gearbeitet haben.	_____ ich gezogen bin.	_____ mein Kollege kommt.
Ort	**Richtung auf etwas zu**	**Richtung von etwas weg**

b Sehen Sie sich die Beispiele an. Worauf bezieht sich das Relativpronomen *was*? Markieren Sie und ergänzen Sie die Regel.

1. Das, was mir wichtig ist, finde ich in dieser Beziehung.
2. Mit Maja kann ich alles nachholen, was ich verpasst habe.
3. Der Altersunterschied ist etwas, was andere Leute komisch finden.
4. Es gibt eigentlich nichts, was mich an ihm stört.
5. Unsere Kinder sehen ihre Großeltern selten, was ich schade finde.

Bezieht sich das Relativpronomen auf einen ganzen Satz oder stehen die Pronomen *das*,

_____, _____ und _____ im Hauptsatz, dann verwendet man das

Relativpronomen *was*.

▶ Ü 4

5 Beschreiben Sie Ihren Traumpartner / Ihre Traumpartnerin. Bilden Sie mindestens fünf Relativsätze.

Ich suche eine Partnerin, mit der ich zum Mond fliegen kann.
Mein Traummann ist ein Mensch, der immer zu mir hält.
Ich will mit meinem Partner in alle Länder fahren, wo …

Eine virtuelle Romanze

1a Lesen Sie die Meinungen aus einem Literaturforum über den E-Mail-Roman „Gut gegen Nordwind" von Daniel Glattauer. Welche Meinungen sind positiv, welche negativ?

1 Ein witziger und spannender Mail-wechsel zwischen zwei intelligenten Menschen, nämlich Emmi Rothner und Leo Leike, die sich mit jeder weiteren E-Mail näherkommen. Meine Empfehlung: sehr lesenswert.

3 Obwohl ich das Buch an einem Tag gelesen habe, weil ich neugierig war, wie es mit Leo und Emmi weitergeht, war ich stellenweise genervt. Die E-Mails sind zum Teil langatmig mit vielen Wortspie-lereien. Und das Ende überrascht mich nicht.

2 Kann man mit geschriebenen E-Mails ein Buch füllen? Man kann. Am Anfang war ich sehr skeptisch und ich dachte, Mails zu lesen, wird lang-weilig. Aber bereits nach der dritten Seite war ich süchtig. Ich konnte das Buch nicht mehr weglegen.

4 Ich habe das Buch zum Geburtstag ge-schenkt bekommen. Das beste Geschenk! Ich habe es verschlungen. Man fühlt mit Emmi und Leo und hofft, dass alles gut ausgeht.

b Was erfahren Sie aus den Meinungen über den Roman?

2a Lesen Sie den ersten Abschnitt des Romans. Beantworten Sie die Fragen.

1. An wen schreibt Emmi Rothner?
2. Was ist der Grund der E-Mails?
3. Warum bekommt sie zuerst keine Antwort?

---

15. Jänner[1]
Betreff: **Abbestellung**
Ich möchte mein Abonnement kündigen. Geht das auf diesem Wege? Freundliche Grüße, E. Rothner.

18 Tage später
Betreff: **Abbestellung**
Ich will mein Abonnement kündigen. Ist das per E-Mail möglich? Ich bitte um kurze Antwort.
Freundliche Grüße, E. Rothner.

33 Tage später
Betreff: **Abbestellung**
Sehr geehrte Damen und Herren vom „Like"-Verlag, sollte Ihr beharrliches[2] Ignorieren meiner Versuche, ein Abonnement abzubestellen, den Zweck haben, weitere Hefte Ihres im Niveau leider stetig sinkenden Produkts absetzen[3] zu können, muss ich Ihnen leider mitteilen: Ich zahle nichts mehr!
Freundliche Grüße, E. Rothner.

Acht Minuten später
AW:
Sie sind bei mir falsch. Ich bin privat. Ich habe: woerter@leike.com. Sie wollen zu: woerter@like.com. Sie sind schon der Dritte, der bei mir abbestellen will. Das Heft muss wirklich schlecht geworden sein.

Fünf Minuten später
RE:
Oh, Verzeihung! Und danke für die Aufklärung[4]. Grüße, E.R.

1. Januar, 2. ausdauernd, entschlossen, 3. verkaufen, 4. Erklärung, Information

b Lesen Sie die dritte E-Mail noch einmal. Wie reagiert Emmi? Markieren Sie.

☐ freundlich   ☐ genervt   ☐ bittend   ☐ frech   ☐ höflich

3a Lesen Sie weiter. Wie reagiert Leo auf die nächste Mail von Emmi?

> *Neun Monate später*
> Kein Betreff
> Frohe Weihnachten und ein gutes neues Jahr wünscht Emmi Rothner.
>
> *Zwei Minuten später*
> AW:
> Liebe Emmi Rothner, wir kennen uns zwar fast noch weniger als überhaupt nicht. Ich danke Ihnen dennoch für Ihre herzliche und überaus originelle Massenmail[1]! Sie müssen wissen: Ich liebe Massenmails an eine Masse, der ich nicht angehöre[2]. MfG[3], Leo Leike.
>
> *18 Minuten später*
> RE:
> Verzeihen Sie die schriftliche Belästigung[4], Herr MfG Leike. Sie sind mir irrtümlich in meine Kundenkartei gerutscht[5], weil ich vor einigen Monaten ein Abonnement abbestellen wollte und versehentlich[6] Ihre E-Mail-Adresse erwischt[7] hatte. Ich werde Sie sofort löschen.
> PS: Wenn Ihnen eine originellere Formulierung einfällt, jemandem „Frohe Weihnachten und ein gutes neues Jahr" zu wünschen, als „Frohe Weihnachten und ein gutes neues Jahr", dann teilen Sie mir diese gerne mit. Bis dahin: Frohe Weihnachten und ein gutes neues Jahr! E. Rothner.
>
> 1. eine E-Mail an sehr viele Menschen, 2. ein Mitglied oder Teil von etwas sein, 3. Mit freundlichen Grüßen, 4. Störung, 5. gekommen, 6. nicht mit Absicht, 7. genommen

b Was wollen Emmi und Leo mit den Formulierungen sagen? Markieren Sie.

1. „Ihre herzliche und überaus originelle Massenmail"
   - ⓐ Leo hält die Idee, eine Massenmail zu schreiben, für sehr kreativ.
   - ⓑ Leo mag diese Art von E-Mail gar nicht und ist deswegen ironisch.

2. „Herr MfG Leike"
   - ⓐ Emmi kennt diese allgemeine Abkürzung der Grußformel und findet sie zu unpersönlich.
   - ⓑ Emmi mag die Abkürzung und verwendet sie deswegen auch für die Anrede.

3. „Wenn Ihnen eine originellere Formulierung einfällt, …"
   - ⓐ Emmi will in einer Massenmail keinen anderen Weihnachtsgruß schreiben.
   - ⓑ Emmi findet diesen Weihnachtsgruß in einer Massenmail passend.

c Welchen Eindruck haben Sie von Emmi und Leo? Markieren Sie passende Adjektive.

ernsthaft	korrekt	offen	aggressiv	gestresst	herzlich	humorvoll	verärgert
schlagfertig	ironisch	herausfordernd	schüchtern	genervt	höflich	kreativ	

4 Ist Ihnen schon einmal etwas Ähnliches wie Emmi passiert?

5 Was denken Sie: Wie geht der Mailwechsel zwischen Emmi und Leo weiter?

Eine virtuelle Romanze

6 Lesen Sie weiter. Leo stellt Vermutungen über Emmis Alter an. Er charakterisiert bestimmte Altersstufen. Notieren Sie zu diesen Altersstufen Leos Begründungen.

Emmi und Leo tauschen weitere E-Mails aus. Emmi erfährt, dass Leo sich beruflich mit der Sprache von E-Mails befasst. Er ist Kommunikationsberater und Assistent für Sprachpsychologie an der Universität. Dort arbeitet Leo an einer Studie über den Einfluss der E-Mail auf das Sprachverhalten. Leo glaubt, dass Emmi jünger klingt, als sie in Wirklichkeit ist. Emmi fragt, wie er darauf kommt. Leo antwortet:

---

45 Minuten später
AW:
Sie schreiben wie 30. Aber Sie sind um die 40, sagen wir: 42. Woran ich das zu erkennen glaube? – Eine 30-Jährige liest nicht regelmäßig „Like". Das Durchschnittsalter einer „Like"-Abonnentin beträgt etwa 50 Jahre. Sie sind aber jünger, denn beruflich beschäftigen Sie sich mit Homepages, da könnten Sie also wieder 30 und sogar deutlich darunter sein. Allerdings schickt keine 30-Jährige eine Massenmail an Kunden, um ihnen
5 „Frohe Weihnachten und ein gutes neues Jahr" zu wünschen. Und schließlich: Sie heißen Emmi, also Emma. Ich kenne drei Emmas, alle sind älter als 40. Mit 30 heißt man nicht Emma. Emma heißt man erst wieder unter 20, aber unter 20 sind Sie nicht, sonst würden Sie Wörter wie „cool", „spacig", „geil[1]", „elementar", „heavy" und Ähnliches verwenden. Außerdem würden Sie dann weder mit großen Anfangsbuchstaben noch in vollständigen Sätzen schreiben. Und überhaupt hätten Sie Besseres zu tun, als sich mit einem humorlosen
10 vermeintlichen Professor zu unterhalten und dabei interessant zu finden, wie jung oder alt er Sie einschätzt. Noch etwas zu „Emmi": Heißt man nun Emma und schreibt man jünger als man ist, zum Beispiel weil man sich deutlich jünger fühlt, als man ist, nennt man sich nicht Emma, sondern Emmi. Fazit, liebe Emmi Rothner: Sie schreiben wie 30, Sie sind 42. Stimmt's? Sie haben 36er Schuhgröße. Sie sind klein, zierlich[2] und quirlig[3], haben kurze dunkle Haare. Und Sie sprudeln[4], wenn Sie reden. Stimmt's? Guten Abend, Leo Leike.

1. toll, cool, 2. schlank, 3. temperamentvoll, lebhaft, 4. sehr viel und sehr schnell reden

---

20 Jahre	30 Jahre	40 Jahre	50 Jahre
			typische „Like"-Abonnentin

7 Lesen Sie Emmis Antwort. Markieren Sie dann, ob die Aussagen 1–4 richtig oder falsch sind.

Am nächsten Tag
Betreff: **Nahe treten**
Lieber Leo, den „Leike" lasse ich jetzt weg. Sie dürfen dafür die „Rothner" vergessen. Ich habe Ihre gestrige Mail sehr genossen, ich habe sie mehrmals gelesen. Ich möchte Ihnen ein Kompliment machen. Ich finde es spannend, dass Sie sich so auf einen Menschen einlassen[1] können, den Sie gar nicht kennen, den Sie noch nie gesehen haben und wahrscheinlich auch niemals sehen werden, von dem Sie auch sonst nichts zu erwarten
5 haben, wo Sie gar nicht wissen können, ob da jemals irgend etwas Adäquates[2] zurückkommt. Das ist ganz atypisch[3] männlich, und das schätze ich an Ihnen. Das wollte ich Ihnen vorweg nur einmal gesagt haben. So, und jetzt zu ein paar Punkten:
1.) Sie haben einen ausgewachsenen Massenmail-Weihnachtsgruß-Psycho[4]! Wo haben Sie den aufgerissen[5]? Anscheinend kränkt man Sie zu Tode, wenn man „Frohe Weihnachten und ein gutes neues Jahr" sagt. Gut,
10 ich verspreche Ihnen, ich werde es nie, nie wieder sagen! Übrigens finde ich es erstaunlich, dass Sie von „Frohe Weihnachten und ein gutes neues Jahr" auf ein Lebensalter schließen können wollen. Hätte ich „Frohe Weihnachten und ein glückliches neues Jahr" gesagt, wäre ich dann zehn Jahre jünger gewesen?
2.) Tut mir Leid, lieber Leo Sprachpsychologe, aber dass eine Frau nicht jünger als 20 Jahre sein kann, wenn sie nicht „cool", „geil" und „heavy" verwendet, kommt mir schon ein bisschen weltfremd oberprofessoren-
15 haft[6] vor. Nicht, dass ich darum kämpfe, so zu schreiben, dass Sie meinen könnten, ich sei jünger als 20 Jahre. Aber weiß man es wirklich?
3.) Ich schreibe also wie 30, sagen Sie. Eine 30-Jährige liest aber nicht „Like", sagen Sie. Dazu erkläre ich Ihnen gerne: Die Zeitschrift „Like" hatte ich für meine Mutter abonniert. Was sagen Sie jetzt? Bin ich nun endlich jünger, als ich schreibe?

20 4.) Mit dieser Grundsatzfrage muss ich Sie alleine lassen. Ich habe leider einen Termin. (Firmunterricht? Tanzschule? Nagelstudio? Teekränzchen? Suchen Sie es sich ruhig aus.) Schönen Tag noch, Leo! Emmi.

Drei Minuten später
RE:
Ach ja, Leo, eines will ich Ihnen doch noch verraten: Bei der Schuhgröße waren Sie gar nicht so schlecht. Ich trage 37. (Aber Sie brauchen mir keine Schuhe zu schenken, ich habe schon alle.)

1. *hier:* einen Menschen kennenlernen wollen, 2. etwas Gleiches, 3. nicht typisch, 4. Psychose, psychische Krankheit, 5. Wie ist das denn entstanden?, 6. wie jemand, der alles besser weiß

	richtig	falsch
1. Emmi glaubt, dass sie sich mit Leo noch treffen wird.	☐	☐
2. Emmi findet, dass Leo große psychische Probleme hat.	☐	☐
3. Das Abonnement der Zeitschrift „Like" gehörte Emmis Mutter.	☐	☐
4. Emmi hat einen Kurs und kann nicht weiterschreiben.	☐	☐

8 Bilden Sie zwei Gruppen. Wie stellen Sie sich Leo und Emmi vor? Jede Gruppe schreibt für beide einen Steckbrief. Ergänzen Sie die Informationen aus den E-Mails mit Ihren Vermutungen. Vergleichen Sie dann die Ergebnisse im Kurs.

> **Emmi**
> **Alter:**
> **Familienstand:** wahr-
> scheinlich ledig
> **Beruf:**
> **Aussehen:** Schuhgröße 37,
> zierlich,
> **Hobbys:**

9a Leo meldet sich nicht mehr. Wie findet Emmi das?

Drei Tage später
Betreff: **Etwas fehlt**
Lieber Leo, wenn Sie mir drei Tage nicht schreiben, empfinde ich zweierlei: 1.) Es wundert mich. 2.) Es fehlt mir etwas. Beides ist nicht angenehm. Tun Sie was dagegen! Emmi.

b Lesen Sie weiter: Warum hat Leo nicht geantwortet? Warum will er Emmi nicht treffen?

Am nächsten Tag
Betreff: **Endlich gesendet!**
Liebe Emmi, zu meiner Verteidigung gebe ich an: Ich habe Ihnen täglich geschrieben, ich habe die E-Mails nur nicht abgeschickt, nein, im Gegenteil, ich habe sie allesamt wieder gelöscht. Ich bin in unserem Dialog nämlich an einem heiklen Punkt angelangt[1]. Sie, diese gewisse Emmi mit Schuhgröße 37, beginnt mich schön langsam mehr zu interessieren, als es dem Rahmen, in dem ich mich mit ihr unterhalte, entspricht[2]. Und
5 wenn sie, diese gewisse Emmi mit Schuhgröße 37, von vornherein feststellt: „Wahrscheinlich werden wir uns niemals sehen", dann hat sie natürlich völlig Recht und ich teile ihre Ansicht. Ich halte das für sehr, sehr klug, dass wir davon ausgehen, dass es zu keiner Begegnung zwischen uns kommen wird. Ich will nämlich nicht, dass die Art unseres Gesprächs hier auf das Niveau eines Kontaktanzeigen- und Chatroom-Geplänkels[3] absinkt.
10 So, und diese Mail schicke ich nun endlich weg, damit sie, diese gewisse Emmi mit Schuhgröße 37, wenigstens irgendwas von mir in der Mailbox hat. (Aufregend ist der Text nicht, ich weiß, es ist auch nur ein Bruchteil von dem, was ich Ihnen schreiben wollte.) Alles Liebe, Leo

1. an einen schwierigen Punkt kommen, 2. mehr als es zur Situation passt, 3. ein banales Gespräch

10 Was denken Sie: Gibt es ein Happy End? Schreiben Sie für die Geschichte ein Ende. ▶ Ü 1–3

11 Würden Sie das Buch gerne lesen? Warum? Warum nicht?

Daniel Glattauer *(* 19. Mai 1960)*

Schriftsteller

Daniel Glattauer beschreibt sich selbst als „einen recht freundlichen und entspannt wirkenden Mann mit relativ wenigen, dafür aber bereits leicht grauen Haaren und einer markanten dunkel umrandeten Brille". Dabei ist er einer der erfolgreichsten Autoren Österreichs und des deutschen Sprachraums. Seine beiden E-Mail-Romane *Gut gegen Nordwind* und *Alle sieben Wellen* wurden in 37 Sprachen übersetzt und verkauften sich millionenfach.

Glattauer wuchs in Wien auf. Er studierte zunächst Pädagogik und Kunstgeschichte. Nach Abschluss seines Studiums begann er, als Kellner zu arbeiten, und verfasste nebenher Liedtexte. Dann wurde er Journalist und schrieb zunächst rund drei Jahre lang für *Die Presse*, danach für die damals neu gegründete Tageszeitung *Der Standard*. Er schrieb Gerichtsreportagen und das *Einserkastl*, eine Kolumne auf der Titelseite des *Standard*, wo er mit viel Humor über alltägliche Begegnun-

Daniel Glattauer

gen philosophierte. Eine Auswahl der Kolumnen erschien 2011 in Buchform *(Mama, jetzt nicht!)*. Neben seiner journalistischen Arbeit schrieb er Romane, z. B. *Der Weihnachtshund.*

Der große Erfolg kam allerdings erst mit dem 2006 veröffentlichten Roman *Gut gegen Nordwind*, der im selben Jahr für den Deutschen Buchpreis nominiert wurde. Über 220 Seiten schreiben sich ein alleinstehender Mann und eine verheiratete Frau E-Mails – viel mehr passiert nicht. Und trotzdem wurde dieses Buch sehr erfolgreich und machte Daniel Glattauer berühmt. Auch der Roman *Ewig Dein* ist ein Beziehungsroman, aber auch ein Psychothriller.

Die Redaktion des *Standard* verließ er 2009 beim Erscheinen seines Romans *Alle sieben Wellen*. Seitdem lebt Daniel Glattauer von der Literatur. Er pendelt zwischen Wien und seinem Haus in Niederösterreich, wo seine Familie und seine fünf indischen Laufenten leben.

www ▸ Mehr Informationen zu Daniel Glattauer.

Sammeln Sie Informationen über Persönlichkeiten aus dem In- und Ausland, die für das Thema „Liebe" interessant sind, und stellen Sie sie im Kurs vor. Sie können dazu die Vorlage „Porträt" im Anhang verwenden.

Beispiele aus dem deutschsprachigen Bereich: Anna Katharina Hahn – Marlene Streeruwitz – Max Frisch – Juli Zeh – Julia Franck – Katharina Hagena – Uwe Timm

1 Reflexive Verben

Personal-pronomen	Reflexivpronomen im Akkusativ	im Dativ	Personal-pronomen	Reflexivpronomen im Akkusativ/Dativ
ich	mich	mir	wir	uns
du	dich	dir	ihr	euch
er/es/sie	sich		sie/Sie	sich

Manche Verben sind immer reflexiv.	*sich entschließen, sich verlieben, sich beschweren, sich kümmern, sich beeilen …*
Manche Verben können reflexiv sein oder mit einer Akkusativergänzung stehen.	*(sich) verstehen, (sich) ärgern, (sich) treffen, (sich) unterhalten …*
Reflexivpronomen stehen normalerweise im Akkusativ. Gibt es eine Akkusativergänzung, steht das Reflexivpronomen im Dativ.	*sich anziehen, sich waschen, sich kämmen …*
Bei manchen Verben steht das Reflexivpronomen immer im Dativ. Diese Verben brauchen immer eine Akkusativergänzung.	*sich etwas wünschen, sich etwas merken, sich etwas vorstellen, sich etwas denken …*

Eine Übersicht über reflexive Verben finden Sie im Anhang.

2 Relativsätze

	Singular			Plural
Nominativ	der	das	die	die
Akkusativ	den	das	die	die
Dativ	dem	dem	der	**denen**
Genitiv	**dessen**	**dessen**	**deren**	**deren**

Genus und Numerus des Relativpronomens richten sich nach dem Bezugswort.
Der Kasus richtet sich nach dem Verb im Relativsatz oder der Präposition.

Sie war die erste Frau, die ich getroffen habe.
          + Akk.

*Sie war die erste Kollegin, **mit** der ich gearbeitet habe.*
          mit + Dat.

Gibt ein Relativsatz einen Ort, eine Richtung oder einen Ausgangspunkt an, kann man statt Präposition und Relativpronomen *wo, wohin, woher* verwenden.

Ich habe Anne in der Stadt kennengelernt,	… **wo** *wir gearbeitet haben.*	**Ort**
	… **wohin** *ich gezogen bin.*	**Richtung**
	… **woher** *mein Kollege kommt.*	**Ausgangspunkt**

Bei Städte- und Ländernamen benutzt man immer *wo, wohin, woher.*
*Gabriel kommt aus São Paulo, **wo** auch seine Familie lebt.*

Bezieht sich das Relativpronomen auf einen ganzen Satz oder stehen die Pronomen *das, etwas, alles* und *nichts* im Hauptsatz, dann verwendet man das Relativpronomen *was.*
*Das, **was** du suchst, gibt es nicht.*
*Meine Beziehung ist etwas, **was** mir viel bedeutet.*
*Alles, **was** er mir erzählt hat, habe ich schon gewusst.*
*Es gibt nichts, **was** ich meinem Freund verschweigen würde.*
*Meine Schwester hat letztes Jahr geheiratet, **was** mich sehr gefreut hat.*

Beim Geld hört die Liebe auf

1 a Sehen Sie die erste Sequenz des Films ohne Ton. Was vermuten Sie: Worum geht es in dem Beitrag?

b Sehen Sie die Sequenz nun mit Ton. Waren Ihre Vermutungen richtig?

2 Sehen Sie den ganzen Film und achten Sie besonders auf die kleinen Spielszenen des Paares. Worum geht es in den vier Szenen? Geben Sie in Gruppen jeder Szene eine Überschrift.

3 a Sehen Sie die zweite Filmsequenz. Männer oder Frauen: Wer kann besser mit Geld umgehen? Was denken Sie?

b Welcher Lösungsvorschlag wird im Film genannt, wenn es um das Finanzieren von Extrawünschen geht? Sammeln Sie weitere Möglichkeiten.

Die Männer, absolut! Die sind rationeller, die machen keine Spontaneinkäufe wie die Frauen …

4a Sehen Sie die dritte Filmsequenz. Was „sagen" der Mann und die Frau in der Spielszene? Übersetzen Sie Mimik und Körpersprache. Gruppe A schreibt die Sätze des Mannes, Gruppe B die der Frau.

b Bilden Sie Paare aus Gruppe A und B und spielen Sie den Dialog.

5 Was sagt die Passantin? Überrascht Sie das? Wie ist die Rollenverteilung beim Einkaufen in Ihrer Familie oder in Ihrem Freundeskreis?

6 Sehen Sie die vierte Filmsequenz. Was denken die Personen? Arbeiten Sie zu dritt und formulieren Sie die Gedanken der Personen in der Café-Szene. Spielen Sie die Szene vor.

7 Hört beim Geld wirklich die Liebe auf? Ist es wichtig, *meins*, *deins* und *unsers* auseinanderzuhalten? Diskutieren Sie.

8a In welchen Situationen streiten Paare? Beschreiben Sie zu zweit eine Situation auf einem Zettel. Dann werden alle Zettel gemischt.

b Jedes Paar zieht einen Zettel und überlegt sich einen Dialog zu der Situation. Sammeln Sie für Ihr Streitgespräch zuerst passende Wörter und Redemittel. Spielen Sie dann Ihre Szene vor.

Kaufen, kaufen, kaufen

1   Gehen Sie gerne einkaufen oder ist es Ihnen eher lästig? Berichten Sie.

2a Sehen Sie sich die Zeichnungen an und beschreiben Sie die Situationen. Kennen Sie noch
    andere Situationen?

b   Schreiben Sie, was die Personen denken oder sagen.
    Vergleichen Sie dann im Kurs.

Sie lernen

Modul 1 | Ein Produkt beschreiben

Modul 2 | Die Argumentation in einer Diskussion
verstehen

Modul 3 | Etwas reklamieren (telefonisch und
in einem Brief)

Modul 4 | Einen Sachtext über Werbung und
Radio-Werbung verstehen

Modul 4 | Eine Werbekampagne entwerfen

Grammatik

Modul 1 | Finalsätze

Modul 3 | Konjunktiv II

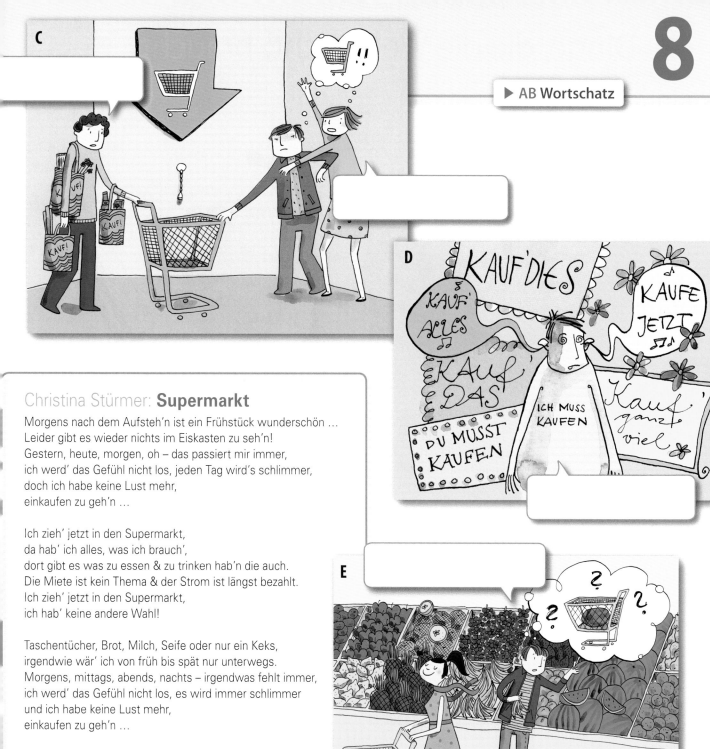

Christina Stürmer: **Supermarkt**

Morgens nach dem Aufsteh'n ist ein Frühstück wunderschön …
Leider gibt es wieder nichts im Eiskasten zu seh'n!
Gestern, heute, morgen, oh – das passiert mir immer,
ich werd' das Gefühl nicht los, jeden Tag wird's schlimmer,
doch ich habe keine Lust mehr,
einkaufen zu geh'n …

Ich zieh' jetzt in den Supermarkt,
da hab' ich alles, was ich brauch',
dort gibt es was zu essen & zu trinken hab'n die auch.
Die Miete ist kein Thema & der Strom ist längst bezahlt.
Ich zieh' jetzt in den Supermarkt,
ich hab' keine andere Wahl!

Taschentücher, Brot, Milch, Seife oder nur ein Keks,
irgendwie wär' ich von früh bis spät nur unterwegs.
Morgens, mittags, abends, nachts – irgendwas fehlt immer,
ich werd' das Gefühl nicht los, es wird immer schlimmer
und ich habe keine Lust mehr,
einkaufen zu geh'n …

Ich zieh' jetzt in den Supermarkt,
da hab' ich alles, was ich brauch',
dort gibt es was zu essen & zu trinken hab'n die auch.
Die Miete ist kein Thema & der Strom ist längst bezahlt.
Ich zieh' jetzt in den Supermarkt
Und fühl' mich wie zuhaus'!

3a Lesen Sie den Text des Liedes „Supermarkt" von Christina Stürmer. Geht sie gern in den Supermarkt?

b Hören Sie nun das Lied. Wie gefallen Ihnen der Text, die Melodie, der Rhythmus, die Stimme?

2.16

Dinge, die die Welt (nicht) braucht

1a Was ist das und was macht man damit? Wenn Sie es nicht wissen, raten Sie.

b Lesen Sie nun die Produktbeschreibungen. Welcher Text passt zu welchem Foto?

A Sie sind zu Fuß oder mit Inlineskates unterwegs und plötzlich kommt von der Seite ein Radfahrer, der Sie nicht sieht. Wenn Sie doch jetzt eine Klingel dabei hätten, mit der Sie auf sich aufmerksam machen könnten! Kein Problem, den Klingelring stecken Sie sich einfach an den Finger, um sicher zu sein. Sie müssen nur leicht auf den Ring drücken, damit die laute Klingel ertönt. Sie sind nicht zu überhören!

B Wer kennt das nicht: Kekskrümel auf und in der Tastatur? Das ist nicht nur unappetitlich, manchmal funktionieren sogar die Tasten nicht mehr. Kein Problem für den kleinen lustigen Tastaturstaubsauger. Mit einem fröhlichen Lächeln entfernt er schnell unerwünschten Staub und Dreck. Und er kommt auch in die kleinsten Ecken. Damit auch Sie immer was zu lachen haben, stellen Sie ihn einfach gut sichtbar neben Ihren Computer.

C Schon wieder: Die Gäste sitzen am wunderschön gedeckten Tisch, der Gastgeber schenkt edlen Rotwein in die Gläser und natürlich ist gleich ein Fleck auf der weißen Tischdecke. Zum Glück bieten wir Ihnen jetzt den Tropfenfänger, damit das nicht mehr passiert. Man rollt das runde Blättchen einfach zusammen und steckt es in den Flaschenhals. Und schon sind alle Tischdecken sicher.

D Sie haben sich schon oft etwas gewünscht, um immer den perfekten Durchblick zu haben, egal ob in der Nähe oder in die Ferne? Das winzig kleine Monokular – nicht größer als eine Streichholzschachtel und nur 46 Gramm leicht – ist die Lösung: Es ist Fernglas und Lupe in einem. Das Gerät ist so klein, dass man es jederzeit in der Hosentasche bei sich tragen kann.

▶ Ü 1 **c** Welches Produkt würden Sie kaufen? Kennen Sie ähnliche Produkte?

2a Finalsätze. Markieren Sie in den Texten die Konnektoren *damit* und *um … zu*. Suchen Sie die Subjekte in den markierten Sätzen und ergänzen Sie die Regel mit *damit* und *um … zu*.

Finalsätze mit *damit* und *um … zu*
Finalsätze drücken ein Ziel oder eine Absicht aus.
Subjekt im Hauptsatz = Subjekt im Nebensatz: _____ oder _____
Subjekt im Hauptsatz ≠ Subjekt im Nebensatz: _____
wollen, sollen und *möchten* stehen nie in Finalsätzen: *Ich hebe Geld ab. Ich will das Monokular kaufen.* → *Ich hebe Geld ab, **um** das Monokular **zu** kaufen.*

Ⓖ

b Welche Sätze kann man mit *um … zu* sagen? Kreuzen Sie an und formulieren Sie diese Sätze um.

☐ 1. Passen Sie gut auf das Monokular auf, damit Sie es nicht verlieren.
☐ 2. Benutzen Sie den kleinen Staubsauger, damit Ihre Tastatur sauber wird.
☐ 3. Nehmen Sie den Klingelring mit, damit Sie auf sich aufmerksam machen können.
☐ 4. Klingeln Sie vor scharfen Kurven, damit andere Personen Sie hören.
☐ 5. Kaufen Sie den Tropfenfänger, damit Sie Ihre Tischdecke nicht schmutzig machen.

c Arbeiten Sie zu zweit. Jeder notiert vier Fragen mit *Wozu?*. A beginnt, liest eine Frage vor und wirft dann eine Münze: Zahl = *damit*, Kopf = *um … zu*. B antwortet und stellt die nächste Frage.

A: Wozu kaufst du neue Joggingschuhe?
B: Damit ich schneller laufen kann.

SPRACHE IM ALLTAG

Auf eine Frage mit *Warum?* kann man mit einem Finalsatz antworten:
○ *Warum gehst du in die Stadt?*
● *Um einzukaufen.*

▶ Ü 2–5

3 Lesen Sie die Kundenbewertungen und ergänzen Sie die Sätze in der Übersicht.

> ● ● ●
>
> ★ ★ ★ ★ ★
> Super! Ich teile mir einen Computer mit drei Personen … Die Tastatur ist meist sehr schmutzig. Ich putze sie sehr oft und das dauert ziemlich lang. Um Zeit zu sparen, nehme ich nur noch den Tastaturstaubsauger. 😊
>
> ★ ☆ ☆ ☆ ☆
> Ich habe den Tastaturstaubsauger geschenkt bekommen, aber er ist viel zu laut. Zum Reinigen meiner Tastatur nehme ich ein feuchtes Taschentuch. Das funktioniert sowieso viel besser.

Nebensatz mit *um … zu*	*zum* + nominalisierter Infinitiv
Um _____, nehme ich nur noch den Tastaturstaubsauger.	*Zum Zeitsparen* _____ nehme ich nur noch den Tastaturstaubsauger.
Um die Tastatur _____, nehme ich ein feuchtes Taschentuch.	*Zum* _____ meiner Tastatur nehme ich ein feuchtes Taschentuch.

Ⓖ

▶ Ü 6

4 Präsentieren Sie ein Produkt, auf das Sie nicht verzichten wollen. Beschreiben Sie es, ohne den Produktnamen zu nennen. Die anderen raten.

ETWAS BESCHREIBEN

Aussehen beschreiben	Funktion beschreiben
Es ist aus … / Es besteht aus …	Ich habe es gekauft, damit …
Es ist ungefähr so groß/breit/lang wie …	Besonders praktisch ist es, um …
Es ist rund/eckig/flach/oval/hohl/gebogen/…	Es eignet sich sehr gut zum …
Es ist schwer/leicht/dick/dünn/…	Ich finde es sehr nützlich, weil …
Es ist aus Holz/Metall/Plastik/Leder/…	Ich brauche/benutze es, um …
Es ist … mm/cm/m lang/hoch/breit.	Dafür/Dazu verwende ich …
Es ist billig/preiswert/teuer/…	

STRATEGIE

Mit Umschreibungen arbeiten

Sie wissen nicht, wie etwas auf Deutsch heißt? Erklären Sie es:
• Wie sieht es aus (Größe, Farbe, Form)?
• Wo findet man es? Wo benutzt man es? Wo kommt es her?
• Wozu braucht man es? Was kann es oder was kann man damit machen?

Konsum heute

1 Sehen Sie sich die Fotos an. Sammeln Sie in Gruppen Wörter und Begriffe, die Ihnen zu den Fotos einfallen.

▶ Ü 1 *Foto C: Kundenbewertungen lesen*

2 „Konsumgesellschaft" – Was ist das? Was ist typisch dafür?

🔊 2.17-19

3 Hören Sie den ersten Abschnitt einer Gesprächsrunde und notieren Sie. Wie leben die drei Talkgäste und was sagen sie zu ihrem Konsumverhalten?

Lukas Schröder
_____
_____
_____
_____

Mario Meier-Brill
_____
_____
_____
_____

Evelyne Fassbach
_____
_____
_____
_____

🔊 2.20

4a Hören Sie nun den zweiten Abschnitt. Welche Themen werden im Zusammenhang mit Konsum angesprochen?

Besitz reduzieren, ...

b Hören Sie den zweiten Abschnitt noch einmal. Kreuzen Sie an: Wer sagt was?

	Herr Schröder	Herr Meier-Brill	Frau Fassbach
1. Unsere Wirtschaft leidet, wenn wir zu wenig kaufen.	☐	☐	☐
2. Man sollte einen Menschen nicht nach seinem Besitz beurteilen.	☐	☐	☐
3. Wir müssen zugunsten der Umwelt über unser Konsumverhalten nachdenken.	☐	☐	☐
4. Wir können nicht an die Umwelt denken, wenn es der Wirtschaft schlecht geht.	☐	☐	☐
5. Kindern müssen wieder andere Werte vermittelt werden.	☐	☐	☐
6. Es ist ganz normal, dass auch Kindern bestimmte Produkte wichtig sind.	☐	☐	☐
7. Die jüngere Generation konsumiert gerne.	☐	☐	☐
8. Weniger zu konsumieren, heißt, weniger arbeiten zu müssen.	☐	☐	☐

c Welchen Aussagen können Sie zustimmen, welchen nicht? Begründen Sie.

Der ersten Aussage stimme ich zu, da …
Ich denke, diese Einstellung ist falsch, denn …
Ich finde, Lukas Schröder hat damit recht, dass …

5a Sammeln Sie Ideen: Was könnte man tun, um nicht unnötig neue Dinge zu kaufen?

2.21

b Hören Sie den dritten Abschnitt und erklären Sie:

- Was macht Herr Meier-Brill, um weniger zu konsumieren? Wie finden Sie das?
- Warum kauft Frau Fassbach gerne ein?
- Worauf möchte Herr Schröder nicht verzichten?

▶ Ü 2

6a Organisieren Sie einen Tauschring. Jede/r bringt etwas zum Tauschen mit. Was ist an Ihrem Produkt für andere attraktiv? Werben Sie für Ihr Produkt.

b Tauschen Sie im Kurs. Was ist Ihnen Ihr Produkt wert? Welcher Tausch ist gut / nicht so gut?

EIN VERKAUFS-/TAUSCHGESPRÄCH FÜHREN

ein Produkt bewerben/anpreisen	etwas aushandeln / Angebote bewerten
Ich habe es gekauft, weil …	Tut mir leid. Das habe ich schon.
Man kann es super gebrauchen, um … zu …	Das ist ein bisschen wenig/viel.
Das kannst du immer …	Ich würde lieber gegen … tauschen.
Das ist noch ganz neu / wenig gebraucht / …	Das finde ich einen guten Tausch / ein faires Angebot.
… steht dir super / ist total praktisch / …	

▶ Ü 3–4

Die Reklamation

1a Welches Gerät ist bei Ihnen zuletzt kaputt gegangen?
Was haben Sie damit gemacht?

b Hören Sie ein Telefongespräch und nummerieren Sie die Sätze
in der richtigen Reihenfolge.

2.22

___ Frau Stadler schildert das Problem mit dem Laptop.

___ Der Angestellte bedankt sich für den Anruf und verabschiedet sich.

_1_ Frau Stadler ruft einen Elektroversand an und nennt den Grund ihres Anrufs.

___ Der Angestellte fragt nach der Rechnungsnummer.

___ Der Angestellte bittet Frau Stadler, das Problem schriftlich zu schildern.

___ Frau Stadler fragt nach dem Namen ihres Gesprächspartners.

___ Der Angestellte hat noch Fragen zu den Reklamationsgründen.

▶ Ü 1   ___ Frau Stadler fragt, wie lange es dauert, bis sie ein neues Gerät bekommt.

2a Lesen Sie Sätze aus dem Telefongespräch und markieren Sie die Verben im Konjunktiv II.
Kreuzen Sie an, was die Sätze ausdrücken.

	höfliche Bitte	Irreales	Vermutung	Vorschlag
1. Hätten Sie bitte die Rechnungsnummer für mich?	☐	☐	☐	☐
2. Das könnte diese Nummer sein.	☐	☐	☐	☐
3. Dann würde ich Sie bitten, dass Sie uns das Problem schriftlich schildern.	☐	☐	☐	☐
4. Ich bräuchte die Reklamation schriftlich von Ihnen.	☐	☐	☐	☐
5. Ich hätte mir das Gerät in einem Geschäft kaufen sollen.	☐	☐	☐	☐
6. Ich wäre gekommen, wenn ich Zeit gehabt hätte.	☐	☐	☐	☐
7. Ich könnte Ihnen ein Leihgerät anbieten.	☐	☐	☐	☐

b Ergänzen Sie die Regeln zum Konjunktiv II.

haben	haben	würde	sollen	sein

Konjunktiv II

Bildung Konjunktiv II Gegenwart

_____ + Infinitiv: *ich würde kaufen*

Bei _____, *sein*, Modalverben und *brauchen/wissen*: Präteritum + Umlaut *(a, o, u → ä, ö, ü)*:
hätte, wäre, müsste, bräuchte, wüsste

Ausnahme: *wollen* und _____ ohne Umlaut: *er sollte umtauschen*

Bildung Konjunktiv II Vergangenheit

Konjunktiv II von _____ oder _____ + Partizip II: *ich hätte gekauft, er wäre gekommen*

▶ Ü 2   mit Modalverb: Konjunktiv II von *haben* + Infinitiv + Modalverb im Infinitiv: *ich hätte gehen können*

3a Ergänzen Sie die Sätze. Verwenden Sie den Konjunktiv II.

SICH BESCHWEREN	AUF BESCHWERDEN REAGIEREN
Könnten Sie mich bitte mit … verbinden?	Ich _____ Sie bitten, sich an den Hersteller zu wenden.
_____ Sie mir ein Ersatzgerät geben?	Wir _____ Ihnen ein Leihgerät geben.
Ich _____ vorschlagen, dass Sie …	_____ Sie bitte zu uns kommen?
_____ ich bitte Ihren Chef sprechen?	Wir _____ Ihnen eine Gutschrift geben.
Darauf _____ Sie hinweisen müssen.	_____ Sie mir das bitte alles schriftlich geben?
Wenn Sie alles pünktlich verschickt _____, _____ ich jetzt kein Problem.	

▶ Ü 3–5

b Wählen Sie zu zweit eine Situation und spielen Sie ein Reklamationsgespräch.

> **Sie haben online eine Hose bestellt und merken beim Auspacken, dass der Reißverschluss kaputt ist.**

> **Sie haben eine Kamera gekauft und merken zu Hause, dass der Zoom nicht funktioniert.**

> **Heute wurde Ihnen ein Kaffeeservice geliefert. Ein Teller ist kaputt.**

4a Frau Stadler hat einen Brief geschrieben. Bringen Sie die Textteile in die richtige Reihenfolge.

☐ wie bereits telefonisch besprochen, möchte ich Ihnen hiermit schriftlich meine Reklamation mitteilen. Ich habe den bei Ihnen bestellten Laptop heute erhalten, aber leider funktioniert er nicht.

☐ Sehr geehrter Herr Högel,

☐ Das Gerät ist sehr langsam. Das Öffnen einer Datei kann Minuten dauern. Es könnte sein, dass die Software defekt ist.

☐ Ich freue mich auf Ihre Antwort und ein neues Gerät.
Mit freundlichen Grüßen

Katja Stadler

☐ Da das Gerät offensichtlich kaputt ist, bitte ich Sie, mir so schnell wie möglich Ersatz zu schicken. Ich benötige das Gerät dringend für meine Arbeit.

☐ **Betreff:** Reklamation, Rg.-Nr. 8073472-1

b Wählen Sie eine Situation aus 3b und schreiben Sie eine Reklamation.

Kauf mich!

1a Welche Werbung haben Sie gelesen, gehört oder gesehen, die Ihnen besonders im Gedächtnis geblieben ist? Erzählen Sie.

b Schätzen Sie sich selbst ein: Lassen Sie sich leicht durch Werbung beeinflussen? Was haben Sie in der Werbung gesehen und daraufhin gekauft?

2a Welche Mittel nutzt Werbung, um ein Produkt attraktiv zu machen? Sammeln Sie im Kurs.

► Ü 1
Fotos von glücklichen Menschen
tolle Versprechen

b Arbeiten Sie zu zweit. Lesen Sie den Zeitschriftentext und markieren Sie thematische Abschnitte.

So wickelt uns Werbung ein

① [Bildschöne Frauen tanzen braungebrannt unter Palmen im Sonnenuntergang. Coole Typen sitzen nach einem langen Tag am Feuer in der einsamen Prärie, Babys lachen. Möwen segeln sanft über das Meer,
5 Berge grüßen mit grünen Wiesen und weißen Gipfeln. Jede Menge Klischees: Aber diese Werbung wirkt. Auch bei Ihnen.] Die kritischen Kunden glauben, die Werbefallen zu kennen, und gehen auf Distanz. Damit sind sie nur selten erfolgreich, denn
10 das, was wir in der Werbung zu sehen und zu hören bekommen, zeigt bei fast allen seine Wirkung. Die Werber sprechen mit ihren Botschaften das an, was wir sein wollen: frei, glücklich, beliebt, mutig. Wie die Botschaften sich in unseren Kopf schleichen,
15 merken wir oft gar nicht. Versuche haben gezeigt, dass Männer besonders gut auf ein schönes Panorama reagieren. Folglich fahren sie ihre schicken Autos im Werbespot durch spektakuläre Bergszenen oder trinken ihr Bier gerne mit Blick ins Tal oder aufs
20 Meer. Aber auch die Frauen sind nicht sicher vor Werbeklischees: Bei ihnen funktioniert der Blick aus großen Kinderaugen besonders gut – das Kindchenschema. Die süßen Kleinen servieren Kaffee oder einen schönen Kuchen für die Mama, wenn sie nicht
25 gerade in Szenen für Waschpulver oder Süßigkeiten ihren Auftritt haben. Darüber hinaus gibt es aber eine noch erfolgreichere Strategie als den Appell an die Sehnsüchte. Sie lautet: Mach dem Kunden richtig Druck! Das Schnäppchen, für das Sie sich bis
30 morgen entscheiden müssen, das Sonderangebot, von dem es nur einen begrenzten Vorrat gibt. Ein Limit bringt die erwünschte Entscheidung schnell voran. Im Kaufhaus können wir eine ganze Sammlung an Werbestrategien finden. Die Kaufhausmusik ist

wohl die bekannteste davon. Werbepsychologen
35 sind sich sicher, dass sie unseren Einkauf positiv beeinflusst. Sie entspannt und lenkt ab. Aber nicht nur unsere Ohren, sondern auch unsere Nasen haben die Werbenden entdeckt. Die zarten Düfte, die
40 überall im Kaufhaus versprüht werden, streicheln unsere Nerven nicht nur in der Parfümerie im Erdgeschoss. Sie bringen uns auch zwei Etagen höher bei den Musik-CDs und der Bettwäsche in Kauflaune. Und ist Ihnen schon einmal aufgefallen, dass
45 am Eingang von Supermärkten ein Bäcker heute Standard ist? Beim Duft von frisch Gebackenem läuft so manchem Kunden das Wasser im Mund zusammen und er wird dazu animiert, mehr zu kaufen, als auf dem Einkaufszettel steht. Und unter Ih-
50 ren Füßen gehen die Strategien weiter: harter und glatter Boden für die Wege, um schnell zur Ware zu gehen. Dort angekommen, bleiben Sie lange und angenehm auf weichem Teppich stehen. Und auch die Hände sollen angesprochen werden. In letzter
55 Zeit finden wir Kleidung oft schön auf Tischen sortiert und gestapelt. Sie müssen erst alles hochheben, um es richtig anzuschauen. Schon etwas lästig, aber die Werbung weiß: Haben wir das Produkt erst in der Hand, fällt die Entscheidung zum Kauf
60 leichter. Und auch das Verkaufspersonal ist mit den neuesten Strategien geschult: „Nein, diese Farbe ist leider nichts für Sie." Das finden Sie ja auch und sind begeistert von so einem ehrlichen Verkaufsgespräch. „Ja, es steht Ihnen wirklich gut. Aber
65 stimmt, das schöne Stück ist nicht ganz billig." Diese kritische Offenheit überrascht uns positiv – das muss man der netten Dame einfach abkaufen. Oder lieber doch nicht?

c Was bedeuten diese Ausdrücke aus dem Text? Ordnen Sie die richtige Bedeutung zu.

1. ___ jmd. einwickeln (Überschrift)
2. ___ einen Auftritt haben (Z. 26)
3. ___ jmd. Druck machen (Z. 28/29)
4. ___ etw. voranbringen (Z. 32/33)
5. ___ jmd. in Kauflaune bringen (Z. 42–44)
6. ___ jmd. läuft das Wasser im Mund zusammen (Z. 47/48)
7. ___ jmd. etw. abkaufen (Z. 67)

a Appetit auf etwas haben
b etw. weiterentwickeln
c jmd. durch Komplimente überzeugen
d jmd. Lust auf Einkaufen machen
e in einer Szene eine Rolle spielen
f jmd. glauben
g jmd. unter Stress setzen

d Notieren Sie die Zeilenangaben Ihrer Abschnitte aus 2b und geben Sie den Abschnitten eine Überschrift. Vergleichen Sie im Kurs und begründen Sie Ihre Einteilung der Abschnitte.

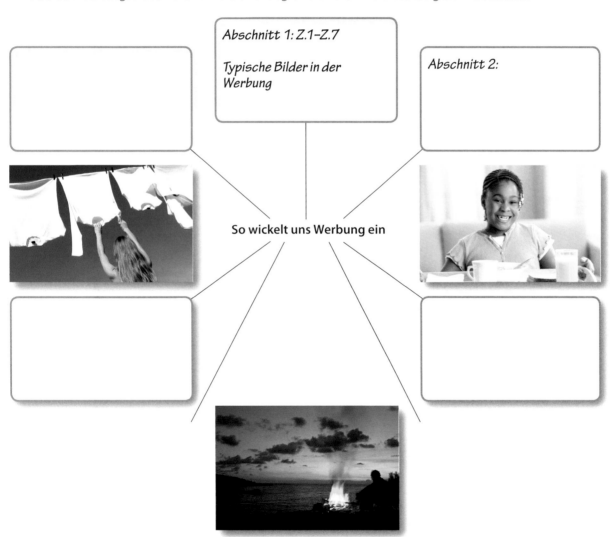

Abschnitt 1: Z.1–Z.7

Typische Bilder in der Werbung

Abschnitt 2:

So wickelt uns Werbung ein

e Fassen Sie den Inhalt der einzelnen Abschnitte kurz mit eigenen Worten zusammen.   ▶ Ü 2-3

 3 Welche Werbekampagnen waren oder sind in Ihrem Land besonders erfolgreich? Gibt es berühmte Werbefiguren oder berühmte Werbeslogans? Suchen Sie eine für Ihr Land typische Werbung in einer Zeitschrift/Zeitung oder im Internet und stellen Sie sie vor.

4 Sehen Sie sich die Werbungen an. Wofür wird hier geworben? Welches Werbeplakat gefällt Ihnen am besten? Welches gefällt Ihnen nicht? Warum?

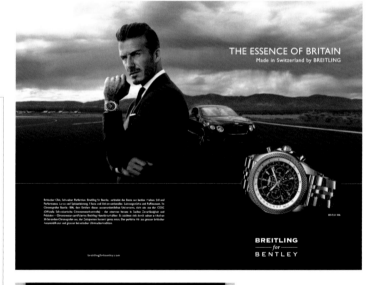

5a Hören Sie die Radio-Werbungen. Welches Foto passt zu welchem Spot? Schreiben Sie die Nummer
2.23-26   des Spots zum passenden Foto.

b Wofür werben die einzelnen Spots? Notieren Sie.

1. _____   2. _____   3. _____   4. _____

c Hören Sie die Radio-Werbungen noch einmal und entscheiden Sie, ob die Aussagen richtig oder
falsch sind.

	richtig	falsch
1. Netec löst alle Probleme mit dem Computer.	☐	☐
2. Weitere Informationen zu den Reisegutscheinen gibt es ausschließlich im Internet.	☐	☐
3. Apollo-Optik will sich mit den günstigen Brillen-Fassungen bei den Kunden bedanken.	☐	☐
4. Der neue Tarif ist nur einen Monat gültig.	☐	☐

6a Bilden Sie Gruppen und entwickeln Sie eine Werbung. Entscheiden Sie:

– Für welches Produkt oder welche Dienstleistung wollen Sie werben?
– Wollen Sie eine Anzeige oder einen Radio-Spot entwerfen?

Anzeige:	**Radio-Spot:**
• Fertigen Sie eine Zeichnung an oder suchen/ machen Sie ein passendes Foto.	• Überlegen Sie sich einen kurzen Dialog, einen Text oder ein Lied.
• Überlegen Sie sich einen Werbeslogan, der die Kunden anspricht.	• Überlegen Sie sich einen Werbeslogan, der die Kunden anspricht.

b Präsentieren Sie Ihre Werbung im Kurs und entscheiden Sie gemeinsam, welche besonders
ansprechend ist.

Götz Wolfgang Werner

Kaufmann und mehr …

(*5. Februar 1944)

Jeder Deutsche muss 1000 Euro bekommen

Unternehmer Götz Werner ist Gründer und Aufsichtsrat der Drogeriemarkt-Kette dm – und zugleich ein Sozialwirtschafts-Visionär. Sein Ziel: ein staatliches Grundgehalt für jeden Bürger

Götz Wolfgang Werner

Nur das tun, was man möchte, sich kreativ austoben, Ideen verwirklichen, voller Spaß und ohne Sorgen leben – wäre das nicht eine traumhafte Vorstellung? Für den Unternehmer Götz Werner ist sie jederzeit umsetzbar: „Der Mensch braucht ein Einkommen, um erst einmal leben und sich dann in die Gemeinschaft einbringen zu können. Das Einkommen ist nicht die Bezahlung der Arbeit, es ermöglicht sie erst. Durch meine Vision eines bedingungslosen Grundeinkommens für jeden entsteht ein ganz neues Leistungsvermögen. Denn wer sich keine Sorgen mehr um seine Existenz machen muss, nicht mehr von Familie, Kunden oder Arbeitgeber abhängig ist, kann sich an neue Ideen wagen. So schaffen wir viel mehr Risikobereitschaft, viel mehr Unternehmertum."

Reichtum und ein exorbitant hohes Bruttosozialprodukt durch Motivation und Spaß: Der Wunschtraum des Unternehmers ist eine Welt, in der die Menschen nur das tun, was sie aus eigenen Stücken wollen – und genau deshalb erfolgreich sind. „Der Mensch hat immer die Tendenz, über sich hinauswachsen zu wollen. Diese Initiativkräfte wecken wir mit dem Grundeinkommen. Wenn Sie Menschen zu Arbeiten zwingen, zu denen sie keine Lust haben, werden sie die Sache nicht gut machen."

Der Träger des Bundesverdienstkreuzes ist selbst überaus erfolgreich. Die dm-Drogeriemärkte beschäftigen in Deutschland rund 34.000 Mitarbeiter in 1.500 Filialen – und machten damit 5,8 Milliarden Euro Umsatz im Geschäftsjahr 2012/

2013. Seine komplizierte Berechnung des bedingungslosen Grundeinkommens hat eine runde Zahl ergeben: „1000 Euro im Monat sind eine Art soziale Flatrate, um menschenwürdig in der Gesellschaft leben zu können. Das würde die Sozialbürokratie dramatisch entlasten."

1000 Euro pro Kopf und Monat ergeben bei 82 Millionen Deutschen die stolze Summe von etwa einer Billion Euro pro Jahr – ein Betrag, mit dem man locker einen EU-Staat subventionieren könnte. Woher soll das Geld kommen? „Das Finanzierungsproblem stellt sich nicht", so Götz Werner. „Denn wir leben nicht vom Geld, sondern von Gütern. Bei einem Bruttosozialprodukt von 2.500 Milliarden Euro und Konsumausgaben von 1.800 Milliarden Euro ist das bedingungslose Grundeinkommen auf jeden Fall bezahlbar." Der Finanzierungsplan des Querdenkers, der für seine Vision 2005 die Initiative „Unternimm die Zukunft" gegründet hat, beruht auf der Abschaffung der Einkommensteuer und der gleichzeitigen Erhöhung der Mehrwertsteuer als „Konsumsteuer" auf 100 Prozent.

Mit seinem Buch „1000 Euro für jeden. Freiheit, Gleichheit, Grundeinkommen" versucht Götz Werner, seine Gedanken weiter populär zu machen und in die Politik zu bringen. „Politiker orientieren sich an dem Wind, der aus der Gesellschaft weht. Diesen Impuls zu stärken, dafür arbeite ich. Wenn wir das Denken ändern, dann wird die Politik reagieren." Sein Lieblingszitat stammt übrigens vom französischen Schriftsteller Victor Hugo: „Nichts ist so stark wie eine Idee, deren Zeit gekommen ist."

www ▶ Mehr Informationen zu Götz Wolfgang Werner.

Sammeln Sie Informationen über Persönlichkeiten oder Konzerne aus dem In- und Ausland, die für das Thema „Konsum" interessant sind, und stellen Sie sie im Kurs vor. Sie können dazu die Vorlage „Porträt" im Anhang verwenden.

Beispiele aus dem deutschsprachigen Bereich: Aldi (Karl und Theo Albrecht) – Dirk Roßmann (Rossmann) – Albert Steigenberger – Konrad Birkenstock – Carl Zeiss – Karl Wlaschek (Billa) – Jil Sander

1 Finalsätze

Finale Nebensätze drücken ein Ziel oder eine Absicht aus. Sie geben Antworten auf die Frage *Wozu?* oder in der gesprochenen Sprache auch oft auf die Frage *Warum?*.

Gleiches Subjekt in Haupt- und Nebensatz → Nebensatz mit *um … zu* oder *damit*	
*Klingeln Sie, **damit** Sie auf sich aufmerksam machen.*	Im Nebensatz mit *damit* muss das Subjekt genannt werden.
*Klingeln Sie, **um** auf sich aufmerksam **zu** machen.*	Im Nebensatz mit *um … zu* entfällt das Subjekt, das Verb steht im Infinitiv.
Unterschiedliche Subjekte in Haupt- und Nebensatz → Nebensatz immer mit *damit*	
*Klingeln Sie, **damit** andere Personen Sie hören.*	
Hauptsatz mit *zum* + nominalisierter Infinitiv	
*Ich nehme ein feuchtes Taschentuch **zum Reinigen** meiner Tastatur.*	Alternative zu *um … zu* oder *damit* (bei gleichem Subjekt in Haupt- und Nebensatz)

wollen, *sollen* und *möchten* stehen nie in Finalsätzen:
Ich hebe Geld ab. Ich will das Monokular kaufen. → *Ich hebe Geld ab, um das Monokular zu kaufen.*

2 Konjunktiv II

Mit dem Konjunktiv II kann man:

Bitten höflich ausdrücken	*Könnten Sie mir das Problem bitte genau beschreiben?*
Irreales ausdrücken	*Hätten Sie die Ware doch früher abgeschickt.*
Vermutungen ausdrücken	*Es könnte sein, dass der Laptop einen Defekt hat.*
Vorschläge machen	*Ich könnte Ihnen ein Leihgerät anbieten.*

Konjunktiv II der Gegenwart
Die meisten Verben bilden den Konjunktiv II mit den Formen von *würde* + Infinitiv.

Singular	ich **würde** anrufen	du **würdest** anrufen	er/es/sie **würde** anrufen
Plural	wir **würden** anrufen	ihr **würdet** anrufen	sie/Sie **würden** anrufen

Die Modalverben, *sein*, *haben*, *brauchen* und *wissen* bilden den Konjunktiv II aus den Präteritum-Formen + Umlaut. Die 1. und 3. Person Singular von *sein* bekommt die Endung *-e*.

Singular	ich wäre, hätte, müsste …	du wärst, hättest, müsstest …	er/es/sie wäre, hätte, müsste …
Plural	wir wären, hätten, müssten …	ihr wärt, hättet, müsstet …	sie/Sie wären, hätten, müssten …

Aber: *ich sollte, du solltest …; ich wollte, du wolltest …*

Konjunktiv II der Vergangenheit
Konjunktiv II von *haben* oder *sein* + Partizip II:
*Ich **wäre gekommen**, aber ich hatte keine Zeit.*
*Ich **hätte angerufen**, aber mein Akku war leer.*

mit Modalverb: Konjunktiv II von *haben* + Infinitiv + Modalverb im Infinitiv:
*Ich **hätte** ins Geschäft **gehen können**.*

Generation Konsum?

1a Sehen Sie die erste Filmsequenz und erklären Sie kurz, worum es geht.

b Was bedeuten diese Begriffe? Ordnen Sie die Erklärungen zu.

____ 1. die Kaufkraft

____ 2. das Statussymbol

____ 3. das Kaufverhalten

____ 4. die soziale Schicht

B etwas, womit man zeigen will, wie viel Geld oder welche gesellschaftliche Stellung man hat

D wie viel man kaufen bzw. bezahlen kann

A was, wie, wo und warum man kauft

C ein Teil der Bevölkerung, der ähnlich viel verdient und unter ähnlichen Bedingungen lebt

c Sehen Sie die Filmsequenz noch einmal. Wer sagt was? Ordnen Sie zu. Welche Aussagen und Informationen aus dem Film haben Sie überrascht?

Maria Stenzel, 17

Fern Campbell, 17

____ 1. Vor allem in der Schule merkt man, dass es nur um Konsum geht.

____ 2. Die Hälfte von dem, was Jugendliche kaufen, ist ihnen gar nicht wichtig.

____ 3. Immer das Aktuellste zu haben ist für viele junge Leute ein Statussymbol.

____ 4. Natürlich ist Konsum wichtig für mich – ich will mein Leben doch genießen!

____ 5. Wie vernünftig man einkauft, hängt auch von der sozialen Schicht und Bildung ab.

Fabian Krüger, 24

Claus Tully

2a Sprechen Sie in Gruppen: Was können Statussymbole für Jugendliche sein? Worauf können Jugendliche vermutlich am wenigsten verzichten? Warum?

b Sehen Sie die zweite Filmsequenz. Um welches Produkt geht es? Wozu nutzen die Jugendlichen es?

c Sehen Sie die Filmsequenz noch einmal. Warum ist Konsum für Jugendliche auch kompliziert?

3 In einem Forum zum Thema „Konsum" haben Sie diesen Eintrag gelesen. Wie finden Sie die Idee? Antworten Sie kurz und schreiben Sie Ihre Meinung.

> ● ● ●
>
> **Paul21**   13.04. | 21:43 Uhr
> Letzte Woche habe ich ein Experiment gemacht. Ich habe mein Handy eine Woche lang nicht benutzt. Am Anfang hatte ich ständig das Gefühl, dass mir etwas fehlt. Aber es geht: Verabredungen klappen auch so und zum Schluss habe ich mich richtig frei gefühlt, weil ich nicht immer auf mein Handy gucken musste. Nächstes Jahr mache ich wieder eine Woche „Handy-Fasten".

4a Lesen Sie die Aussagen und sehen Sie die dritte Filmsequenz. Korrigieren Sie die falschen Aussagen. Sehen Sie die Sequenz noch einmal und vergleichen Sie mit einem Partner / einer Partnerin.

1. Schon für Jugendliche zwischen 12 und 19 Jahren sind Marken sehr wichtig.
2. Es ist leicht, Produkte aus Bio-Baumwolle von anderer Kleidung zu unterscheiden.
3. Fern Campbell wünscht sich, dass es mehr Produkte aus Bio-Baumwolle gibt.
4. Bei der konsumkritischen Stadtführung erfahren die Jugendlichen, woher ihre Kleidung kommt.

5. Für die Herstellung einer Jeans braucht man 40 Liter Wasser.
6. Den Jugendlichen ist bewusst, dass ein T-Shirt für 5 Euro wahrscheinlich unter schlechten Arbeitsbedingungen produziert wurde. Deshalb kaufen sie solche Kleidungsstücke nicht.
7. Konsum hat immer auch Auswirkungen auf die Umwelt, deshalb ist es wichtig, darüber nachzudenken, was und wie man kauft.

b Arbeiten Sie in Gruppen. Jede Gruppe wählt eine Aufgabe (A oder B) und diskutiert die Fragen. Sprechen Sie dann im Kurs über Ihre Ergebnisse.

Gruppe A
- Wie wichtig finden Sie, dass Kleidergeschäfte Produkte aus Bio-Baumwolle anbieten?
- Würden Sie beim Kleidungskauf gern mehr für die Umwelt tun? Was könnte man tun?
- Wie ist die Situation in Kleidergeschäften in Ihrem Land? Kann man dort Produkte aus Bio-Baumwolle kaufen?

Gruppe B
- Würden Sie an einer konsumkritischen Stadtführung teilnehmen? Warum (nicht)?
- Glauben Sie, dass die Stadtführung das Kaufverhalten der Teilnehmer ändern kann?
- Wie könnte man sein Konsumverhalten ändern, um der Umwelt weniger zu schaden?

5 Claus Tully rät dazu, den Konsum aus ökologischen Gründen um die Hälfte zu reduzieren und nur das zu kaufen, was man wirklich braucht. Wie finden Sie diesen Vorschlag?

Endlich Urlaub

Was für ein Reisetyp sind Sie?

1. Meine Planung:

④ Ich fahre einfach los.

③ Reiseführer helfen mir bei der Vorbereitung.

② Ich buche Last-Minute-Trips im Internet.

① Mein Reisebüro plant meinen Urlaub.

2. So muss meine Reise sein:

④ Ich fahre am liebsten in die Natur.

① Im Urlaub möchte ich alles so haben wie zu Hause.

③ Am liebsten mache ich Kulturreisen.

② Bei mir muss im Urlaub immer etwas los sein.

3. Dort übernachte ich am liebsten:

④ Zelt   ② Pension   ③ Hotel   ① Ferienhaus

Sie lernen

Modul 1 | Ein Interview zu einer Weltreise verstehen
Modul 2 | Starke Zweifel / Ablehnung ausdrücken
Modul 3 | Texte mit Reiseangeboten verstehen
Modul 4 | Informationen auf Reisen erfragen und geben
Modul 4 | Einen Kurztext über eine Stadt schreiben

Grammatik

Modul 1 | Konnektoren: Temporalsätze
Modul 3 | temporale Präpositionen

4. Diesen Reiseführer packe ich ein:

① Ich brauche doch keinen Reiseführer!

④ Wanderführer

③ Kunstreiseführer

② Szeneführer

5. Zusammen oder allein?

① Mein Schatz und ich fahren zusammen immer an den gleichen Ort.

② Auf Reisen möchte ich lustige Leute kennenlernen.

④ Ich bin gerne alleine unterwegs, da kann ich frei entscheiden.

③ Ich nehme gerne an Führungen in der Gruppe teil.

6. Aus der Küche:

④ Exotische Spezialitäten? – Ich will alles probieren!

① Essen im Ausland? – Lieber keine Experimente.

② Ich buche Vollpension. Kochen, nein, danke.

③ Abends ein gutes Essen und ein Glas Wein im Restaurant. Herrlich!

7. So sieht mein Gepäck aus:

8. Das bringe ich von der Reise mit:

④ Die besten Mitbringsel sind meine schönen Erinnerungen.

① Eine Kleinigkeit für unsere Nachbarn. Fürs Blumengießen.

③ Ein schickes Andenken für mich.

② Ich kaufe nichts von dem Touristen-Kram. Die wollen doch nur mein Geld!

1a Reisetypen. Machen Sie den Test.

b Zählen Sie Ihre Punkte zusammen und lesen Sie auf Seite 168 nach, welcher Reisetyp Sie sind.

c Oder sind Sie ein ganz anderer Typ? Welche anderen Reisetypen gibt es noch?

Ich mache am liebsten Gruppenreisen, weil ...
Ich verreise nicht so gerne, weil ...
Am liebsten bin ich ...

Einmal um die ganze Welt

1 In welche Länder, Städte, Gebiete oder Regionen sind Sie schon gereist? Zu welchem Zweck? Berichten Sie.

2a Hören Sie den ersten Teil einer Radiosendung aus der Reihe „Fernweh". Ergänzen Sie die Informationen zur Weltreise von Axel Franke.

2.27

1. Anzahl der besuchten Kontinente: _____

2. Anzahl der besuchten Länder: _____

3. Anzahl der Städte: _____

4. zurückgelegte Kilometer: _____

5. Dauer der Reise: _____

b Hören Sie den zweiten Teil des Interviews. Machen Sie Notizen und vergleichen Sie mit Ihrem Partner / Ihrer Partnerin.

2.28

Wie die Idee zur Reise entstand
1. als Kind: _____ _____
2. nach der Schule: _____ _____
3. mit 25: _____ _____

Wie Axel die Reise finanziert hat
1. Sparziel: _____
2. erreicht durch:
a) _____
b) _____
c) _____

c Hören Sie den dritten Teil. Markieren Sie, über welche Teilthemen Axel Franke spricht.

2.29

☐ sein Traum von einem Leben am Strand
☐ sich in der Fremde zu Hause fühlen
☐ die schönsten Sehenswürdigkeiten auf der Reise
☐ Reisen ganz ohne Stress
☐ Probleme bei der Beschaffung von Informationen
☐ eine detaillierte Liste der Reiseländer erstellen
☐ die Weiterreise nicht vergessen

d Wohin würden Sie gern reisen? Würden Sie auch so eine lange Reise machen?

▶ Ü 1

Island

Kanada

Brasilien

Australien

Indonesien

3a Ergänzen Sie die Sätze aus dem zweiten Teil des Interviews mit passenden Konnektoren. Hören Sie dann die Sätze zur Kontrolle.

2.30

als	wenn	bevor	solange	während	nachdem

1. Immer _____ ich Radtouren unternommen habe, hat mich das Reisefieber gepackt.

2. _____ ich nicht zu Hause war, war ich einfach glücklich.

3. _____ ich das Abi geschafft hatte, fuhr ich per Anhalter durch Europa.

4. _____ ich 25 war, bekam ich großes Fernweh.

5. _____ ich die Reise beginnen konnte, brauchte ich das notwendige Startkapital.

6. _____ ich letzte Reisevorbereitungen traf, verkaufte ich meinen kompletten Hausrat.

b In Temporalsätzen werden Zeitverhältnisse beschrieben. Finden Sie in 3a Beispiele für A–C und ergänzen Sie die Konnektoren.

zeitliche Abfolge von Geschehen in Hauptsatz und Nebensatz	Beispiele	Konnektoren
A Nebensatz gleichzeitig mit Hauptsatz		
B Nebensatz vor Hauptsatz		
C Nebensatz nach Hauptsatz	*Nr. 5*	*bevor*

▶ Ü 2–3

c Der Konnektor *nachdem* wird mit Zeitenwechsel gebraucht. Lesen Sie die Sätze und ergänzen Sie die Verben in der richtigen Zeitform.

Zeitenwechsel bei *nachdem*		
Gegenwart	*Ich _____ per Anhalter durch Europa, nachdem ich das Abi _____.*	Präsens Perfekt
Vergangenheit	*Ich fuhr per Anhalter durch Europa, nachdem ich das Abi geschafft hatte.*	Präteritum Plusquamperfekt

▶ Ü 4

4 Die Konnektoren *seit/seitdem* und *bis* beschreiben einen Zeitraum. Lesen Sie die Beispiele und ergänzen Sie *vom Anfang* oder *bis zum Ende*.

Beispiele	Zeitraum
***Seitdem** ich nichts mehr besitze, fühle ich mich freier.*	_____ der Handlung
***Bis** die Reise beginnen konnte, hat es noch einen Monat gedauert.*	_____ der Handlung

▶ Ü 5–7

5 Erfinden Sie in Gruppen eine Reisegeschichte. Schreiben Sie einen Satzanfang und geben Sie ihn weiter. Die nächste Gruppe beendet den Satz und formuliert einen neuen Satzanfang.

A: Als ich einmal in der Sahara war, …
B: …, ritt ich auf einem Kamel. Nachdem das Kamel …

▶ Ü 8–9

Urlaub mal anders

1a Lesen Sie die Überschrift und sehen Sie sich die Bilder an. Was hat das mit Urlaub zu tun? Wofür könnten sich die Menschen hier engagieren?

Sich engagieren in internationalen Gruppen

b Lesen Sie den Artikel. Warum engagieren sich junge Leute in Workcamps?

Anpacken im Urlaub

Morgens aufstehen, die Ärmel hochkrempeln und jeden Tag fünf bis sieben Stunden schuften. Daran denken wohl die wenigsten, wenn sie das Wort „Urlaub" hören. Und dennoch finden sich in den internationalen Workcamps
5 meist junge Menschen aus aller Welt, um mit viel Begeisterung genau so ihre freien Tage zu verbringen.
Was macht diese Camps so beliebt? Den meisten „Workcampern" gefällt daran, dass sie zusammen mit anderen eine Sache anpacken und weiterbringen. In Wäldern, auf
10 Feldern, beim Bauen von Straßen und Häusern oder in Kindergärten und Schulen arbeiten sie gemeinsam und unterstützen gesellschaftlich oder sozial wichtige Projekte. Dabei lernt jeder Teilnehmer sich selbst, andere Teilnehmer und Land und Leute aus einer ganz neuen Per-
15 spektive kennen. Und darum sind die „Workcamper" nicht für Geld, sondern aus Interesse und Engagement – für die Umwelt, für ein Kulturprojekt oder für die Friedensarbeit – mit dabei.

2.31

2a Hören Sie das Interview mit der Workcamp-Teilnehmerin Britta Kühlmann zweimal. Entscheiden Sie bei jeder Aussage: Habe ich das im Text gehört oder nicht? Markieren Sie „richtig" oder „falsch".

	richtig	falsch
1. Britta war schon mehrfach in einem Workcamp.	☐	☐
2. Sie hat geholfen, ein Dorf aufzubauen.	☐	☐
3. Die Arbeit im Workcamp war schwer.	☐	☐
4. Britta ist nach dem Camp nach Italien gereist.	☐	☐
5. Mit Einheimischen hatte sie guten Kontakt.	☐	☐
6. Das Gefühl, fremd zu sein, findet Britta eine wichtige Erfahrung.	☐	☐
7. Ab 20 kann man an einem Workcamp teilnehmen.	☐	☐
8. Brittas Trekkingtour hat 1.000 Euro gekostet.	☐	☐
9. Das Team im Workcamp organisiert fast alles für die Teilnehmer.	☐	☐
10. In Brittas Workcamp haben sie das gemeinsame Ziel erreicht.	☐	☐

b Was ist Ihre Meinung zu den Aussagen 1–6? Diskutieren Sie in Gruppen und benutzen Sie die Redemittel.

1. Workcamps sind nur etwas für junge Leute.
2. Arbeit und Erholung sind zweierlei.
3. Land und Leute lernt man am besten im normalen Alltag kennen.
4. Sehr viele Menschen engagieren sich ehrenamtlich.
5. Leute in Workcamps werden für die Projekte ausgenutzt.
6. Für ältere Menschen sind Workcamps zu anstrengend.

ZUSTIMMUNG AUSDRÜCKEN	STARKE ZWEIFEL AUSDRÜCKEN	ABLEHNUNG AUSDRÜCKEN
Ja, das kann ich mir (gut) vorstellen.	Ich glaube/denke kaum, dass …	Es kann nicht sein, dass …
Es ist mit Sicherheit so, dass …	Ich bezweifle, dass …	Es ist ganz sicher nicht so, dass …
Dem stimme ich zu, denn …	Ich habe da so meine Zweifel, denn …	Das kann ich mir überhaupt nicht vorstellen, weil …
Ja, das sehe ich auch so …	Ich sehe das völlig anders, da …	… halte ich für übertrieben.

▶ Ü 1–2

3a Tolle Erfahrung oder Ausbeutung? Lesen Sie die Blogbeiträge. Welcher Beitrag trifft Ihre Meinung?

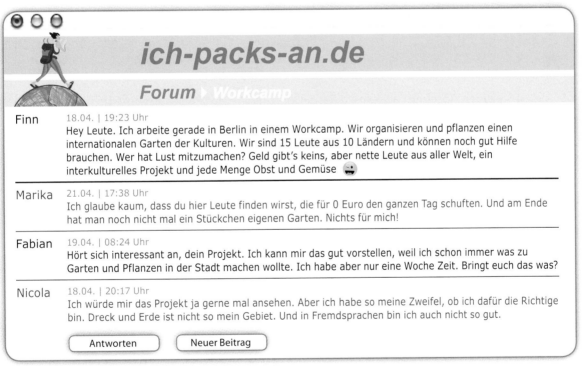

ich-packs-an.de

Forum ▶ Workcamp

Finn	18.04. | 19:23 Uhr
	Hey Leute. Ich arbeite gerade in Berlin in einem Workcamp. Wir organisieren und pflanzen einen internationalen Garten der Kulturen. Wir sind 15 Leute aus 10 Ländern und können noch gut Hilfe brauchen. Wer hat Lust mitzumachen? Geld gibt's keins, aber nette Leute aus aller Welt, ein interkulturelles Projekt und jede Menge Obst und Gemüse 😃
Marika	21.04. | 17:38 Uhr
	Ich glaube kaum, dass du hier Leute finden wirst, die für 0 Euro den ganzen Tag schuften. Und am Ende hat man noch nicht mal ein Stückchen eigenen Garten. Nichts für mich!
Fabian	19.04. | 08:24 Uhr
	Hört sich interessant an, dein Projekt. Ich kann mir das gut vorstellen, weil ich schon immer was zu Garten und Pflanzen in der Stadt machen wollte. Ich habe aber nur eine Woche Zeit. Bringt euch das was?
Nicola	18.04. | 20:17 Uhr
	Ich würde mir das Projekt ja gerne mal ansehen. Aber ich habe so meine Zweifel, ob ich dafür die Richtige bin. Dreck und Erde ist nicht so mein Gebiet. Und in Fremdsprachen bin ich auch nicht so gut.

[Antworten]   [Neuer Beitrag]

▶ Ü 3

b Schreiben Sie selbst einen Beitrag an Finn. Vergleichen Sie Ihre Beiträge im Kurs.

Hallo Finn! Wo finde ich euch? Das ist eine …
  Hi Finn, ich bezweifle, dass das ein sinnvolles Projekt ist. Ich …

4 Haben Sie schon einmal im Ausland gearbeitet oder bei einem Sprachkurs in einer Gastfamilie gewohnt? Berichten Sie (positive/negative Erfahrungen, Menschen, Kultur …).

Ich war schon als Au-Pair in der Schweiz. Die Familie war wirklich nett, aber …
Ich habe zwei Wochen lang in einem Projekt in Japan gearbeitet und …

Ärger an den schönsten Tagen ...

1 Eine Woche Urlaub im Hotel am Strand. Notieren Sie, was für Sie wichtig ist, und stellen Sie Ihre Notizen im Kurs vor.

Hotel direkt am Meer, Vollpension ...

2a Lesen Sie den Auszug aus einem Reiseangebot. Welche Informationen über die Reise erhalten Sie? Wie stellen Sie sich das Hotel vor?

endlich-ferien.de

Ihr Hotel:	Paradise Village****
Ankunft:	23.07.
Abreise:	08.08.
Zimmer:	1 Doppelzimmer / Meerseite, 2 Personen
Verpflegung:	Vollpension
Lage:	verkehrsgünstig, direkt am Meer, Naturstrand
Preis:	1.365,00 € inkl. kurzer Transfer zum Hotel

Ausdrucken

Flugdaten:	Direktflug	Hinflug: 23.07.	Rückflug: 08.08.
	Lufthansa LH835	12:35 Uhr	08:05 Uhr

b Lesen Sie einen Abschnitt aus einem Ratgeber zum Thema „Reiseangebote richtig verstehen". Wie stellen Sie sich nun das Hotel in 2a vor?

Schmutziger Strand, Baustelle statt Meerblick, Flieger verspätet, Hotel überbucht: Jedes Jahr gehen nach der Urlaubszeit in Deutschland rund anderthalb Millionen Beschwerden von Reisen-
5 den bei den Reiseveranstaltern ein. Rund 30.000 davon landen regelmäßig vor Gericht, weil enttäuschte Urlauber ihr Geld zurückhaben wollen.

Aber viele Streitereien lassen sich vermeiden, wenn man weiß, wie die Angebote in Prospekten, Katalogen
10 und auf Internetseiten zu verstehen sind. Oft finden sich Beschreibungen des Ferienortes, die aus der Umgangssprache stammen, allerdings etwas anderes bedeuten, als man meinen könnte. So muss man bei Buchung eines Direktfluges – anders als bei einer Non-Stop-
15 Verbindung – mit Zwischenlandungen rechnen. Sollte nach Ankunft am Urlaubsort nur „ein kurzer Transfer zum Hotel" notwendig sein, befindet sich das Hotel in der Nähe des Flughafens. Fluglärm ist somit nicht auszuschließen. Nachfragen sollte man vor der Buchung
20 auf jeden Fall auch dann, wenn sich das Hotel „direkt am Meer" befindet. Das Hotel könnte sich dann nämlich ebenso an einer Steilküste oder am Hafen befinden, aber nicht am erhofften Badestrand. „Meerseite" heißt nicht, dass man freien Blick aufs Meer hat, sondern
25 meist ist der Blick durch andere Häuser verstellt. Wer ganz sicher einen Blick aufs Meer haben möchte, muss auf das Wort „Meerblick" achten.

Auch bei der Lage des Hotels ist Vorsicht geboten. Eine „verkehrsgünstige Lage" bedeutet, dass das Hotel
30 sehr wahrscheinlich an einer Hauptverkehrsstraße liegt. Mit Lärm in der Nacht muss man da rechnen. Wenn das Hotel mit einem „Naturstrand" wirbt, dann sollte man beim Packen der Koffer die Badelatschen nicht vergessen. Ein Naturstrand kann nämlich aus allen möglichen
35 Materialien bestehen, auch aus Felsen.

Aber welche Reklamationen sind berechtigt? Kleinere Unannehmlichkeiten wie geringfügige Verspätungen, Staub, etwas Lärm oder kürzere Wartezeiten beim Essen muss der Reisende entschädigungslos
40 hinnehmen. Wenn der Reisende aber erhebliche Mängel hinnehmen muss, kann er einen Teil vom bezahlten Reisepreis zurückfordern. Wie viel Prozent das sein können, ist in der „Frankfurter Tabelle" nachzulesen. Dort findet man eine Auflistung möglicher Reisemängel
45 und der dazugehörigen Preisminderung. Sie wurde vom Landgericht Frankfurt erstellt und dient im Streitfall als Beispiel. Wichtig ist bei einer Reklamation, dass die Reisenden noch während des Urlaubs reklamieren und die Mängel nach der Reise innerhalb eines Monats dem
50 Reiseveranstalter schriftlich mitteilen.

c Welche Formulierungen aus Reiseprospekten (1–6) passen zu den Erklärungen (A–F)? Ordnen Sie zu.

1. _D_ lebhafte Ferienanlage

2. ____ Strandnähe

3. ____ für junge Leute geeignet

4. ____ Leihwagen ist empfehlenswert.

5. ____ unaufdringlicher Service

6. ____ zweckmäßig eingerichtet

A Das Hotel ist einfach ausgestattet.

B Das Hotel liegt eventuell abgelegen.

C Das Personal ist vielleicht etwas langsam.

D Mit Lärmbelästigung ist zu rechnen.

E Man geht sicher 15 Minuten zum Strand.

F Im Hotel werden häufig Partys gefeiert.

3 Temporale Präpositionen. Ordnen Sie die Ausdrücke in eine Tabelle und schreiben Sie für jede Kategorie zwei Beispielsätze.

> ~~nach der Reise~~   bis nächstes Jahr   vor der Buchung   während des Urlaubs   ab drei Tagen
>
> innerhalb eines Monats   für drei Tage   seit einem Monat   an den schönsten Tagen
>
> über eine Woche   beim Packen der Koffer   in der Nacht   außerhalb der Saison

temporale Präpositionen		
mit Dativ	**mit Akkusativ**	**mit Genitiv**
nach der Reise …		

▶ Ü 1–3

4a Überlegen Sie, worüber Sie sich auf Reisen beschweren könnten. Schreiben Sie Situationen auf Kärtchen.

beim Frühstück lange warten müssen

seit zwei Tagen kein warmes Wasser

in der Nacht immer Partylärm

b Wer sagt was? Schreiben Sie G für Gast oder P für Personal.

1. Es kann doch nicht sein, dass … ____

2. Ich finde es nicht in Ordnung, dass … ____

3. Ich könnte Ihnen … anbieten. ____

4. Einen Moment bitte, ich regele das. ____

5. Es kann doch nicht in Ihrem Sinn sein, dass … ____

6. Ich muss Ihnen leider sagen, dass … ____

7. Es stört mich sehr, dass … ____

8. Entschuldigung, wir überprüfen das. ____

9. Ich habe da ein Problem: … ____

10. Ich möchte mich darüber beschweren, dass … ____

11. Oh, das tut mir sehr leid. ____

12. Wir kümmern uns sofort darum. ____

13. … lässt zu wünschen übrig. ____

c Tauschen Sie die Kärtchen aus 4a im Kurs und spielen Sie zu zweit die Situationen: A beschwert sich, B reagiert darauf und umgekehrt.

▶ Ü 4

Eine Reise nach Hamburg

1a Was wissen Sie schon über Hamburg? Sammeln Sie im Kurs.

b Typisch Hamburg: Klären Sie diese Wörter und Ausdrücke.

die Elbe	die Seeleute	das Schmuddelwetter	die Börse	der Reeder	hanseatisch
die Alster	bummeln	das Szeneviertel	vornehm	das Dienstleistungszentrum	

c Lesen Sie den Text aus einem Reiseführer. Wählen Sie vier Orte aus, die Sie besuchen möchten. Markieren Sie sie im Text.

Wenn man in Deutschland die Stadt Hamburg erwähnt, dann fällt vielen sofort „das Tor zur Welt" ein. Sie denken an die großen Schiffe auf der Elbe, an den Hafen und die vielen schummrigen Bars
5 und Lokale rund um die *Reeperbahn*, wo die Seemänner ihr schwer verdientes Geld ausgeben.

Die Binnenalster mit Rathaus

Andere denken an die reichen Hamburger Hanseaten, die als Reeder mit ihren Schiffen oder mit Waren aus fernen Ländern ein Vermögen gemacht
10 haben. Und bei „reich" kommt vielen auch der *Jungfernstieg* in den Sinn, eine der teuersten Einkaufsstraßen Hamburgs.

Einigen fällt zu Hamburg auch das Schmuddelwetter mit Nebel, Regen und Wind oder der
15 Fischmarkt am Sonntagmorgen an den *Landungs-*

Die Landungsbrücken

brücken ein. Und gleich nebenan steht die St. Michaelis Kirche, auch *Michel* genannt. Das alles ist für viele die Hansestadt Hamburg.

Der Michel (St. Michaelis Kirche)

Wer heute in den Norden Deutschlands nach Ham-
20 burg reist, der wird vieles davon wiederfinden. Die großen Schiffe, die eleganten Geschäfte, viele Kneipen und Restaurants, Theater und Kultur. Beim Stichwort Hafen denken viele an Segelschiffe und Ozeanriesen. Aber die sieht man heute vor allem
25 beim Hafengeburtstag und anderen Festen. Der heutige Hafen liegt am Rand des Zentrums. Dort steht das hochmoderne Containerterminal, wo die Schiffe automatisch be- und entladen werden.

St. Pauli

Seeleute findet man heute auch seltener. Konnte
30 man sie früher in den zahlreichen Bars auf der Reeperbahn in *St. Pauli* antreffen, vergnügen sich dort heute vor allem Touristen.

Der Hamburger Fischmarkt

In den schicken Vierteln entlang der Elbe oder an der Alster zu wohnen, können sich heute nur die
35 wenigsten Hamburger leisten. Und neben den eleganten Geschäften am Jungfernstieg sind nun auch die modernen Hamburger Passagen oder die *HafenCity* ein Publikumsmagnet.

Nicht nur die Stadt, auch die Hamburger selbst haben sich verändert. Der Handel mit Schiffswaren
40 ist weiterhin wichtig, dennoch ist Hamburg heute

mehr ein Dienstleistungszentrum. Hier haben sich Finanz- und Versicherungszentren, Medienfirmen und Verlage fest etabliert und so wandeln sich die
45 Hanseaten von Reedern zu Managern und die Hafenstadt zur Stadt mit Hafen.

Für die Hamburger und die Besucher gibt es in der Stadt aber viel Gelegenheit, sich zu erholen und zu entspannen. Mit seinem Zoo *Hagenbecks Tier-*
50 *park*, den schönen Parks, z. B. *Planten un Blomen*, seinen zahlreichen Museen und Theatern und der extravaganten *Elbphilharmonie* in der HafenCity ist Hamburg immer eine Reise wert.

Die Speicherstadt

Zu den Sehenswürdigkeiten wie dem *Rathaus*, der
55 *Börse* oder den alten Handelshäusern (den *Konto-ren*) in der Innenstadt kommt man schnell und bequem mit Bus, Bahn oder zu Fuß. Gehen Sie selbst auf Entdeckungstour, auf die Suche nach Tradition und Moderne. Auf geht's!

Die Elbphilharmonie

d Lesen Sie die Aussagen. Welche Information stimmt? Streichen Sie jeweils die falsche Information.

1. Das meiste Geld wird heute mit Handel / Dienstleistungen verdient.
2. Der Michel steht in der Nähe der Landungsbrücken / an der Binnenalster.
3. Der Fischmarkt findet am Samstag / Sonntag statt.
4. Die HafenCity ist ein Containerterminal / ein neuer Stadtteil.
5. Die Reeperbahn liegt an der Alster / in St. Pauli.

▶ Ü 1

2a Sie möchten eine Woche nach Hamburg fahren und haben im Internet eine günstige Übernachtung gefunden. Sie möchten das Zimmer telefonisch reservieren. Wonach sollten Sie sich erkundigen? Welche Informationen müssen Sie geben? Machen Sie Notizen.

🔊
2.32

b Herr Stadler möchte Hamburg besuchen und sucht ein Zimmer. Hören Sie das Telefongespräch und ergänzen Sie.

1. Herr Stadler sucht ein Zimmer vom _____ bis zum _____.

2. Er braucht ein _____ mit _____, das _____ und _____ ist.

3. Das Zimmer kostet _____ Euro.

4. Er kommt mit dem _____.

5. Das Hotel schickt ihm eine _____ und eine _____.

Eine Reise nach Hamburg

3a Ein Zimmer telefonisch buchen – Was sagt der Gast? Was sagt die Mitarbeiterin des Hotels? Ordnen Sie zu und sammeln Sie weitere Redemittel im Kurs.

1,
_____
_____

1. Guten Tag, mein Name ist …
2. Ich möchte ein Zimmer buchen.
3. Wie reisen Sie an?
4. Was kostet das Zimmer?
5. Was kann ich für Sie tun?
6. Hotel …, mein Name ist …
7. Das Zimmer kostet … Euro pro Nacht.
8. Wie lautet Ihre Adresse?
9. Ich brauche ein Zimmer für … Nächte.
10. Ich komme mit dem Auto/Zug/…
11. Wann möchten Sie anreisen/abreisen?
12. Ich reise am … wieder ab.
13. Senden Sie mir bitte eine Bestätigung.
14. Reisen Sie alleine?
15. Ich möchte am … anreisen.
16. Wie lange werden Sie bleiben?
17. Haben Sie einen besonderen Wunsch?
18. Das Zimmer sollte ruhig/klimatisiert / ein Nichtraucherzimmer / … sein.
19. Möchten Sie eine Reservierungsbestätigung?
20. Gern geschehen.   21. Wir haben ein / leider kein Zimmer frei.
22. Wir sind zu zweit.   23. Danke für Ihre Hilfe.
24. Auf welchen Namen darf ich das Zimmer reservieren?

_____
_____

b Schreiben und spielen Sie jetzt selbst Telefongespräche für eine Zimmerreservierung.

> **STRATEGIE**
>
> **Ein Telefongespräch vorbereiten**
> Notieren Sie Wörter, Redemittel, Fragen und Antworten, die Sie für das Telefongespräch brauchen oder erwarten.

🔊 2.33

4a Etwas in Hamburg unternehmen – Informationen erfragen. Lesen Sie die Fragen. Hören Sie dann den Dialog und notieren Sie die Antworten der Touristeninformation.

1. Guten Tag. Können Sie mir sagen, wann und wo es morgen Stadtführungen gibt?
2. Wie lange dauert eine Führung?
3. Zwei Stunden ist ziemlich lang. Geht man zu Fuß?
4. Was würden Sie empfehlen?
5. Gut, aber ich muss noch einmal überlegen. Wo könnte ich mich denn anmelden?

▶ Ü 2

> **SPRACHE IM ALLTAG** 〉〉
>
> **Auf Dank reagieren:**
> *Gern. / Gerne. / Gern geschehen.*
> *Bitte. / Bitte schön.*
> *Keine Ursache. / Kein Problem.*
> *Nichts zu danken. / Nicht der Rede wert.*

b Wonach könnte man in der Touristeninformation noch fragen?

5a Arbeiten Sie zu zweit und erfragen Sie abwechselnd die fehlenden Informationen. A fragt als Tourist, B antwortet als Touristeninformation.

A Tourist
- Aufenthalt Hamburg am 28. Juli, Doppel-zimmer frei? Max. 80 €?
- Hamburger Fischmarkt: Wann? Wo?
- Rundfahrt auf der Alster: Wo? / Wann? / Kosten? / Dauer?

B Touristeninformation
- Am 28. Juli frei: Hotel Hansa (DZ 79,- €) / Pension Alsterrose (DZ 65,- €)
- Fischmarkt: St. Pauli / So. 5.00–9.30 Uhr
- Alsterkreuzfahrt: weiße Schiffe / alle 60 Min. / Jungfernstieg / so lange Sie wollen / 12,00 €

b Wechseln Sie jetzt die Rollen. Fragen und antworten Sie weiter.

A Touristeninformation
- S-Bahn, Linie 1, 25 Minuten vom Flughafen zum Hauptbahnhof, 2,95 € einfache Fahrt
- Hamburg Card: Tageskarte ab 8,90 €
- Ab Hauptbahnhof Linie U2, Richtung Niendorf Nord, Station Hagenbecks Tierpark
- Kulturtermine: Zeitschrift *Szene Hamburg* oder www.hamburg-magazin.de

B Tourist
- Vom Flughafen zur Innenstadt? Dauer? Preis?
- Günstige Fahrten mit Bus, U- und S-Bahn für 24 Stunden?
- Weg zu Hagenbecks Tierpark?
- Kultur-Infos?

6a Unterwegs mit ... Diese beiden Hamburger berichten, wie ihr idealer Tag aussieht. Wen würden Sie gerne begleiten? Warum?

Tim Mälzer

Er gilt als „Junger Wilder" unter Deutschlands Fernsehköchen. Die Kochshow des 42-Jährigen hat gute Quoten, seine Kochbücher führen die Bestseller-Listen an, und in seinem Restaurant „Das Weiße Haus" in Övelgönne muss man lange im Voraus reservieren. Ein idealer Tag ist für ihn ein Tag unter Menschen. Ob Hafengeburtstag, Eppendorfer Schlemmermeile, Altonale oder Alstervergnügen: Er liebt Volksfeste. Besonders den Dom, Hamburgs riesigen Rummel, der dreimal pro Jahr stattfindet. Laute Musik, grelle Lichter, lachende Kinder. Er mag es, wenn Leute gut drauf sind. Und wo es etwas Gutes zu Essen und zu Trinken gibt, das weiß Herr Mälzer mit Sicherheit auch.

TV-Kommissarin Bella Block ist wohl die bekannteste Rolle der Schauspielerin Hannelore Hoger, Tochter eines Inspizienten des Ohnsorg-Theaters. Ihr idealer Tag beginnt in der Hamburger Kunsthalle, in dem ihr Lieblingsbild „Das Paar vor den Menschen" von Ernst-Ludwig-Kirchner hängt. Nach einem Abstecher in die Galerie der Gegenwart fährt sie zum Restaurant Louis C. Jacob. Dort sitzt sie am liebsten auf den Lindenterrassen, die Max Liebermann 1902 als einen seiner Lieblingsplätze malte. Gestärkt bummelt sie anschließend durch Eppendorf, wo man ohne Großstadthektik wunderbar einkaufen gehen kann. Der Tag endet im kleinen St. Pauli Theater. „Tritt man dort auf, fühlt man sich vom Publikum regelrecht umarmt", schwärmt Frau Hoger.

Hannelore Hoger

b Wie sieht ein idealer Tag in Ihrer Stadt aus? Wohin würden Sie einen Gast mitnehmen? Schreiben Sie einen kurzen Text.

▶ Ü 3

7 Projekt: Suchen Sie sich eine deutschsprachige Stadt aus, die Ihnen gut gefällt. Sammeln Sie Informationen im Internet für einen fünftägigen Aufenthalt.

Städte:
www.berlin.de
www.zuerich.ch

An- und Abreise:
www.flug.de
www.oebb.at

Programm:
www.theater.de
www.tourismus-schweiz.ch

Sonstiges:
www.konsulate.de

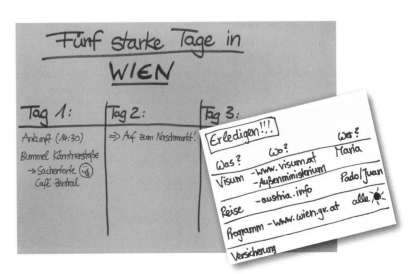

Alexander von Humboldt

Naturforscher und Mitbegründer der Geografie

(14. September 1769–6. Mai 1859)

Alexander von Humboldt wurde am 14. September 1769 in Berlin geboren. Sein Vater war preußischer Offizier, seine Mutter Französin. Alexander wuchs zusammen mit seinem älteren Bruder Wilhelm auf, dem späteren Sprachforscher, Erziehungsminister und Gründer der heutigen Humboldt-Universität zu Berlin. Die Brüder erhielten eine umfassende Bildung und Erziehung. Alexander begeisterte sich früh für die großen Entdeckungsreisenden seiner Zeit, besonders für James Cook. Er zeigte großes Interesse an Naturgegenständen und wurde in seinem Umfeld als „der kleine Apotheker" bezeichnet, weil er Insekten, Steine und Pflanzen sammelte.

1789 begann Alexander an der Universität Göttingen Chemie und Physik zu studieren. Zu dieser Zeit lernte er auch Georg Forster kennen, der James Cook auf seiner zweiten Weltreise begleitete. Durch Forster beschloss Alexander, die Welt zu bereisen, auch wenn er nach außen die Wünsche der Mutter respektierte. Nach dem Besuch der Handels- und der Bergakademie wurde er Assessor im Staatsdienst Preußens.

1796 starb Alexanders Mutter und er erbte ein großes Vermögen, durch das er seinen Lebenstraum finanzieren konnte: als Forschungsreisender die Welt zu erkunden. Am 5. Juni 1799 brach Alexander mit Freunden in die Neue Welt auf. Seine Forschungsreisen, von denen er mehrere unternahm, führten ihn über Europa hinaus nach Lateinamerika, in die USA sowie nach Zentralasien. Alexander begeisterte sich für viele Wissenschaften z. B. für Physik, Chemie, Geologie, Mineralogie, Vulkanologie, Botanik, Zoologie, Ozeanografie, Astronomie und Wirtschaftsgeografie. Noch im Alter von 60 Jahren legte Alexander 15.000 Kilometer mithilfe von 12.244 Pferden auf seiner russisch-sibirischen Forschungsreise zurück.

In den Folgejahren war er als Diplomat in Paris unterwegs und begleitete den König auf Reisen. In den Jahren 1845 bis 1858 verfasste Alexander sein mehrbändiges Hauptwerk mit dem Titel „Kosmos", das ein echter Bestseller wurde. Alexander starb am 6. Mai 1859 in seiner Wohnung in Berlin. Am 10. Mai wurde er in einem Staatsbegräbnis im Berliner Dom beigesetzt.

Alexander wird wegen seiner vielen Forschungsreisen als „der zweite Kolumbus" bezeichnet. Charles Darwin sagte über ihn, er sei der größte reisende Wissenschaftler gewesen, der jemals gelebt habe.

Alexander von Humboldt, Forschungsreisender

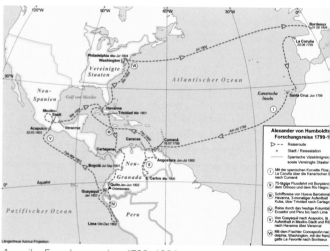

Amerika-Forschungsreise: 1799–1804

Alexanders Expeditionen wurden in Daniel Kehlmanns Roman „Die Vermessung der Welt" (2005) aufgegriffen und 2012 verfilmt.

www   ▶ Mehr Informationen zu Alexander von Humboldt.

Sammeln Sie Informationen über Persönlichkeiten aus dem In- und Ausland, die zum Thema „Reisen" interessant sind, und stellen Sie sie im Kurs vor. Sie können dazu die Vorlage „Porträt" im Anhang verwenden.

Beispiele aus dem deutschsprachigen Bereich: Heinrich Schliemann – Georg Forster – Georg Schweinfurth – Gerlinde Kaltenbrunner – Ida Pfeiffer

1a Konnektoren: Temporalsätze

Fragewort	Beispiel
Wann? Wie lange? Gleichzeitigkeit: Hauptsatz **gleichzeitig mit** Nebensatz	*Immer **wenn** ich Radtouren unterstrichen unternommen habe, hat mich das Reisefieber gepackt.* **wenn:** wiederholter Vorgang in der Vergangenheit ***Als** ich 25 war, bekam ich großes Fernweh.* **als:** einmaliger Vorgang in der Vergangenheit ***Während** ich letzte Reisevorbereitungen traf, verkaufte ich meinen kompletten Hausrat.* **während:** andauernder Vorgang ***Solange** ich nicht zu Hause war, war ich einfach glücklich.* **solange:** gleichzeitiges Ende beider Vorgänge
Vorzeitigkeit: Nebensatz **vor** Hauptsatz	***Nachdem** ich das Abi geschafft hatte, fuhr ich per Anhalter durch Europa.*
Nachzeitigkeit: Nebensatz **nach** Hauptsatz	***Bevor** ich die Reise beginnen konnte, brauchte ich das notwendige Startkapital.*
Seit wann?	***Seitdem** ich nichts mehr besitze, fühle ich mich freier.*
Bis wann?	***Bis** die Reise beginnen konnte, hat es noch einen Monat gedauert.*

b Zeitenwechsel bei *nachdem*

Gegenwart:	*Ich fahre per Anhalter durch Europa,* *nachdem ich das Abi geschafft habe.*	Präsens Perfekt
Vergangenheit:	*Ich fuhr per Anhalter durch Europa,* *nachdem ich das Abi geschafft hatte.*	Präteritum Plusquamperfekt

2 Temporale Präpositionen

mit Akkusativ	mit Dativ	mit Genitiv
bis nächstes Jahr **für** drei Tage **gegen** fünf Uhr **um** Viertel nach sieben **um** Ostern **herum** **über** eine Woche	**ab** drei Tagen **an** den schönsten Tagen **beim** Packen der Koffer **in** der Nacht **nach** der Reise **seit** einem Monat **von** jetzt **an** **von** morgens **bis** abends **vor** der Buchung **zu** Weihnachten **zwischen** Montag und Mittwoch	**außerhalb** der Saison **innerhalb** eines Monats **während** des Urlaubs

Erfurt

1 Informieren Sie sich über die Stadt Erfurt.

Wo liegt die Stadt? Von welchem Bundesland ist Erfurt die Hauptstadt?
Welche Bundesländer sind in der Nachbarschaft? …

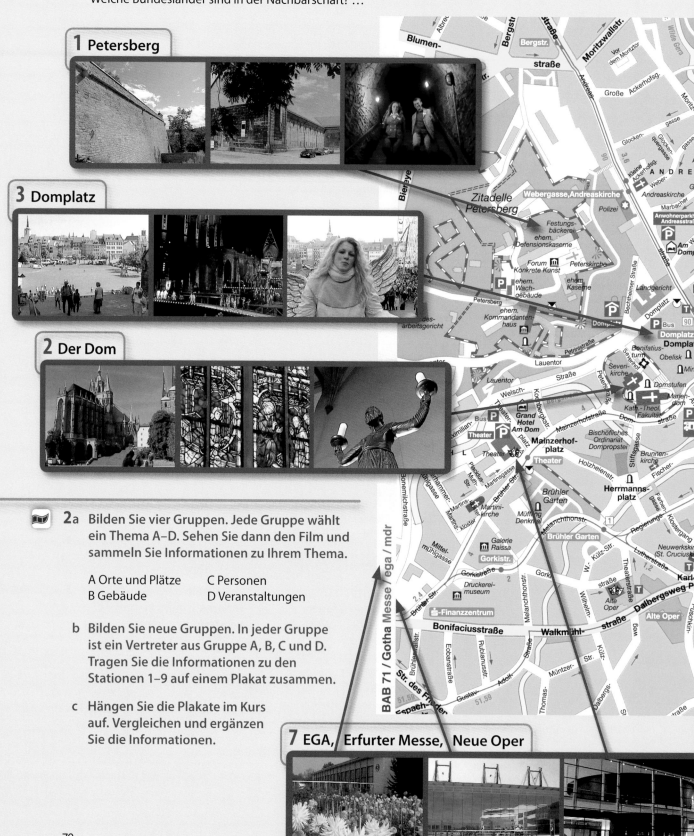

1 Petersberg

3 Domplatz

2 Der Dom

7 EGA, Erfurter Messe, Neue Oper

2a Bilden Sie vier Gruppen. Jede Gruppe wählt
ein Thema A–D. Sehen Sie dann den Film und
sammeln Sie Informationen zu Ihrem Thema.

A Orte und Plätze   C Personen
B Gebäude   D Veranstaltungen

b Bilden Sie neue Gruppen. In jeder Gruppe
ist ein Vertreter aus Gruppe A, B, C und D.
Tragen Sie die Informationen zu den
Stationen 1–9 auf einem Plakat zusammen.

c Hängen Sie die Plakate im Kurs
auf. Vergleichen und ergänzen
Sie die Informationen.

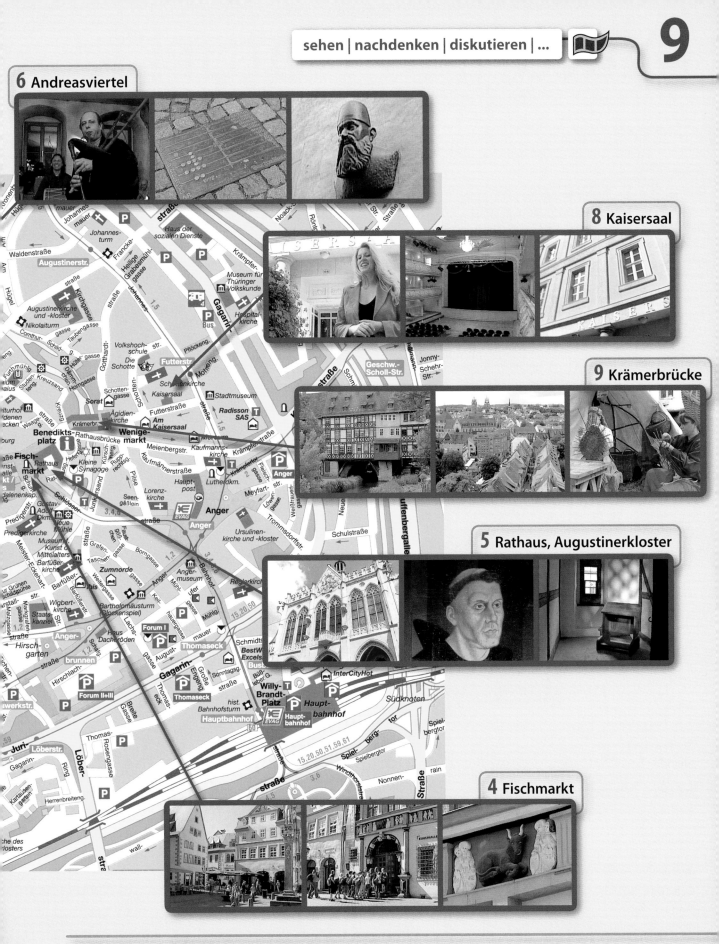

6 Andreasviertel

8 Kaisersaal

9 Krämerbrücke

5 Rathaus, Augustinerkloster

4 Fischmarkt

3 Welche besonderen Veranstaltungen, Attraktionen oder Feste gibt es in Ihrer Stadt? Berichten Sie.

Natürlich Natur!

Spielen Sie das Umwelt-Spiel. Sie können mit 4–6 Spielern spielen.

Anleitung

Sie brauchen einen Würfel und für jeden Spieler / jede Spielerin eine Spielfigur (z. B. eine Münze oder ein Gummibärchen) und einen „Experten", der die Lösungen aus dem Lehrerhandbuch hat. Es gibt drei verschiedene Typen von Spielfeldern.

Orange Felder: Wenn Sie auf ein oranges Feld kommen, haben Sie entweder etwas falsch gemacht und müssen auf ein anderes Feld zurückgehen oder Sie haben etwas sehr gut gemacht und dürfen noch einmal würfeln.

Blaue Felder: Hier erklären Sie etwas oder spielen es vor. Ihre Gruppe entscheidet:
• Ihre Lösung ist nicht umweltfreundlich. Bleiben Sie stehen.
• Ihre Lösung ist umweltfreundlich. Gehen Sie zwei Felder vor und lösen Sie die Aufgabe.

Grüne Felder: Welche Antwort ist richtig? Wenn Sie die Aufgabe richtig lösen, dürfen Sie noch einmal würfeln. Wenn nicht, bleiben Sie stehen, bis Sie wieder dran sind.

Gewonnen hat, wer zuerst im Ziel ist.

Ziel

Sie lernen

Modul 1 | Einen Text über Singles und Umweltprobleme verstehen

Modul 2 | Eine Talkshow zum Thema „Tiere" spielen

Modul 3 | Über verschiedene Umweltprojekte sprechen

Modul 4 | Detailinformationen eines Referats zum Thema „Wasser" verstehen

Modul 4 | Ein Kurzreferat halten

Grammatik

Modul 1 | Passiv

Modul 3 | Lokale Präpositionen (mit Wechselpräpositionen)

Wie viel länger leuchtet eine Energiesparlampe im Vergleich zu einer Glühbirne?
A acht Mal so lang
B gleich lang
C 1.000 Mal so lang

3

Wieder mal eine Waschmaschine mit nur einer Jeans und zwei T-Shirts angemacht! Gehen Sie auf Feld 1.

4

Prima, Sie haben die Pfandflaschen zurück zum Supermarkt gebracht. Würfeln Sie noch einmal.

2

Sie haben Hunger und Durst. 500 Meter von Ihrer Wohnung entfernt ist eine Bäckerei und 1.000 Meter von Ihrer Wohnung entfernt ist ein Supermarkt, in dem Sie am liebsten etwas zu trinken einkaufen. Spielen Sie vor, wie Sie zum Bäcker und zum Supermarkt kommen.

1

Start

Sie lassen alle elektronischen Geräte immer auf Stand-by, anstatt sie richtig auszuschalten. Gehen Sie auf Feld 17.

20

Sie wollen alleine eine Reise machen und 500 Kilometer zurücklegen. Welches Verkehrsmittel ist am umweltfreundlichsten?
A Auto
B Bahn
C Flugzeug

19

Aus welcher Energiequelle ist Strom umweltfreundlich?
A Kohle
B Atomkraft
C Sonne

18

Sehr schön! Sie haben das Fahrrad genommen und nicht das Auto. Würfeln Sie noch einmal.

16

Erklären Sie, was Sie mit leeren Batterien machen.

17

Was ist Recycling?
A eine umweltfreundliche Fahrradsportart
B das Wiederverwenden von Rohstoffen
C umweltschonendes Verbrennen von Abfall

5

Oh nein, Sie haben zwei große Kartons in die Papiertonne geworfen und die Kartons vorher nicht zusammengefaltet. Jetzt ist die Tonne schon wieder voll! Gehen Sie auf Feld 3.

6

Sie haben für Freunde gekocht: Es gibt Salat und einen Auflauf. Wohin kommt der Müll? Vor Ihnen liegen eine Plastiktüte, eine fettige Papiertüte, Zwiebel- und Kartoffelschalen, eine kaputte Porzellantasse und ein leeres Glas. Sortieren Sie den Müll: Altpapier – Glas – Plastik – Biomüll – Restmüll.

7

Nicht schon wieder … Sie sind gestern Abend vor dem Fernseher eingeschlafen und die Kiste lief sinnlos bis fünf Uhr morgens. Gehen Sie auf Feld 5.

8

Sie lesen jede Woche ein Buch. Wie kommen Sie am umweltfreundlichsten an Lesestoff?
A Sie gehen in die Bücherei und leihen sich Bücher.
B Sie gehen in die Buchhandlung und kaufen sich Bücher.
C Sie kaufen einen E-Book-Reader und laden die Bücher aus dem Internet herunter.

9

Sie finden in Ihrem Kühlschrank einen alten Joghurt. Das Datum mit der Mindesthaltbarkeit ist seit einem Tag abgelaufen. Was machen Sie?
A Sie stellen ihn wieder in den Kühlschrank.
B Sie essen ihn.
C Sie werfen ihn in den Müll.

10

Erwischt! Draußen ist kalter Winter und Sie haben wieder den ganzen Tag das Fenster gekippt und die Heizung angelassen, statt für zehn Minuten das Fenster richtig aufzumachen. Gehen Sie auf Feld 7.

11

Was machen Sie mit einem alten, kaputten Kühlschrank?
A Sie bringen ihn zur Sammelstelle für Problemmüll.
B Sie werfen ihn mit der Hilfe eines Freundes in einen Müllcontainer.
C Sie stellen ihn vor die Mülltonne.

15

Welche Energien sind erneuerbar?
A Kohle
B Erdöl und Erdgas
C Wind, Sonne und Wasser

14

Super, Sie haben den Biomüll runtergebracht. Würfeln Sie noch einmal.

13

Es ist Herbst. Sie sind in einem Supermarkt in Deutschland und haben die Wahl zwischen Äpfeln aus Neuseeland und Äpfeln aus Deutschland. Erklären Sie, warum der Kauf von Äpfeln aus Deutschland umweltfreundlicher ist.

12

Umweltproblem Single

▶ Ü 1

1a Lesen Sie den Titel des Artikels. Was denken Sie: Warum könnten Singles ein Umweltproblem sein?

b Lesen Sie den Artikel und verbinden Sie die Satzteile unten. Bringen Sie die Sätze dann in die richtige Reihenfolge.

Singles werden zum Umweltproblem

Ein-Personen-Haushalte sind Umwelt-Zeitbomben: Sie vermehren sich stark, verbrauchen Platz, Energie und Ressourcen. Jetzt werden Gegenmaß-
5 nahmen gefordert.

Ein-Personen-Haushalte nehmen schon seit Jahrzehnten zu. Bis zum Jahr 2026 werden sie für 76 Prozent des jährlichen Zuwachses an Wohn-
10 raum verantwortlich sein und mehr als ein Drittel aller Haushalte ausmachen. Umweltexperten betrachten diese Entwicklung mit Sorge, denn durch die hohe Zahl von Single-Haushalten wird
15 mittelfristig eine Konsum- und Umwelt-Krise ausgelöst.

Pro Kopf verbrauchen Singles nicht nur den meisten Wohnraum und die meiste Energie, sondern auch die meisten Haushaltsgeräte wie Waschmaschinen,
20 Kühlschränke, Fernseher und Stereoanlagen. Im Vergleich zu Mitgliedern eines Fünf-Personen-Haushaltes kaufen sie 39 Prozent mehr Haushaltsutensilien ein, produzieren dabei 42 Prozent mehr Verpackungsmüll, verbrauchen 61 Prozent mehr Gas und 55 Pro-
25 zent mehr Strom. Während ein Familienmensch pro Jahr rund 1.000 Kilo Abfall produziert, kommt der Single auf gewaltige 1.600 Kilo. Und in Zukunft leben immer mehr junge Menschen alleine, die durch ihren konsumorientierten Lebensstil sehr viele Res-
30 sourcen verbrauchen.

Damit die Singles nicht zum Umweltproblem werden, muss heute schon gehandelt werden, appellieren Forscher. So muss hochwertiger Wohnraum geschaffen werden, der prestigeträchtig und ökologisch zugleich
35 ist. Mit der richtigen Werbung können die wohlhabenden Singles dann motiviert werden, ihr Geld für besonders umweltfreundliche Häuser und Geräte auszugeben.

Für Menschen, die unfreiwillig alleine wohnen,
40 sollte innovative Architektur neue Möglichkeiten des Zusammenlebens schaffen. So sind variable Wohnformen denkbar, in denen z. B. Wohnzimmer gemeinsam genutzt werden, Schlafzimmer, Badezimmer und Küche aber privat bleiben.

___ a Um das drohende Problem zu verhindern,	dass sie zu einem Umweltproblem werden.
___ b Für Menschen, die nicht gern allein wohnen,	ist auch der heutige Lebensstil allein lebender Menschen.
___ c Dieses Problem entsteht dadurch,	sollten Singles in umweltfreundlichen Wohnraum und ökologische Produkte investieren.
_1_ d Ein-Personen-Haushalte haben so stark zugenommen,	dass Singles vergleichsweise mehr konsumieren und mehr Müll produzieren.
___ e Ein wichtiger Aspekt dabei	sollten alternative Wohnformen geschaffen werden.

c Umweltfreundlich leben. Was können Sie in Ihrem Zuhause tun, um Energie zu sparen und Müll zu vermeiden? Sammeln Sie in Gruppen.

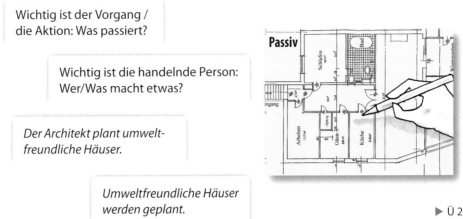
2a Aktiv und Passiv. Wann verwendet man was? Verbinden Sie die Erklärungen und Beispiele mit den passenden Bildern.

Aktiv

Wichtig ist der Vorgang / die Aktion: Was passiert?

Wichtig ist die handelnde Person: Wer/Was macht etwas?

Der Architekt plant umwelt-freundliche Häuser.

Passiv

Umweltfreundliche Häuser werden geplant.

▶ Ü 2

b Lesen Sie die Sätze und markieren Sie die Passivformen. Was war früher? Was ist jetzt? Ordnen Sie zu.

1. Das Öko-Haus wurde gebaut.
2. Die meiste Energie wird beim Heizen verbraucht.
3. In den letzten Jahren sind viele moderne Gebäude konzipiert worden.
4. Immer mehr umweltfreundliche Haushaltsgeräte werden entwickelt.
5. Vor 50 Jahren wurde noch nicht so viel Verpackungsmüll produziert.
6. Das Umweltthema ist schon oft diskutiert worden.

Jetzt: Passiv Präsens _2,_____

Früher: Passiv Präteritum _____ oder Passiv Perfekt _____

c Wie wird das Passiv gebildet? Ergänzen Sie die Regeln.

> **Passiv Präsens:** _____ + Partizip II
>
> **Passiv Präteritum:** _____ + Partizip II
>
> **Passiv Perfekt:** *sein* + Partizip II + _____

Ⓖ

d Bilden Sie für jede Zeitform des Passivs einen Beispielsatz. Tauschen Sie mit Ihrem Partner / Ihrer Partnerin und korrigieren Sie seine/ihre Sätze.

▶ Ü 3

e Lesen Sie den vorletzten Absatz des Artikels noch einmal und unterstreichen Sie die Passivsätze mit Modalverben. Schreiben Sie dann einen Beispielsatz zu der Regel.

> **Passiv mit Modalverben:** Modalverb + Partizip II + *werden* im Infinitiv
>
> _____

Ⓖ

▶ Ü 4–5

3 Gehen Sie zu zweit durch die Sprachschule und beschreiben Sie alles, was gemacht wird, wurde oder werden muss.

Die Türen werden geöffnet.
Die Übungen wurden kopiert.
Die Tafel muss gewischt werden.

Tierisch tierlieb?

1a Wählen Sie ein Foto und machen Sie Notizen: Was sehen Sie? Was halten Sie davon?

b Wer hat das gleiche Foto gewählt? Bilden Sie Gruppen. Tauschen Sie Ihre Meinungen zu dem Foto aus.

c Diskutieren Sie im Kurs: Welches Foto finden Sie am interessantesten, welches am schönsten und welches am erschreckendsten?

▶ Ü 1–2

SPRACHE IM ALLTAG

Im Deutschen verwendet man viele Tiernamen als Kosewörter:
Maus/Mäuschen, Hase/Häschen, Bärchen, Spatz …
Aber auch als Schimpfwörter:
dumme Kuh, blöde Ziege/Gans, Esel, fauler Hund …

2a Vom Umgang mit Tieren. Welche Beschreibung passt? Ordnen Sie zu.

___ 1. der Tierschützer   ___ 4. herrenlos   ___ 7. das Tierheim

___ 2. bei sich aufnehmen   ___ 5. aussetzen   ___ 8. der Animal Hoarder

___ 3. traumatisiert sein   ___ 6. verwahrlost   ___ 9. die Tierquälerei

A etwas Schlimmes erlebt haben und darunter leiden
B nicht mehr sauber und gepflegt sein
C ein Haus für Tiere, die keinen Besitzer haben
D eine Person, die Tieren hilft und für sie kämpft
E eine Person, die zu viele Tiere sammelt

F einem Tier Schmerzen zufügen
G jemanden bei sich wohnen lassen
H ein Tier irgendwo hinbringen, dort alleine lassen und nicht mehr zurückkommen
I ohne Besitzer

2.34 **b** Hören Sie den ersten Teil des Interviews mit Manuel Tucher. Wo arbeitet er, was macht er dort und warum macht er diese Arbeit?

2.35 **c** Hören Sie nun den zweiten Teil des Interviews. Aus welchen Gründen kommen Tiere ins Tierheim? Machen Sie Notizen und vergleichen Sie im Kurs.

▶ Ü 3

3 Was haben Sie schon einmal mit Tieren erlebt (Tier gefunden/gerettet, seltenes/gefährliches Tier gesehen, verrückte Tierbesitzer …)? Schreiben Sie eine E-Mail an einen Freund / eine Freundin.

4a Wie soll man mit Tieren umgehen? Spielen Sie eine Talkshow. Lesen Sie die Rollenkarten und bilden Sie vier Gruppen. Jede Gruppe wählt eine Rolle und gibt der Person einen Namen.

Talkmasterin
- sehr freundlich
- stellt jedem kritische Fragen
- achtet darauf, dass jeder etwas sagt
- mag Tiere, will aber keins zu Hause haben

Älterer Herr
- humorvoller Mensch, der offen zugibt, dass er Tiere nicht mag
- stört es, wenn jemand in der U-Bahn einen Hund dabei hat
- möchte, dass Tiere nur in Boxen in öffentlichen Transportmitteln mitgenommen werden dürfen
- findet Tierhaltung auf engem Raum positiv, weil nur so Fleisch und Milchprodukte billig sind

Landwirt
- ist sachlich und engagiert und findet Tierschutz wichtig
- hat auf seinem Bauernhof Kühe, Ziegen, Schweine und Hühner
- findet es schlimm, wenn Leute ihre Haustiere wie Menschen behandeln (Kleider anziehen, frisieren, für sie kochen usw.)
- ist für fairen Umgang mit Tieren: genug Platz, gutes Futter, sauberer Stall, Auslauf im Freien
- ist dafür, dass Tierhaltung auf zu engem Raum verboten wird

Frau mit Pudel
- ist sehr nervös und sofort gereizt, wenn jemand etwas gegen Tiere sagt
- geht mit ihrem Hund zum Friseur und hat eine Homepage für ihn
- lässt ihren Hund im Bus und in der U-Bahn auf einem Sitzplatz sitzen
- ärgert sich darüber, dass ihr Hund oft an der Leine sein muss
- möchte, dass Hunde überall mit hingenommen werden dürfen (Hotels, Geschäfte …)

b Überlegen Sie in Ihrer Gruppe: Was könnte „Ihre Person" in der Talkshow sagen? Machen Sie Notizen.

c Mischen Sie die Gruppen so, dass in jeder neuen Gruppe je eine Person aus der alten Gruppe ist. Spielen Sie die Talkshow. Die Redemittel helfen Ihnen.

UM DAS WORT BITTEN / DAS WORT ERGREIFEN	SICH NICHT UNTERBRECHEN LASSEN
Dürfte ich dazu auch etwas sagen?	Lassen Sie mich bitte ausreden.
Ich möchte dazu etwas ergänzen.	Ich möchte nur noch eines sagen: …
Ich verstehe das schon, aber …	Einen Moment bitte, ich möchte nur noch …
Glauben/Meinen Sie wirklich, dass …?	Augenblick noch, ich bin gleich fertig.
Da muss/möchte ich kurz einhaken: …	Lassen Sie mich noch den Gedanken/Satz zu Ende bringen.
Entschuldigen Sie, wenn ich Sie unterbreche, …	

Alles für die Umwelt?

1a Lesen Sie die Überschriften A–H und dann die vier Texte. Welcher Text passt am besten zu welcher Überschrift?

___ A Bio in der Kiste

___ B Eine Stadt räumt auf

___ C Nützliches aus dem Müll – Tipps und Tricks

___ D Jetzt wird's bunt!

___ E Grüne Fußgängerbrücken

___ F Familien erfinden die Öko-Kiste

___ G Stricken Sie mit! Unser aktuelles Kursangebot

___ H Sichere Wege für Wildtiere

mach mit!

Sauberhaftes Hessen

1 Wie jedes Jahr sammeln Freiwillige Müll in und um Kassel – und finden dabei auch brauchbare Küchengeräte, Autoreifen und eine alte Matratze. Warum werfen Menschen ihre Abfälle einfach auf die Straße? Ziel der Aktion „Sauberhaftes Hessen" ist es, Bürgerinnen und Bürger zu einem verantwortungsvollen Umgang mit der Umwelt anzuhalten. Mit der Aktion möchte man auf eine einfache Verhaltensregel aufmerksam machen: Müll gehört in den Abfalleimer!

2 Guerilla-Stricken – ein neuer Trend ist jetzt auch in Deutschland angekommen. Und man lernt: Stricken ist nicht nur was für Omas! Beim Guerilla-Stricken geht es darum, Gegenstände im öffentlichen Raum zu verändern und zwar durch gestrickte oder gehäkelte, meist bunte Überzüge oder Decken. Nicht allen gefällt es, wenn eine bunte Strickmütze auf einer Straßenlaterne thront oder geblümte Deckchen um Baumstämme gewickelt sind. Dabei ist das Guerilla-Stricken als fröhlicher Weg gedacht, den grauen Stadtalltag bunter zu machen.

3 Seit über 10 Jahren ist die Idee erfolgreich und wächst weiter. Bio-Bauernhöfe der Region beliefern Kunden in bestimmten Städten oder Stadtteilen mit der sogenannten „Öko-Kiste". Einmal in der Woche steht frisches Obst und Gemüse direkt vor der Haustür. Die „Öko-Kiste" gibt's in verschiedenen Größen und Ausführungen (nur Regionales / Fitness / Familie mit Kindern usw.) und man kann ebenso Käse, Milch, Brot und Fleisch bestellen – alles garantiert Bio und frisch.

4 Autobahnen sind gefährlich – nicht nur für Menschen. Rund 250.000 Rehe, Hirsche und Wildschweine sowie unzählige weitere Kleintiere sterben jedes Jahr beim Versuch, z. B. eine Autobahn zu überqueren. Sogenannte Grünbrücken verbinden die Lebensräume der Tiere und vermindern somit die Unfallgefahr – auch für Autofahrer. Die Tiere können über die Brücke laufen und sie nutzen das Angebot: Die Grünbrücke über die A72 zwischen Chemnitz und Leipzig wird seit ihrer Eröffnung 2012 eifrig von Wildtieren benutzt.

b Welches Projekt finden Sie am interessantesten? Warum?

2a Lokale Präpositionen: Ergänzen Sie die Artikelwörter im richtigen Kasus. Ergänzen Sie dann die Regel.

Wechselpräpositionen

Wo? ●

Müll ist **im** Abfalleimer.

Frisches Obst steht **vor** _____ Tür.

Die Brücke ist **über** der Autobahn.

Wohin?

Wirf Müll **in** _____ Abfalleimer.

Sie stellen frisches Obst **vor die** Tür.

Die Tiere können **über** _____ Brücke laufen.

Einige lokale Präpositionen werden sowohl mit Dativ als auch mit Akkusativ verwendet. Man nennt sie Wechselpräpositionen.

Der Dativ folgt auf die Frage _____?, der Akkusativ auf die Frage _____?

▶ Ü 1

b Ordnen Sie die Präpositionen in die Tabelle.

~~von~~	in	~~durch~~	von … aus	an	bei	vor	entlang	neben	zu	jenseits
über	nach	gegen	um	auf	bis	ab	hinter	um … herum		
außerhalb	zwischen	aus	unter	~~innerhalb~~	gegenüber	an … entlang				

lokale Präpositionen	Wo?	Wohin?	Woher?
mit Akkusativ		durch	✕
mit Dativ			von
mit Genitiv	innerhalb	✕	✕
mit Dativ oder Akkusativ (Wechselpräpositionen)			✕

c Arbeiten Sie zu zweit. Jeder hat fünf Minuten Zeit und schreibt möglichst viele Sätze mit Präpositionen aus 2b. Tauschen Sie dann und korrigieren Sie gemeinsam. Wer hat die meisten richtigen Sätze?

▶ Ü 2

3a Recherchieren Sie ein Umweltprojekt aus Ihrer Stadt oder Ihrem Land. Machen Sie Notizen zu Zielen und Problemen.

b Ordnen Sie Ihre Notizen in eine sinnvolle Reihenfolge und schreiben Sie einen kurzen Bericht zu Ihrem Projekt. Hängen Sie die Berichte im Kursraum aus. Sprechen Sie im Kurs: Wen interessiert welches Projekt?

▶ Ü 3

Kostbares Nass

1a Sehen Sie sich die Fotos an. Welche Assoziationen verbinden Sie mit den Bildern? Sammeln Sie im Kurs.

b Ordnen Sie die Begriffe den Fotos zu.

das Süßwasser   das Salzwasser   das Trinkwasser   die Überschwemmung   die Dürre
die Wasserknappheit   fließendes Wasser   verseuchtes Wasser   der Wassermangel   der Strand
durstig sein   baden   die Wüste   austrocknen   vertrocknen   verschmutzen
das Hochwasser   die Wasserverschmutzung   knappe Ressource   der Schlamm

c Was wissen Sie über Wasser? Wozu braucht man Wasser? Was kann man mit Wasser alles tun? Sammeln Sie im Kurs.

▶ Ü 1–2

2a Hören Sie ein Referat zum Thema „Wasser". Es besteht aus einer Einleitung und zwei Hauptteilen. Worum geht es in jedem Teil? Notieren Sie jeweils drei Stichpunkte und vergleichen Sie mit Ihrem Partner / Ihrer Partnerin.

Teil 1	Teil 2

b Hören Sie die Hauptteile des Referats noch einmal in Abschnitten.

Teil 1: Ergänzen Sie die Informationen.

1. Gesamtwassermenge auf der Erde: _____

2. Süßwasseranteil: _____

3. Zwei Drittel des Süßwassers befinden sich in: _____

4. Süßwasseranteil für Menschen leicht zugänglich: _____

Teil 2: Korrigieren Sie die Sätze.

weniger

1. Es gibt immer mehr Menschen auf der Welt und auch ~~genug~~ Süßwasserreserven.

2. Über eine Million Menschen können täglich nicht mehr als 20 Liter Wasser verbrauchen.

3. Zwei Milliarden Menschen haben leichten Zugang zu sauberem Wasser.

4. Der tägliche Wasserverbrauch in Deutschland liegt bei 60 Litern pro Person.

5. Besonders viel Wasser wird von der Waschmittelindustrie verbraucht.

6. Das Wasser wird zunehmend sauberer.

c Vergleichen Sie Ihre Antworten aus 2b mit Ihrem Partner / Ihrer Partnerin und ergänzen oder korrigieren Sie die Informationen.

d Wie ist die Situation in Ihrem Land? Gibt es genug Wasser? Wie kann man Wasser sparen? Sammeln Sie Ideen in Gruppen.

Kostbares Nass

3 Strategie: Ein Referat vorbereiten. Arbeiten Sie in folgenden Schritten:

Schritt 1:
Suchen Sie ein Thema aus einem Bereich, der Sie interessiert. Sie können zum Beispiel ein Referat über die Natur in Ihrem Land oder Tierschutz oder umweltfreundlichen Tourismus halten.

Schritt 2:
Sammeln Sie Ideen zu Ihrem Thema und machen Sie eine Mindmap wie im Beispiel. Sie können auch mit dem Wörterbuch arbeiten.

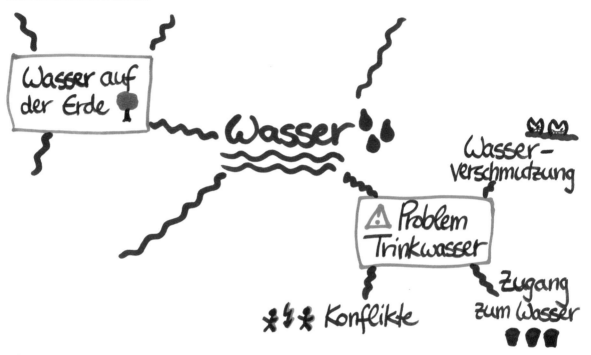

Schritt 3:
Recherchieren Sie Informationen zu den einzelnen Teilthemen. Ergänzen Sie gegebenenfalls Ihre Mindmap.

Schritt 4:
Notieren Sie alle Informationen am besten auf Karten. Entscheiden Sie dann, in welcher Reihenfolge Sie worüber sprechen möchten, und nummerieren Sie die Karten.

Oder erstellen Sie eine Gliederung mit den wichtigsten Informationen. Schreiben Sie keine Sätze, sondern nur Stichpunkte.

① *Einleitung*
→ *Leben auf der Erde: immer mit Wasser verbunden*
→ ...

② *Wassermenge: 1,4–1,6 Mrd. km³*
Erde bedeckt mit Wasser: 70 %
...

Einleitung
– *„Wasser" → ohne Wasser kein Leben auf der Erde*

Teilthema 1: Wasser auf der Erde
– *Wassermenge: 1,4–1,6 Mrd. km³*
– *70 % der Erde mit Wasser bedeckt*
– *Süßwasseranteil: 2,6 %*
– ...

Schritt 5: Überlegen Sie, welche Redemittel Sie verwenden wollen und in welchem Teil des Referats Sie sie verwenden wollen. Lesen Sie die Redemittel und ordnen Sie die Überschriften zu.

> Strukturierung   Einleitung   Interesse wecken
>   Übergänge   Wichtige Punkte hervorheben   Dank und Schluss

EIN REFERAT / EINEN VORTRAG HALTEN

Das Thema meines Referats/Vortrags lautet … Ich spreche heute über das Thema … Ich möchte euch/Ihnen heute folgendes Thema präsentieren: …	Mein Referat/Vortrag besteht aus drei Teilen: … Ich möchte einen kurzen Überblick über … geben. Zuerst spreche ich über …, dann komme ich im zweiten Teil zu … und zuletzt befasse ich mich mit …
Soweit der erste Teil. Nun möchte ich mich dem zweiten Teil zuwenden. Nun spreche ich über … Ich komme jetzt zum zweiten/nächsten Teil.	Wusstet ihr / Wussten Sie eigentlich, dass …? Ist euch/Ihnen schon mal aufgefallen, dass …? Findet ihr / Finden Sie nicht auch, dass …?
Das ist besonders wichtig/interessant, weil … Ich möchte betonen, dass … Man darf nicht vergessen, dass …	Ich komme jetzt zum Schluss. Zusammenfassend möchte ich sagen, … Abschließend möchte ich noch erwähnen, … Habt ihr / Haben Sie / Gibt es noch Fragen? Vielen Dank für eure/Ihre Aufmerksamkeit!

Schritt 6: Arbeiten Sie zu zweit. Üben Sie Ihr Referat und besprechen Sie mit Ihrem Partner / Ihrer Partnerin folgende Punkte:

- Verständlichkeit
- Aussprache und Intonation
- Sprechtempo
- Lautstärke
- Blickkontakt

Üben Sie so lange, bis Sie sich sicher fühlen.

Schritt 7: Halten Sie Ihr Referat im Kurs.

▶ Ü 3

Elisabeth Mann Borgese

Botschafterin der Ozeane *(24. April 1918–8. Februar 2002)*

Elisabeth Mann Borgese

Als jüngste Tochter des Schriftstellers Thomas Mann 1918 in München geboren, lernte Elisabeth Mann in der Emigration schon früh die Welt kennen. Sie heiratete den italienischen Schriftsteller und Politikwissenschaftler Giuseppe Antonio Borgese und siedelte nach seinem Tod nach Kalifornien über, wo sie die Arbeit im Bereich der internationalen Politik, die sie mit ihrem Mann begonnen hatte, fortsetzte.

Ihre emotionale Bindung an die Ozeane wurde schon als Kind durch die langen Urlaube mit der Familie an der Ostsee und nicht zuletzt durch die leidenschaftliche Beziehung des Vaters zum Meer geprägt. Ihr romantisches Empfinden, gepaart mit einem scharfen Verstand und dem politischen Gewissen der Visionäre der Fünfziger- und Sechzigerjahre, machte sie zu einer der maßgeblichsten Streiterinnen für die Belange der Meere.

1967 hielt der damalige maltesische Botschafter bei den Vereinten Nationen, Arvid Pardo, die berühmt gewordene Rede, in der er die Weltmeere zum gemeinsamen Erbe der Menschheit erklärte – die Chance für Elisabeth Mann Borgese, ihre Leidenschaft mit ihrer politischen Arbeit zu verbinden. Noch im selben Jahr gründete sie das International Ocean Institute, IOI, mit Sitz in Malta und inzwischen neun regionalen Zentren in der ganzen Welt. Das IOI führt politische Forschungen, Trainingsprogramme und Konferenzen durch und veröffentlicht die Ergebnisse regelmäßig im „Ocean Yearbook" und anderen Publikationen. Finanziell sind die Aktivitäten des IOI inzwischen gut abgesichert.

Von der Global Environmental Facility der Weltbank, von Privatunternehmen oder auch von der Deutschen Bundesregierung erhält das IOI seit Jahren finanzielle Unterstützung.

Eine Berufsbeschreibung Elisabeth Mann Borgeses scheint fast unmöglich. Obwohl sie ihre einzige wirkliche Ausbildung als Pianistin erhielt, galt sie als Expertin für Internationales Seerecht mit einem Lehrstuhl an der Dalhousie University in Halifax. Neben ihrer Arbeit für das IOI war sie als Vertreterin Österreichs an der Internationalen Seerechtskonvention (Unclos) maßgeblich am Zustandekommen des Vertrages beteiligt. Einige Länder, wie zum Beispiel die Seychellen, ratifizierten die Konvention erst nach persönlichen Verhandlungen der Regierungen mit ihr. Als Botschafterin der Ozeane reiste sie nicht selten in einem Monat in vier verschiedene Kontinente und zehn Städte. Viel zu selten nahm sie sich die Zeit, in ihrem Haus am Meer Kraft für all dies zu tanken.

www Mehr Informationen zu Elisabeth Mann Borgese.

Sammeln Sie Informationen über Persönlichkeiten und Institutionen aus dem In- und Ausland, die für das Thema „Umwelt und Natur" interessant sind, und stellen Sie sie im Kurs vor. Sie können dazu die Vorlage „Porträt" im Anhang verwenden.

Beispiele aus dem deutschsprachigen Bereich: Reinhold Messner – Karen Duve – BUND (Bund für Umweltschutz und Natur) – Hannelore „Loki" Schmidt – Andreas Kieling – WWF – pro natura – Naturschutzbund Österreich

1 Passiv

Verwendung

Man verwendet das Passiv, wenn ein Vorgang oder eine Aktion im Vordergrund stehen (und nicht eine handelnde Person).

Das Aktiv verwendet man, wenn wichtig ist, wer oder was etwas macht.

Bildung des Passivs

Präsens	Das Öko-Haus wird jetzt gebaut.	werden im Präsens + Partizip II
Präteritum	Das Öko-Haus wurde letztes Jahr gebaut.	werden im Präteritum + Partizip II
Perfekt	Das Öko-Haus ist letztes Jahr gebaut worden.	sein + Partizip II + worden

Aktiv-Satz	Passiv-Satz
Der Architekt plant das Öko-Haus. Nominativ Akkusativ	Das Öko-Haus wird (vom Architekten) geplant. Nominativ (von + Dativ)

Die meisten Verben mit Akkusativ können das Passiv bilden. Der Akkusativ im Aktiv-Satz wird im Passiv-Satz zum Nominativ.

Andere Ergänzungen bleiben im Aktiv und im Passiv im gleichen Kasus.

Zu viel Müll schadet der Umwelt. Nominativ Dativ	Der Umwelt wird geschadet. Dativ

Passiv mit Modalverben

Modalverb im Präsens/Präteritum + Partizip II + werden im Infinitiv

Die Öko-Häuser müssen geplant werden.   Das Müllproblem konnte gelöst werden.

2 Lokale Präpositionen

	Wo?	Wohin?	Woher?
mit Akkusativ	entlang*, um … herum	bis, durch, gegen, um	
mit Dativ	ab, an … entlang, bei, entlang*, gegenüber, von … aus	nach, zu	aus, von
mit Genitiv	außerhalb, innerhalb, jenseits		
mit Dativ oder Akkusativ (Wechselpräpositionen)	an, auf, hinter, in, neben, über, unter, vor, zwischen		

* Wir gehen den Bach entlang.   nachgestellt mit Akkusativ
  Wir gehen entlang dem Bach.   vorangestellt mit Dativ

Wechselpräpositionen

Frage *Wo?*	Frage *Wohin?*
Wechselpräposition mit Dativ	Wechselpräposition mit Akkusativ
○ **Wo** ist der Müll?	○ **Wohin** wirfst du den Müll?
● **Im** Abfalleimer.	● **In den** Abfalleimer.

Wildtiere in Berlin

1 Was wissen Sie über diese Wildtiere? Sammeln Sie Informationen zu jedem Tier. Arbeiten Sie in Gruppen und vergleichen Sie Ihre Informationen im Kurs.

	das Wildschwein	der Waschbär	der Fuchs
Aussehen	groß, braun/grau, kräftig	weiches Fell	
Lebensraum			Feld ...
Nahrung	Wurzeln ...		Mäuse ...
...		kommt aus Nordamerika	

1

2a Sehen Sie die erste Sequenz ohne Ton. Arbeiten Sie in Gruppen. Was passiert hier? Welche Probleme gibt es? Was macht der Mann?

b Sehen Sie jetzt die Sequenz mit Ton. Waren Ihre Vermutungen zu Derk Ehlert richtig?

3a Lesen und klären Sie diese Ausdrücke.

> Beinbruch   inspizieren   in Ordnung sein
> im Laub liegen   Platz umgraben
> sich angegriffen fühlen   umrennen   Wildschwein
> Zaun

2

b Jochen Viol hatte einen Unfall. Was ist passiert? Sehen Sie die zweite Sequenz und bringen Sie die Ausdrücke aus 3a in die richtige Reihenfolge.

c Arbeiten Sie in Gruppen und fassen Sie zusammen, was genau passiert ist.

4 Sehen Sie die dritte Sequenz. Stellen Sie sich vor, Sie wären bei dem Vorfall dabei gewesen. Erzählen Sie den Vorfall aus der Sicht der Tierärztin.

Container	Nahrung suchen	Kescher	zu wenig Müll	befreien	Park	Mutter	Baum
		Abfälle					

5a Sehen Sie die vierte Sequenz. Was erfahren Sie über den Stadtfuchs? Notieren Sie.

b Bilden Sie zwei Gruppen und formulieren Sie Fragen zum Stadtfuchs (Verhalten, Ernährung, Überlebenschancen in der Wildnis, idealer Wohnort ...).

c Die Gruppen stellen abwechselnd ihre Fragen. Jede richtige Antwort gibt einen Punkt. Wer ist der Fuchs-Experte?

6 Gibt es Probleme mit Wildtieren in Ihrem Land / Ihrer Stadt? Berichten Sie: Welche Tiere? Welche Schwierigkeiten? Welche Lösungen? ...

12. Dezember 2057
Wildtier-Alarm!!!
Ist unsere Stadt nicht mehr zu retten?
Immer mehr

Lokales _____ 01. April 2020
Wieder Krokodile im Stadtbad
Schon vor einem Monat

7 Die Zukunft – ein „Großstadtdschungel"? Schreiben Sie eine Zeitungsmeldung.

.... Aus aller Welt ....
Unglaublich! – Tauben greifen Kinder an
Was soll noch passieren, damit die Politiker

Berufsbilder

Vor dem Start: Erinnern Sie sich? Diese Übungen bereiten Sie auf das Kapitel vor.

1 Welche Tätigkeiten passen zu wem? Sortieren Sie.

> in Geldangelegenheiten beraten   eine Spritze geben   Gebäude planen   einen Verband anlegen
>
> föhnen   über Online-Banking informieren   programmieren   bei Problemen unterstützen
>
> Familien beraten   Haare schneiden   Software entwickeln
>
> ein Modell bauen   eine Datenbank entwickeln   Haare färben   Fieber messen
>
> mit Jugendlichen arbeiten   ein Bankkonto eröffnen   ein Bauprojekt betreuen

Beruf	Tätigkeiten
1. Informatiker/in	
2. Friseur/in	
3. Krankenschwester/-pfleger	
4. Bankangestellte/r	
5. Sozialpädagoge/-in	
6. Architekt/in	

2 Wie heißen die Berufe? Ergänzen Sie die Berufsbezeichnungen und dann das Lösungswort.

(ä, ö, ü = ein Buchstabe)

1. Sie baut Maschinen:

$\underline{I}\ \underline{n}\ \underline{g}\ \underline{e}\ \underline{n}\ \underline{i}\ \underline{e}\ \underline{u}\ \underline{r}\ \underline{i}\ \underline{n}$
  ⁷

2. Er gestaltet eine Werbeanzeige:

$\underline{G}\ \underline{\ }\ \underline{\ }\ \underline{\ }\ \underline{\ }\ \underline{\ }\ \underline{\ }$
  ¹⁰   ²

3. Sie berät bei juristischen Problemen:

$\underline{\ }\ \underline{\ }\ \underline{\ }\ \underline{\ }\ \underline{\ }\ \underline{\ }\ \underline{\ }\ \underline{\ }\ \underline{\ }$
        ¹

4. Er übersetzt bei Gesprächen in eine andere Sprache:

$\underline{\ }\ \underline{\ }\ \underline{\ }\ \underline{\ }\ \underline{\ }\ \underline{\ }\ \underline{\ }$
          ⁵

5. Sie hilft bei der Geburt:

$\underline{\ }\ \underline{\ }\ \underline{\ }\ \underline{\ }\ \underline{\ }$
      ⁶

6. Er steht im Theater auf der Bühne:

$\underline{\ }\ \underline{\ }\ \underline{\ }\ \underline{\ }\ \underline{\ }\ \underline{\ }\ \underline{\ }\ \underline{\ }$
      ³ ⁴

7. Sie schreibt Artikel für eine Zeitung:

$\underline{\ }\ \underline{\ }\ \underline{\ }\ \underline{\ }\ \underline{\ }\ \underline{\ }$
      ⁹

8. Er berät beim Kauf von Medikamenten:

$\underline{\ }\ \underline{\ }\ \underline{\ }\ \underline{\ }\ \underline{\ }\ \underline{\ }$
            ⁸

Lösungswort: $\underline{\ }\ \underline{\ }\ \underline{\ }\ \underline{\ }\ \underline{\ }\ \underline{\ }\ \underline{e}\ \underline{\ }\ \underline{\ }\ \underline{\ }$
　　　　 1   2   3   4   5   6   7   8   9   10

3 Welches Verb passt zu welchem Nomen? Manchmal gibt es mehrere Möglichkeiten.

1. ein Telefonat _a_____
2. eine Besprechung _____
3. eine E-Mail _____
4. eine Idee _____
5. einen Vertrag _____
6. Angebote _____
7. eine Anfrage _____
8. ein Protokoll _____

a führen
b organisieren
c vergleichen
d schicken
e beantworten
f unterschreiben
g schreiben
h verwirklichen

4 Was passt wo? Ergänzen Sie.

Beruf	Job	Arbeit	Stelle

1. Ich habe mich um eine _____ als Industriekaufmann beworben.
2. Ich bin krank, ich kann heute nicht zur _____ gehen.
3. Als Studentin hatte ich mal einen _____ bei einer Event-Agentur.
4. Schulabgänger wissen oft noch nicht, welchen _____ sie lernen wollen.

5a Welche Beschreibung passt zu welchem Nomen? Zwei Erklärungen passen nicht.

1. _____ das Stellenangebot   3. _____ die Bewerbung   5. _____ das Vorstellungsgespräch
2. _____ das Gehalt   4. _____ die Beförderung   6. _____ die Berufserfahrung

a Gespräch, bei dem man sich persönlich um eine Stelle bewirbt
b berufliches Wissen/Können, das man aus der Praxis hat
c festgelegte Anzahl von Stunden, die man pro Tag/Woche/Monat arbeiten muss
d das Geld, das man monatlich/jährlich verdient
e Ausschreibung für eine freie Stelle
f Zeit, in der man nicht arbeiten muss
g Schreiben, in dem man sich um eine Stelle bemüht
h eine besser bezahlte oder anspruchsvollere Stelle innerhalb der Firma bekommen

b Wie heißen die Nomen zu den restlichen Erklärungen aus 5a?

6 Bilden Sie zwei Gruppen. Jede Gruppe notiert zehn Berufe auf zehn Zetteln und gibt sie dem Kursleiter / der Kursleiterin. Er/Sie zeigt einer Person aus der anderen Gruppe einen Zettel. Der Kursteilnehmer / Die Kursteilnehmerin spielt den Beruf pantomimisch vor oder zeichnet ihn an die Tafel. Die anderen aus seiner/ihrer Gruppe raten. Dann rät die andere Gruppe. Gewonnen hat die Gruppe, die die meisten Berufe erraten hat.

Wünsche an den Beruf

 1a Markieren Sie die passenden Wörter in den Kurztexten.

1. Von meinem zukünftigen Beruf wünsche ich mir vor allem, dass ich kreativ sein kann. Ich möchte gerne meine eigenen Ideale/Ideen/Aufträge entwickeln können und mit anderen einsam/gesamt/gemeinsam Probleme lösen. 2. Und ich möchte auf keinen Fall an langen/langanhaltenden/langweiligen Aufgaben arbeiten.

3. Ich will in meinem Beruf vor allem Karriere/Kontakte/Kriterien machen und viel Geld verarbeiten/verdienen/verrichten. 4. Mir ist auch wichtig, dass der Beruf interessant ist und ich eine vorwurfsvolle/verantwortungsvolle/verhängnisvolle Aufgabe habe. 5. Dafür wäre ich auch bereit, Stundenzahl/Überarbeitung/Überstunden zu machen. 6. Und natürlich möchte ich einen Beruf, der für mich eine Aufforderung/Forderung/Herausforderung ist.

 b Ergänzen Sie die passenden Wörter in den Kurztexten.

| Gehalt | Arbeitszeit | freiberuflich | anbieten | Betriebsklima | Teilzeitjob | Kontakt | Interessen |

Ich träume davon, einen (1) _____ zu haben, denn ich möchte eigentlich nicht 40 Stunden in der Woche in einem Büro arbeiten. Lieber bekomme ich ein geringeres (2) _____ und habe dann auch noch Zeit nebenher (3) _____ zu arbeiten. Ich würde gerne Computerkurse (4) _____.

Ich habe schon viele Jobs gemacht und dabei eines gelernt:
Für mich ist das (5) _____ sehr wichtig. Ich finde den guten (6) _____ zu den Kollegen und eine geregelte (7) _____ das Wichtigste im Job. Ich möchte neben der Arbeit noch genug Zeit für meine Hobbys und (8) _____ haben.

c Schreiben Sie einen kurzen Text über Ihre Wünsche an den Beruf.

2 Im nächsten Job wird alles besser! Schreiben Sie gute Vorsätze.

Ich werde immer pünktlich sein und …

3a Sie haben eine Vermutung. Antworten Sie auf die Fragen mit Futur I.

1. ○ Entschuldigung, wissen Sie, wo Herr Braun ist? (→ Besprechung)

   ◉ *Er wird in einer Besprechung sein.*

2. ○ Ich suche einen dringenden Auftrag, den er für mich kopiert hat. Wissen Sie, wo er liegt?

   (→ auf dem Schreibtisch)

   ◉ _____ .

3. ○ Nein, da habe ich schon nachgesehen. Wo könnte er denn noch sein? (→ im Kopierer)

   ◉ *Dann* _____ .

4. ○ Aber, wenn er da auch nicht ist? (→ im Postfach)

   ◉ Wenn er da auch nicht ist, _____ .

b Das chaotische Büro! Schreiben Sie die Aufforderungen des Chefs mit Futur I.

7. Warum ist das Angebot noch nicht fertig?!

1. Der Papiermüll ist schon wieder voll!

2. Der Drucker geht nicht!

3. Unglaublich, er hat die Füße auf dem Tisch!

6. Herr Huber muss sofort in mein Büro!

5. Warum liegt die Post noch hier?!

4. Der Kunde wartet auf einen Anruf!

1. Sie werden sofort den Papiermüll ausleeren!

TIPP Aufforderungen mit Futur I klingen meistens unhöflich und sind sehr direkt. Sagen Sie es lieber freundlicher.

c Bitte recht freundlich. Formulieren Sie die Aufforderungen aus 3b höflicher.

1. Könnten/Würden Sie bitte den Papiermüll ausleeren?

Ideen gesucht

 1a Guter Service. Wie heißen die zehn Adjektive? Notieren Sie.

ber – tisch – preis – kom – lässig – dern – prak – mo – sau – wert – unkom – persön – viduell – profess – zuver – pliziert – petent – lich – ionell – indi

_____

_____

_____

b Wählen Sie fünf Adjektive aus 1a und schreiben Sie Beispielsätze.

Das Produkt ist sehr preiswert.

 2 Welches Verb passt nicht? Streichen Sie durch.

1. eine Idee entwickeln – erreichen – formulieren
2. ein Talent erfüllen – haben – nutzen
3. einen Service anbieten – herstellen – beurteilen
4. ein Produkt verwenden – verkaufen – vereinbaren
5. ein Angebot ausdrücken – vergleichen – wählen

3a Sich mit einer Geschäftsidee selbstständig machen. Hören Sie das Interview. In welcher Reihenfolge wird über die Themen gesprochen? Nummerieren Sie.

_____ Werbung

_____ Geld

_____ Beratung und Austausch

_____ der eigene Chef sein

_____ Plan

b Hören Sie noch einmal. Was sagt Karen Müller zu den Themen aus 3a? Notieren Sie zu jedem Thema Stichpunkte.

der eigene Chef sein	Geld	Plan	Werbung	Beratung und Austausch

c Ein Freund / Eine Freundin von Ihnen möchte sich mit einer Geschäftsidee selbstständig machen. Schreiben Sie ihm/ihr eine E-Mail mit den Tipps aus der Radiosendung.

1 Bringen Sie die Aktivitäten in die richtige Reihenfolge.

_____ den Arbeitsvertrag unterschreiben

_____ eine Bewerbung schreiben

_____ ein interessantes Stellenangebot sehen

_____ zum Vorstellungsgespräch eingeladen werden

_____ sich genauer über die Firma und die Stelle informieren

2 Was passt zusammen? Ordnen Sie zu.

1. __*e*__ Ich freue mich riesig
2. _____ Steffi interessiert sich
3. _____ Erinnerst du dich noch
4. _____ Achten Sie bei einem Vorstellungsgespräch
5. _____ Bitte senden Sie Ihre Bewerbung
6. _____ Denk bei der Bewerbung auch

a an unsere Personalabteilung.

b auf gepflegte Kleidung.

c an deine erste Bewerbung?

d an ein aktuelles Foto.

e auf meinen neuen Job.

f für die Stelle bei Olpe KG.

3 Ergänzen Sie die Präpositionen in den Dialogen.

○ Nimmst du auch (1) _*an*_____ der Besprechung um elf Uhr teil?

● Ich weiß nicht. Der Chef hat noch nicht (2) _____ meine E-Mail geantwortet.

○ Hat Silvio dich gefragt, ob du ihm (3) _____ seinem Bewerbungsschreiben helfen kannst?

● Ja, ich treffe mich heute nach der Arbeit (4) _____ ihm. Wenn er dann noch Fragen hat, soll er sich (5) _____ Sabine wenden, die arbeitet doch in der Personalabteilung.

○ Sag mal, hat der Chef schon (6) _____ dir (7) _____ das neue Projekt gesprochen?

● Nein, aber ich habe von der Sekretärin (8) _____ dem Projekt erfahren.

4a Person oder Sache? Wie heißen die Fragewörter?

1. Lisa hat sich beim Betriebsrat über die vielen Überstunden beschwert. → _*Worüber?*_____

2. Alfred versteht sich ziemlich gut mit seinem Chef. → _____

3. Ich habe lange auf so ein interessantes Stellenangebot gewartet. → _____

4. Die Personalchefin hat Pablo nach seinem aktuellsten Zeugnis gefragt. → _____

5. Ich habe mit einem Bewerbungsberater gesprochen. → _____

Darauf kommt's an

b Formulieren Sie passende Fragen zu den Antworten.

~~sich unterhalten über~~	An meine Familie.
sich entschuldigen für	Mit meinen Kollegen.
denken an	Auf das Wochenende.
sich treffen mit	Für meinen Fehler.
sich freuen auf	~~Über das neue Projekt.~~

Worüber habt ihr euch unterhalten?   _Über das neue Projekt._

5 Die richtige Bewerbung. Ergänzen Sie.

zu	für	darauf	bei	darauf	zu	bei	darüber	darauf	zu	vom	über

Sie möchten sich gern (1) _____ einer Firma bewerben? Es hängt viel (2) _____

ersten Eindruck ab. Deshalb sollten Sie sich für Ihre Bewerbung genug Zeit nehmen. Achten Sie

(3) _____, dass Ihre Bewerbungsunterlagen vollständig sind. (4) _____ einer

Bewerbung gehören: ein Anschreiben, ein Lebenslauf, ein Foto und die aktuellsten Zeugnisse. Informieren

Sie sich vorab (5) _____ den Arbeitgeber und rufen Sie am besten (6) _____ der

Firma an, um noch mehr (7) _____ zu erfahren, was bei der Stelle besonders wichtig ist.

Gehen Sie im Anschreiben (8) _____ ein, was Sie an der Stelle und dem Unternehmen

interessant finden, und zeigen Sie, warum gerade Sie so gut (9) _____ dieser Firma passen und

sich (10) _____ die Stelle bestens eignen. Sollten Sie (11) _____ einem Vorstellungs-

gespräch eingeladen werden, bereiten Sie sich (12) _____ gut vor.

6 Ergänzen Sie die Sätze.

1. Kann ich mich _darauf_ verlassen, dass du _pünktlich kommst?_ _____

2. Ich habe lange _____ nachgedacht, ob _____

3. Was hältst du _____, wenn _____

4. Ich kann mich nicht _____ gewöhnen, dass _____

5. Wir freuen uns sehr _____, zu _____

7 Lesen Sie die Situationen 1–7 und die Anzeigen A–J auf der nächsten Seite. Wählen Sie: Welche
Anzeige passt zu welcher Situation? Sie können jede Anzeige nur einmal verwenden. Die Anzeige
aus dem Beispiel können Sie nicht mehr verwenden. Für eine Situation gibt es keine passende
Anzeige. In diesem Fall schreiben Sie 0 oder X.

Einige Leute aus Ihrem Bekanntenkreis suchen eine neue Stelle oder eine Weiterbildungsmöglichkeit.

Beispiel

0. Selma sucht einen Bürojob am Vormittag, damit sie sich am Nachmittag um ihre Kinder kümmern kann.
   Anzeige _J_

1. Martin hat Informatik studiert und ist zeitlich sehr flexibel. _____

2. Tina kennt sich gut mit Computerprogrammen aus und sucht eine Vollzeitstelle. _____

3. Lucy studiert noch und sucht einen Job als Babysitter. _____

4. In seiner neuen Firma muss Paul viel Englisch sprechen, deshalb möchte er einen Englischkurs besuchen. _____

5. Anke möchte gerne einen Computerkurs besuchen, um sich besser zu qualifizieren. _____

6. Jonas hat gerade seine Ausbildung beendet und würde gern im Ausland arbeiten. _____

7. Gabi macht gern Sport und sucht einen Nebenjob für abends oder am Wochenende. _____

A

★ ★ ★ Europa ruft! ★ ★ ★

Wir bieten Jobangebote in ganz Europa.
Jede Branche – ab 3 Monate Aufenthalt
Englisch-Kenntnisse werden vorausgesetzt.
Abgeschlossene Ausbildung von Vorteil
Weitere Informationen: www.europaruft.net

B

..... Professionelle Babysitter ......

Sie suchen eine professionelle und zuverlässige
Betreuung für Ihr Kind? Bei uns werden Sie
fündig – alle Städte, alle Sprachen.

Die Babysitter-Agentur www.insicherenHaenden.de

C

Sprachschule Aktiv sucht engagierte Englischtrainer

– ca. 25 Unterrichtsstunden pro Woche
– Kurszeiten von 8–20 Uhr
– auch Firmenkurse
– allgemeine Sprachkurse und Wirtschaftsenglisch
Bewerbungen an: office@spaktiv.de

D

WIR SUCHEN VERSTÄRKUNG

Zum nächstmöglichen Termin suchen wir eine
Bürofachkraft in Vollzeit.
Wir bieten ein gutes Gehalt und ein nettes Team
und erwarten fundierte Computerkenntnisse und viel
Engagement.
Ihre Bewerbungsunterlagen senden Sie an:
1-2-3 Baumarkt, Moltkestraße 10, 87600 Kaufbeuren

E

Verbessern Sie Ihre Chancen

Wer sich weiterbilden möchte, ist bei uns
richtig. Sie lernen den Umgang mit den
neuesten Computerprogrammen. Außerdem
bieten wir Präsentations- und Rhetorikkurse.
Rufen Sie uns noch heute an:
Institut Kaiser ☎ 0821 – 45 30 5001

F

Sportfachgeschäft Schmidtburg

sucht erfahrene/n
Verkäufer/in für Mo–Mi 10–19 Uhr.

Bei Interesse bitte direkt im Laden melden:
Sportgeschäft Schmidtburg
Keltenstraße 1a–c, 86150 Augsburg

G

Böblinger – die IT-Adresse in Augsburg

Sie sind Profi am Computer?
Sie haben Spaß am Umgang mit Kunden?
Sie können auch mal abends und am
Wochenende arbeiten?
Sie suchen in jeder Situation nach Lösungen?
Dann suchen wir Sie! Bewerben Sie sich noch
heute: bewerbung@ita_personal.de

H

Gute Bezahlung – nettes Team

*Wir suchen für das Café in unserem
Fitnessstudio Unterstützung.
Arbeitszeiten: Samstag 9–14 Uhr,
Sonntag 14–20 Uhr
Stundenlohn 8 Euro plus kostenloses Training in
unserem Studio.*

I

Kinderliebe Schülerin/Studentin gesucht

Für unsere fünfjährige Tochter suchen wir eine
liebevolle und zuverlässige Schülerin oder Studentin, die an drei Nachmittagen pro Woche Zeit hat.

✓ Stundenlohn 10 Euro,
Marta Miller 0170 – 19492043

J

AUTOHAUS MAYR

Zur Ergänzung unseres Teams suchen wir für leichte
Büroarbeiten noch **eine/n Mitarbeiter/in in Teilzeit.**
Die Arbeitszeiten sind flexibel (Vormittag oder Nach-
mittag), auch Home-Office möglich.

*Bitte senden Sie Ihre Bewerbungsunterlagen per E-Mail an
info@automayr.de*

Mehr als ein Beruf

1a Lesen Sie die Sprüche und erklären Sie sie. Was bedeutet „Arbeit" für Sie? Welcher Spruch gefällt Ihnen am besten?

> **Erst die Arbeit, dann das Vergnügen.**

> *Arbeit macht Spaß. Spaß beiseite!*

> Wir leben, um zu arbeiten.

> Arbeitswut tut selten gut.

> Arbeitszeit = Unterbrechung der Freizeit

b Kennen Sie Sprüche zum Thema „Arbeit und Freizeit" in Ihrer Sprache? Notieren Sie sie und stellen Sie sie im Kurs vor.

2a Betrachten Sie die Zeichnungen und ergänzen Sie die Informationen zu Klara Mangold. Lassen Sie Ihrer Fantasie freien Lauf.

Name:	Klara Mangold
Alter:	37 Jahre
Familienstand:	_____
Kinder:	zwei, Mädchen (12 Jahre) und Junge (8 Jahre)
Beruf:	_____
Hobbys:	_____
Erfolge:	_____
Probleme:	_____
Träume/Ziele:	_____

b Schreiben Sie ein kurzes Porträt über Klara Mangold.

3 Lesen Sie noch einmal die Texte über Rudolf Helbling und Manfred Studer in Aufgabe 1c im Lehrbuch. Beantworten Sie die Fragen.

1. Warum hat Rudolf Helbling zwei Berufe?
2. Aus welchen Gründen hat Manfred Studer zwei Berufe?
3. Welche Schwierigkeiten haben die beiden Personen mit zwei Berufen?

4a Ordnen Sie den Smileys die Erklärungen zu.

traurig sein	~~cool sein~~	weinen	schweigen	krank sein
überrascht sein	wütend sein	laut lachen	zwinkern	glücklich sein

1.		cool sein	6.		
2.			7.		
3.			8.		
4.			9.		
5.			10.		

b Was bedeuten die Abkürzungen? Ergänzen Sie.

(ä, ö, ü = ein Buchstabe)

1. hdl   _h a b_   _d i c h_   _l i e b_

2. kgw   k o m m e   g _ _ _ _ _   w i _ _ _ r

3. LG   L _ _ _ b _   G _ _ _ _

4. wil   W a s   i _ _   l _ _ ?

5. bs   B _ _   s p _ _ _ _ !

6. gn8   G u _ _   N _ _ _ _ _ !

7. mfg   M _ _   f _ _ _ _ _ _ _ _ _ _   G _ _ _ _

5 Lesen Sie den folgenden Text. Welches Wort aus dem Kasten A–O passt in die Lücken 1–10 der E-Mail? Schreiben Sie den richtigen Buchstaben A–O hinter die Nummern 1–10 unten. Sie können jedes Wort nur einmal verwenden. Nicht alle Wörter passen in den Text.

Zweitjob gesucht?

Wir bieten interessanten Sommerjob für zuverlässige Personen. Wenn Sie Erfahrung mit Nutztierhaltung haben und Zeit und Lust haben, im Sommer (mindestens 2 Monate) auf unserem Bauernhof in Niederbayern mitzuhelfen, melden Sie sich bitte. Rudi und Gerti Hofer (mail: rudiundgerti@hofer.de)

A) AUF	E) ~~GEEHRTE~~	I) NÄCHSTEN	M) VIEL
B) BEI	F) GERNE	J) SICH	N) WAS
C) DAHER	G) IHRE	K) SO	O) WENN
D) DASS	H) NACHDEM	L) ÜBER	P) WÜRDE

Beispiel: Sehr (0) Frau Hofer und ...,   0. *E*

1. ___   3. ___   5. ___   7. ___   9. ___

2. ___   4. ___   6. ___   8. ___   10. ___

Sehr (0) Frau Hofer und sehr geehrter Herr Hofer,

mit großem Interesse habe ich (1) Anzeige vom 8. April dieses Jahres gelesen.

(2) ich letzten Sommer zwei Monate auf einer Alm ausgeholfen habe, möchte ich dieses Jahr gerne (3) einem Hof arbeiten. Umso mehr freue ich mich (4) Ihre Anzeige. Da ich Niederbayern noch nicht kenne – und (5) Neues kennenlerne –, (6) ich sehr gerne den Sommer bei Ihnen verbringen.

Ich könnte von Juli bis September (7) Ihnen auf dem Hof helfen. Ich habe im letzten Jahr (8) Erfahrung im Umgang mit Kühen gesammelt und kenne mich auch gut mit Ziegen, Schafen und Hühnern aus.

Ich würde mich sehr freuen, (9) wir bald alles Weitere in einem persönlichen Gespräch besprechen könnten. Ich komme gern an einem der (10) Wochenenden zu Ihnen.

Mit freundlichen Grüßen
Hans Hauser

Aussprache: -e, -en und -er am Wortende

 a Hören Sie und achten Sie auf die markierten Buchstaben am Wortende. Was hören Sie? Kreuzen Sie an. Es können zwei Antworten je Zeile stimmen.

	[ə]	[ɐ]	[ən]	[n]
Beispiel:	Tage	Bruder	hören	lesen
1. an manchen Tagen; mitten in einem kleinen Bach	☐	☐	☐	☐
2. ein schöner Sommer; ein guter Autofahrer	☐	☐	☐	☐
3. mein Kollege macht Mittagspause; eine hohe Welle	☐	☐	☐	☐

b Hören Sie noch einmal und sprechen Sie nach.

 c Arbeiten Sie zu zweit. Markieren Sie in der Anzeige von Übung 5 die Buchstaben -e, -en und -er am Wortende. Lesen Sie sich den Text dann gegenseitig vor. Hören Sie zur Kontrolle.

So schätze ich mich nach Kapitel 6 ein: Ich kann …	**✦**	**○**	**—**
… eine Umfrage zu beruflichen Wünschen verstehen. ▶M1, A2a	☐	☐	☐
… ein Interview zum Thema „Geschäftsideen" verstehen. ▶AB M2, Ü3	☐	☐	☐
… ein Interview zu beruflichen Stationen einer Tauchlehrerin verstehen. ▶M4, A3a, b	☐	☐	☐
… Aushänge mit verschiedenen Dienstleistungsangeboten verstehen. ▶M2, A1b	☐	☐	☐
… Bewerbungstipps in einem Ratgeber verstehen. ▶M3, A1b	☐	☐	☐
… passende Anzeigen für verschiedene Personen finden. ▶AB M3, Ü7	☐	☐	☐
… Texte über Personen mit zwei Berufen verstehen. ▶M4, A1c, AB M4, Ü3	☐	☐	☐
… über mögliche Geschäftsideen sprechen. ▶M2, A2a–c	☐	☐	☐
… Bewerbungstipps zusammenfassen und sagen, was daran für mich interessant ist. ▶M3, A1c	☐	☐	☐
… über Bewerbungen in meinem Heimatland berichten. ▶M3, A2	☐	☐	☐
… Vermutungen über berufliche Tätigkeiten von Personen anstellen. ▶M4, A1b	☐	☐	☐
… über Vor- und Nachteile vom Leben mit zwei Jobs sprechen. ▶M4, A2	☐	☐	☐
… Meinungen über Sprüche zum Thema „Arbeit" austauschen. ▶AB M4, Ü1	☐	☐	☐
… Notizen zu Hauptaussagen in einer Straßenumfrage zum Thema „Berufsleben" machen. ▶M1, A2a	☐	☐	☐
… einen Aushang für eine Dienstleistung schreiben. ▶M2, A2d	☐	☐	☐
… kurze Beiträge in einem Chat schreiben. ▶M4, A4b	☐	☐	☐
… einen kurzen Text über eine Person schreiben. ▶AB M4, Ü2b	☐	☐	☐

Das habe ich zusätzlich zum Buch auf Deutsch gemacht (Projekte, Internet, Filme, Texte, …):

Datum: Aktivität:

_____   _____

_____   _____

_____   _____

_____   _____

Grammatik und Wortschatz weiterüben: interaktive Übungen unter www.aspekte.biz/online-uebungen1

Wortschatz

Modul 1 Wünsche an den Beruf

die Anerkennung	_____	das Gehalt, -"er	_____
das Arbeitsklima	_____	die Herausforderung, -en	_____
die Aufforderung, -en	_____	jammern	_____
die Aufstiegschance, -n	_____	die Kenntnisse (Pl.)	_____
beruflich	_____	die Sicherheit	_____
das Einkommen, -	_____	die Voraussetzung, -en	_____

Modul 2 Ideen gesucht

anbieten (bietet an, bot an,	_____	innovativ	_____
hat angeboten)		kompetent	_____
das Angebot, -e	_____	der Mut	_____
die Dienstleistung, -en	_____	persönlich	_____
der Erfolg, -e	_____	die Pleite, -n	_____
erreichen	_____	praktisch	_____
handwerklich	_____	ruckzuck	_____
harmonisch	_____	der Service, -s	_____
die Idee, -n	_____	stressfrei	_____
der Impuls, -e	_____	das Talent, -e	_____
individuell	_____	zuverlässig	_____

Modul 3 Darauf kommt's an

das Anschreiben, -	_____	der Lebenslauf, -"e	_____
das Arbeitszeugnis, -se	_____	lückenlos	_____
sich bewerben um (bewirbt	_____	der/die Personalchef/in,	_____
sich, bewarb sich,		-s/-nen	
hat sich beworben)		der Ratgeber, -	_____
die Bewerbung, -en	_____	selbstverständlich	_____
der Eindruck, -"e	_____	die Tätigkeit, -en	_____
das Engagement	_____	übertreiben (übertreibt, über-	_____
erwähnen	_____	trieb, hat übertrieben)	
das Fachwissen	_____	vertraut sein mit	_____
die Gehaltsvorstellung, -en	_____	vollständig	_____
gepflegt	_____	das Vorstellungsgespräch, -e	_____

Modul 4 Mehr als ein Beruf

der Abschied, -e	_____	insgesamt	_____
der Aktenkoffer, -	_____	die Konferenz, -en	_____
der Alltag	_____	die Konkurrenz	_____
der/die Angestellte, -n	_____	massieren	_____
sich auskennen mit (kennt	_____	ökologisch	_____
sich aus, kannte sich aus,		ökonomisch	_____
hat sich ausgekannt)		organisieren	_____
behandeln	_____	der Stammgast, -"e	_____
bereuen	_____	das Standbein, -e	_____
die Besprechung, -en	_____	teilweise	_____
der Chat, -s	_____	vermutlich	_____
denkbar	_____	vorstellbar	_____
einschätzen	_____	sich etw. vorstellen	_____
der Entschluss, -"e	_____	wahrscheinlich	_____
die Erfahrung, -en	_____		

Wichtige Wortverbindungen:

frei Haus _____

im Grunde _____

sein eigener Herr sein _____

ein Hobby zum Beruf machen _____

eine Idee wird geboren _____

Interesse zeigen _____

etwas Neues anpacken _____

eine Rolle übernehmen _____

seine Ruhe haben _____

bei der Wahrheit bleiben _____

etw. kommt jmd. zugute _____

Wörter, die für mich wichtig sind:

_____ _____ _____ _____

_____ _____ _____ _____

_____ _____ _____ _____

_____ _____ _____ _____

Für immer und ewig

Vor dem Start: Erinnern Sie sich? Diese Übungen bereiten Sie auf das Kapitel vor.

 1a Ordnen Sie die Definitionen den Verwandtschaftsbezeichnungen zu.

1. _f_ der Schwiegervater   a   Ehemann meiner Tochter
2. ____ die Nichte   b   Onkel meiner Mutter / meines Vaters
3. ____ das Enkelkind   c   Tochter meiner Tante / meines Onkels
4. ____ der Schwiegersohn   d   Kind meiner Tochter / meines Sohnes
5. ____ der Großonkel   e   Ehefrau meines Bruders / Schwester meines Ehepartners
6. ____ die Cousine   f   Vater meines Ehepartners / meiner Ehepartnerin
7. ____ die Schwägerin   g   Tochter meiner Schwester / meines Bruders

b Welche anderen Verwandtschaftsbezeichnungen kennen Sie? Notieren Sie.

_____

c Wie heißen die Bezeichnungen aus 1a in Ihrer Sprache? Welche Unterschiede gibt es?

 2 Ergänzen Sie den Text.

> sich kennenlernen   zur Welt kommen   Witwe sein   heiraten   sterben
> ~~zusammen sein~~   sich scheiden lassen   schwanger sein

Ulla und Bernd (1) _**sind**_ schon sehr lange

**zusammen** . Sie haben (2) _____

in einem Café _____. Vor

einem Monat haben die beiden (3) _____.

Bernds Eltern leben nicht mehr zusammen. Sie haben

(4) _____ nach zehn Jahren Ehe

_____. Ullas Mutter

(5) _____, denn ihr Mann (6) _____

bei einem Autounfall _____.

Ulla (7) _____, sie erwartet ein Kind.

Das Kind soll im August (8) _____.

 3 Welches Wort passt nicht in die Reihe?

1. jmd. verlassen – sich scheiden lassen – ~~sich kennenlernen~~ – sich trennen
2. die Hochzeit – die Familie – die Taufe – die Beerdigung
3. der Neid – das Misstrauen – die Eifersucht – die Liebe
4. das Verständnis – das Misstrauen – der Respekt – die Toleranz
5. die Familie – die Geschwister – die Verwandtschaft – der Freundeskreis
6. schimpfen – sich versöhnen – sich streiten – jmd. enttäuschen
7. die Krise – der Konflikt – das Gespräch – der Krach
8. ledig – verliebt – geschieden – verheiratet

4 In dem Suchrätsel sind sechs Wörter versteckt: Markieren Sie sie und ergänzen Sie dann die Sätze mit den Wörtern.

B	E	Z	I	E	H	U	N	G	S
I	T	W	A	Q	U	O	I	D	I
S	C	H	E	I	D	U	N	G	N
X	P	A	T	B	L	P	K	M	G
P	A	R	T	N	E	R	O	A	L
S	A	Z	E	S	R	I	Z	V	E
T	R	H	O	C	H	Z	E	I	T

1. Es ist nicht so einfach, den _____ fürs Leben zu finden.

2. Nächste Woche heiratet meine Cousine. Das wird bestimmt eine tolle _____.

3. Paula und Yves sind wirklich ein schönes _____.

4. In jeder _____ gibt es manchmal Probleme und Streit.

5. Seit ihrer _____ lebt Maria allein mit ihrer Tochter.

6. Luca hat sich von seiner Freundin getrennt und ist jetzt wieder _____.

5a Was passt zusammen? Notieren Sie mit Artikel. Bei einigen Wörtern gibt es mehrere Möglichkeiten.

~~Lebens-~~	Partner-	Patchwork-	Familien-	Kinder-	Liebes-	Hochzeits-	Beziehungs-

Problem	Kummer	Familie	Feier	Suche	Geschichte	Lachen	Mitglied	~~Form~~

die Lebensform, _____

_____

_____

_____

b Welche Erklärung gehört zu welchem Begriff? Verbinden Sie.

1. die Patchworkfamilie   a   Zusammenleben von mehreren älteren Menschen in einer Wohnung

2. die Senioren-WG   b   Person, mit der man wie in einer Ehe lebt

3. die Fernbeziehung   c   Familie, in der Kinder mit unterschiedlichen Elternteilen leben

4. der Lebensgefährte / die Lebensgefährtin   d   Prozentzahl, die angibt, wie viele Ehen pro Jahr geschieden werden

5. die Scheidungsrate   e   Partnerschaft, bei der das Paar nicht am gleichen Ort wohnt

Lebensformen

1 Arbeiten Sie zweit. Jeder wählt ein Bild.

In einer Zeitschrift haben Sie eine Umfrage zum Thema „Familie" gelesen. Berichten Sie Ihrem Partner / Ihrer Partnerin kurz, welche Informationen Sie hier bekommen. Danach berichtet Ihr Partner / Ihre Partnerin über seine/ihre Informationen.

Sie sollen auch von Ihren persönlichen Erfahrungen erzählen und Ihrem Partner / Ihrer Partnerin Fragen stellen. Auf seine/ihre Fragen sollen Sie reagieren, sodass ein Gespräch entsteht.

Ich habe noch keine Familie und ehrlich gesagt genieße ich auch meine Unabhängigkeit. Ich bin frei und kann machen, was ich will. Am Wochenende gehe ich gern aus und schlafe lange. Das geht ja mit kleinen Kindern nicht mehr. Die meisten Leute mit Kindern, die ich kenne, sind oft gestresst. Aber trotzdem wünsche ich mir irgendwann eine eigene Familie, aber erst in ein paar Jahren.

Moritz Holzmann, 28 Jahre, Informatiker

Wir haben drei Kinder, deshalb ist bei uns immer was los. Natürlich ist es oft laut und chaotisch, aber ich mag das. Ohne Kinder wäre das Leben doch langweilig. Oft ist es natürlich schwer, Beruf und Familie zu vereinbaren. Und manchmal hätte ich auch gern mehr Zeit für mich, dann könnte ich zum Beispiel öfter zum Sport gehen.

Corinna Moltke, 35 Jahre, Journalistin

2 Reflexivpronomen. Ergänzen Sie die Tabelle.

	ich	du	er/es/sie	wir	ihr	sie/Sie
Akkusativ	*mich*					
Dativ						

3 Akkusativ oder Dativ? Kreuzen Sie an.

1. Als ich Ben zum ersten Mal gesehen habe, habe ich ☐ mich ☐ mir sofort in ihn verliebt.
2. Ich habe ☐ mich ☐ mir dann jeden Tag mit ihm getroffen. Das war eine schöne Zeit.
3. So einen Mann wie ihn hatte ich ☐ mich ☐ mir schon immer gewünscht.
4. Damals konnte ich ☐ mich ☐ mir nicht vorstellen, dass wir uns jemals streiten.
5. Aber bald gab es jeden Tag Streit und nach einem Jahr trennte ich ☐ mich ☐ mir von ihm.
6. Diese Entscheidung war sehr schwer, aber ich hatte ☐ mich ☐ mir das gut überlegt.
7. Jetzt habe ich ☐ mich ☐ mir wieder an das Singleleben gewöhnt.

4 Familienalltag. Schreiben Sie Sätze im Imperativ.

1. Mir ist kalt. (sich einen Pulli anziehen)

   Dann zieh dir einen Pulli an.

2. Meine Hände kleben so. (sich die Hände waschen)

   _____

3. Hier ist kein Joghurt. (sich einen Joghurt aus dem Kühlschrank holen)

   _____

4. Meine Haare sehen so schrecklich aus. (sich die Haare kämmen)

   _____

5. Ich brauche noch ein Matheheft. (sich ein Heft kaufen)

   _____

6. Es ist so heiß hier. (sich die Jacke ausziehen)

   _____

5 Ergänzen Sie die Reflexivpronomen.

◉ ○ ○

Hallo Thomas,

ich muss dir jetzt einfach schreiben, weil ich (1) _____ seit Tagen frage, was

ich machen soll. Ich kann (2) _____ einfach nicht entscheiden, ob ich wegen

Monika ein tolles Jobangebot ablehnen soll oder nicht. Wir sind ja schon seit vier Jahren

zusammen und wir lieben (3) _____ wirklich sehr. Aber jetzt hätte ich die

Möglichkeit, für meine Firma nach Südamerika zu gehen. So eine Chance habe ich

(4) _____ schon immer gewünscht – aber Monika möchte nicht mitkommen.

Sie hat vor einem halben Jahr hier eine super Arbeit gefunden und sie kann

(5) _____ jetzt nicht vorstellen, ins Ausland zu gehen. Soll ich allein für zwei Jahre

weggehen? Ich habe (6) _____ so über dieses Angebot gefreut ... In der Zeit

würden wir (7) _____ aber nur alle paar Monate sehen. Aber ich verstehe auch,

wenn Monika dann enttäuscht von mir ist. Was meinst du? Wie würdest du (8) _____

entscheiden?

Bis bald

Holger

---

 6 Hier fehlen die Reflexivpronomen. Markieren Sie die Stelle und ergänzen Sie das richtige
Pronomen.

           ↓ *mich*

1. ○ Ich wollte noch dafür bedanken, dass du das

     Geschenk für Peter und Sofia besorgt hast.

2. ● Kein Problem. Hast du schon erkundigt, wann

     die Hochzeit beginnt?

3. ○ Um 13 Uhr. Ich habe auch schon gewundert,

     dass das nicht auf der Einladung stand.

4. ● Ah, gut. Wir freuen sehr auf das Fest. Kommt Georg

     eigentlich auch?

5. ○ Georg hat keine Zeit. Er muss doch immer um seine

     kranken Eltern kümmern.

6. ● Aber er beschwert nie. Unglaublich!

7. ○ Oh, schon so spät! Ich muss beeilen, sonst regt mein Chef wieder auf.

8. ● Okay, dann melde doch heute Abend, dann können wir weiterunterhalten.

1a Hören Sie den ersten Teil einer Radiosendung. Machen Sie zu folgenden Punkten Notizen.

5

1. Was für eine Sendung? _____

2. Welches Thema? _____

3. Aufforderung an die Zuhörer? _____

b Hören Sie den zweiten Teil und notieren Sie: Woher kommen die Anrufer und wer von ihnen hat
einen Partner / eine Partnerin in einer Online-Partnerbörse gefunden?

6-8

1. Mike	*aus Hannover*
2. Rüdiger	
3. Julia	

c Hören Sie die drei Anrufer noch einmal.
Wer sagt das? Markieren Sie.

	Mike	Rüdiger	Julia
1. Das Internet bietet kostenlose Möglichkeiten für die Partnersuche.			
2. Viele ältere Menschen halten diese Art des Kennenlernens für zu anonym.			
3. Eine Mitgliedschaft in einer Partnerbörse ist oft recht teuer.			
4. Partnerbörsen, die einen Mitgliedsbeitrag verlangen, sind effektiver.			
5. Wenn man viele Partnervorschläge bekommt, kommt man oft nicht weiter.			
6. Partnervorschläge werden absichtlich am Ende einer Mitgliedschaft verschickt.			
7. In sozialen Netzwerken kann man immer neue Leute kennenlernen.			
8. Am besten ist es, Mitgliedschaften für ein Vierteljahr abzuschließen.			
9. Wenn man aufrichtig und offen ist, findet man auch passende Partner.			
10. Soziale Netzwerke gibt es für jedes Alter und für viele Hobbys.			

2a Lesen Sie die Reaktion einer Hörerin auf die Ratgebersendung aus 1. Bringen Sie die Sätze in die richtige Reihenfolge.

> **TIPP**
>
> **Textzusammenhänge verstehen**
>
> Um die logischen Zusammenhänge in Texten besser zu verstehen, achten Sie besonders auf Konnektoren (z. B. *deswegen, darum*), Pronomen (z. B. *er, es, man*) und Adverbien (z. B. *dort, dahin, darüber*).

	Das kann ich nur bestätigen, denn ich war selbst sehr lange Single,		Wie Sie am Anfang Ihrer Sendung feststellen, suchen und finden viele Menschen ihr Glück im Internet.
	Abschließend möchte ich sagen, dass ich im Internet einen sehr netten Mann kennengelernt habe.		Simone Lerchner
	Für solche Menschen ist diese Art der Partnersuche sehr effektiv und hilfreich.		dass man in Kontaktbörsen Menschen treffen kann, die alle nicht mehr allein sein wollen.
	bis mir die Idee kam, Mitglied in einer Kontaktbörse zu werden.		Dort habe ich nur gute Erfahrungen gemacht und ich denke, das Kennenlernen auf so einer Plattform hat viele Vorteile.
	Darüber bin ich sehr glücklich. Deshalb bereue ich meine Anmeldung in der Kontaktbörse nicht	1	Sehr geehrte Damen und Herren,
	mit großem Interesse habe ich Ihre Sendung zum Thema „Partnervermittlungen im Internet" verfolgt.		Auf diese Weise erhält man eine Auswahl an möglichen Partnern, die aufgrund ihrer Eigenschaften und Interessen zu einem passen, und hat gute Chancen, einen Partner zu finden.
	Mit freundlichen Grüßen		und möchte diese Art des Kennenlernens allen suchenden Menschen empfehlen.
	Besonders, wenn man eine Kontaktbörse wählt, die ein detailliertes Profil der Mitglieder erstellt, wie Rüdiger das in Ihrem Beitrag empfiehlt.		Der wichtigste Vorteil für mich ist,

b Schreiben nun Sie eine Reaktion auf die Sendung an den Radiosender. Schreiben Sie zu folgenden Punkten:

- wie Ihnen die Sendung gefallen hat
- welche Meinung Sie interessant fanden und warum
- wie man Ihrer Meinung nach Leute kennenlernen kann

> *Sehr geehrte Damen und Herren,*
>
> *ich habe vor Kurzem Ihre Sendung „Partnervermittlung im Internet" gehört und möchte Ihnen unbedingt meine Meinung dazu schreiben. ...*

Die große Liebe

1 Welche Adjektive beschreiben das Aussehen eines Menschen und welche den Charakter? Sortieren Sie in einer Tabelle. Welche Adjektive kennen Sie noch? Ergänzen Sie jeweils drei.

aufrichtig	modern	tolerant	sportlich	temperamentvoll	gepflegt	zuverlässig
mollig	egoistisch	warmherzig	schick	ehrlich	sensibel	begeisterungsfähig
elegant	ernst	trainiert	geduldig	hübsch	liebenswert	schlank	gesprächig

Aussehen	Charakter
trainiert	aufrichtig

2a Menschen, die für mich wichtig sind. Bilden Sie Relativsätze.

1. Das ist mein Freund, …
   a Er lebt leider ganz weit weg.
   b Du würdest ihn sicher nett finden.
   c Ich verzeihe ihm immer alles.
   d Ich würde alles für ihn tun.
   e Sein Humor ist toll.

2. Das ist das Kind, …
   a Es wohnt neben mir.
   b Man sieht es oft draußen spielen.
   c Dieses Spielzeug gehört ihm.
   d Ich habe dir schon oft von ihm erzählt.
   e Sein Lachen hört man oft.

3. Das ist meine beste Freundin, …
   a Sie versteht mich immer.
   b Ich sehe sie fast jeden Tag.
   c Ich helfe ihr immer bei ihren Seminararbeiten.
   d Ich bin mit ihr aufgewachsen.
   e Ihre Familie kenne ich auch gut.

4. Das sind meine Eltern, …
   a Sie sind immer für mich da.
   b Heute habe ich sie eingeladen.
   c Ihnen verdanke ich viel.
   d Mit ihnen streite ich mich auch manchmal.
   e Ihre Hilfe ist oft wichtig für mich.

1.a Das ist mein Freund, der leider ganz weit weg lebt.

b Bilden Sie eigene Sätze.

1. Das ist mein Freund, der _____

2. Das ist meine Freundin, die _____

3. Das ist mein Nachbar, den _____

4. Das ist meine Kollegin, deren _____

5. Das ist das Baby von meiner Schwester, _____

6. Das sind meine Freunde, _____

3 Wenn die große Liebe nervt. Lesen Sie die Kommentare und ergänzen Sie die Relativpronomen.

ROSALIE 13.4. | 17:55

Mein Freund ist ein Mensch, mit (1) _____ ich über alles reden kann und

(2) _____ immer versucht, mir zu helfen. Außerdem hat er so eine Art,

(3) _____ mich oft zum Lachen bringt. Aber gleichzeitig nervt er mich

manchmal total, z. B. wenn er ewig über Fußball redet. Geht euch das auch so in

eurer Beziehung?

MAX2000 13.4. | 19:03

Das ist ganz normal. Die ewige Harmonie, von (4) _____ viele Leute

träumen, gibt es doch gar nicht. Ich liebe meine Freundin, aber es nervt mich, wenn

sie stundenlang mit ihren Freundinnen telefoniert, (5) _____ sie doch eh

jeden Tag sieht. Oder wenn ich nach einem langen Arbeitstag, (6) _____

echt stressig war, noch mit ihr ausgehen soll. Aber niemand ist perfekt, an jedem

Menschen gibt es Dinge, (7) _____ man anstrengend findet.

BELINDA 13.4. | 20:16

Mein Freund, mit (8) _____ ich seit einem Jahr zusammenwohne, und ich

streiten uns oft. Zum Beispiel, weil er nie aufräumt. Aber andererseits ist er der

Mensch, (9) _____ immer für mich da ist, und ihn nervt bestimmt auch

vieles an mir.

ROBI 13.4. | 20:44

Wenn der Mensch, mit (10) _____ man so viel Zeit verbringt, nur noch

nervt, dann stimmt etwas nicht! Meine letzte Beziehung, (11) _____

drei Jahre gedauert hat, war schön, aber am Ende gab es nur noch Stress wegen

Kleinigkeiten. Die Hochzeit, (12) _____ nächsten Mai stattfinden sollte,

haben wir abgesagt 🙁.

---

 4 Ergänzen Sie die Sätze mit den Relativpronomen *wo, wohin, woher* und *was*.

1. Meine beste Freundin heiratet bald, _____ mich sehr freut.

2. Wir fahren dieses Jahr nach Polen, _____ mein Mann kommt.

3. Alles, _____ mich beschäftigt, bespreche ich mit meinem Freund.

4. Wir suchen noch den richtigen Ort, _____ wir langfristig leben möchten.

5. Das, _____ er gesagt hat, ist nicht wahr.

6. Mit meinen Freundinnen kann ich viel lachen, _____ für mich sehr wichtig ist.

7. Hier gibt es nichts, _____ ihr gefällt.

8. Berlin, _____ ich letzten Monat mit meinem Freund geflogen bin, gefällt mir sehr.

9. Du hast mich an etwas erinnert, _____ ich schon lange vergessen hatte.

10. Meine Freundin spricht nur noch über ihre Beziehung, _____ ich echt schrecklich finde.

1a Die Wortfamilie „Liebe". Ordnen Sie die Wörter in die Tabelle ein. Schreiben Sie die Nomen mit bestimmtem Artikel.

JUGENDLIEBE|KINDERLIEBLIEBHABERLIEBLICHNÄCHSTENLIEBELIEBESGESCHICHTEVERLIEBTVORLIEBE
ORDNUNGSLIEBENDLIEBLOSRUHELIEBENDLIEBEVOLLLIEBESERKLÄRUNGLIEBESPAARUNBELIEBTLIEBESKRANK

Nomen	Adjektive
die Jugendliebe, …	

b Ergänzen Sie Wörter aus 1a.

1. Unter _____ versteht man die Bereitschaft, anderen Menschen zu helfen.

2. Wenn man besonders gerne klassische Musik hört, hat man eine _____ für diese Musik.

3. Zwei Menschen, die sich lieben, sind ein _____.

4. Wer großen Wert darauf legt, Ordnung zu halten, ist ein _____ Mensch.

5. Wenn man jemanden liebt, macht man ihm eine _____.

6. Eine Person, die keiner mag, ist eine _____ Person.

7. Wenn man Erzieherin werden möchte, sollte man _____ sein.

8. Der Film „Titanic" erzählt eine _____, die tragisch endet.

2 Rund ums Herz. Welche Redewendung passt zu den Bildern? Ordnen Sie zu.

> 1. Er hat sein Herz für die Musik entdeckt.
> 2. Sie sind ein Herz und eine Seele.
> 3. Er hat ihr das Herz gebrochen.
> 4. Ein Bekannter hat mir sein Herz ausgeschüttet.

A ___   **B** ___   **C** ___   **D** ___

3a Lesen Sie den Text. Unterstreichen Sie beim Lesen die Hauptinformationen. Geben Sie anschließend den Inhalt des Textes mithilfe der Hauptinformationen wieder.

Liebesschlösser

Ein Liebesschloss ist <u>nicht</u>, wie der Name vermuten lässt, <u>ein romantischer Ort</u> für Verliebte. Es handelt sich hierbei um <u>einen Brauch</u>, Vorhängeschlösser an einer Brücke zu befestigen. Ein gemeinsames Liebesschloss gilt als großer Liebesbeweis, da durch das Verschließen des Schlosses die enge Zusammengehörigkeit und Treue des Paares symbolisiert wird.

Mit den Worten „für immer" werfen die Verliebten die passenden Schlüssel zum Schloss in den Fluss, der unter der Brücke fließt. Dies macht es nahezu unmöglich, die Schlüssel jemals wiederzufinden – das Schloss bleibt ewig verschlossen und man hofft, dass niemand die tiefe Liebe des Paares durchbrechen kann.

In vielen Ländern kennt man die Liebesschlösser. Auch in Deutschland ist dieser Brauch mittlerweile angekommen. An der Kölner Hohenzollernbrücke zum Beispiel wurden im Sommer 2008 die ersten Liebesschlösser gesichtet und Brücken mit Liebesschlössern gibt es seither in immer mehr Städten.

Über zehntausend Liebesschlösser hängen bereits an der Hohenzollernbrücke in Köln

b Gibt es diesen Brauch auch in Ihrem Land? Welche anderen Bräuche, seine Liebe zu zeigen, gibt es?

Aussprache: begeistert und ablehnend

Paul und Viola sind auf dem Weg nach Hause. Sie kommen von der Hochzeit von Sandra und Jörg. Paul hat die Feier gefallen. Viola ist ganz anderer Meinung.

9

a Hören Sie den Dialog und unterstreichen Sie die Wörter, die besonders betont sind.

- ○ Mann, war das ein tolles Fest!
- ◐ Was? Das war doch furchtbar!
- ○ Wieso? Die Leute waren doch total nett.
- ◐ Na ja. Du hast ja auch nicht neben Sandras Schwester gesessen. Die redet und redet und redet. Ohne Pause.
- ○ Aber ich habe ganz toll mit ihr getanzt.
- ◐ Toll. Und ich musste mit ihrem Mann tanzen. Der hat ja wirklich zwei linke Füße.
- ○ Ist aber so ein netter Typ. Und die Band war echt super. Und das Essen erst. Fantastisch!
- ◐ Ja, war ganz gut … Aber das Kleid von Sandra. Das geht ja gar nicht …
- ○ Du hast auch immer was zu meckern!
- ◐ Wenn es doch wahr ist!

10

b Hören Sie noch einmal und sprechen Sie nach.

c Sprechen Sie die Sätze. Achten Sie auf die Betonung.

1. Das <u>nervt</u> mich total.   Das ist doch <u>total</u> klasse.
2. Mir hat das <u>überhaupt</u> nicht geschmeckt.   Das Essen war einfach <u>wunderbar</u>.
3. Wieso soll <u>ich</u> das schon wieder machen?   Na, das mache ich doch <u>gerne</u> für dich.

d Schreiben Sie selbst Sätze wie in c. Tauschen Sie mit Ihrem Partner / Ihrer Partnerin und sprechen Sie sie sich gegenseitig vor. Kontrollieren Sie Aussprache und Betonung.

So schätze ich mich nach Kapitel 7 ein: Ich kann …	+	○	−
… einen Radiobeitrag zu Alleinerziehenden und Patchworkfamilien verstehen. ▶M1, A2a-c	☐	☐	☐
… eine Radiosendung über Partnerbörsen verstehen. ▶AB M2, Ü1	☐	☐	☐
… einen Text zur Partnersuche im Internet verstehen. ▶M2, A2	☐	☐	☐
… Zeitschriftentexte über „Die große Liebe" verstehen. ▶M3, A2	☐	☐	☐
… Rezensionen zu einem Roman verstehen. ▶M4, A1	☐	☐	☐
… einen literarischen Text verstehen. ▶M4, A2, A3, A6, A7, A9	☐	☐	☐
… über verschiedene Lebensformen diskutieren. ▶M1, A1b	☐	☐	☐
… eine kurze Geschichte erzählen. ▶M1, A4	☐	☐	☐
… über eine Umfrage diskutieren. ▶AB M1, Ü1	☐	☐	☐
… meinen Traumpartner / meine Traumpartnerin beschreiben. ▶M3, A5	☐	☐	☐
… Vermutungen über die Fortsetzung und das Ende einer Geschichte anstellen. ▶M4, A5, A10	☐	☐	☐
… Notizen zu einem Radiobeitrag über Alleinerziehende und Patchworkfamilien machen und ein kurzes Porträt schreiben. ▶M1, A2c, d	☐	☐	☐
… meine Meinung zu Online-Partnerbörsen in einem Forum schreiben. ▶M2, A3, A4	☐	☐	☐
… eine Reaktion auf eine Radiosendung zum Thema „Kontaktbörsen" schreiben. ▶AB M2, Ü2b	☐	☐	☐
… einen Steckbrief über eine Person schreiben. ▶M4, A8	☐	☐	☐
… ein Ende zu einer Geschichte schreiben. ▶M4, A10	☐	☐	☐

Das habe ich zusätzlich zum Buch auf Deutsch gemacht (Projekte, Internet, Filme, Texte, …):

Datum: Aktivität:

_____ _____

_____ _____

_____ _____

_____ _____

_____ _____

_____ _____

Grammatik und Wortschatz weiterüben: interaktive Übungen unter www.aspekte.biz/online-uebungen1

Wortschatz

Modul 1 Lebensformen

alleinerziehend _____

alleinlebend _____

eifersüchtig _____

die Enttäuschung, -en _____

sich entschließen zu _____

(entschließt sich,

    entschloss sich,

    hat sich entschlossen)

die Fernbeziehung, -en _____

sich gewöhnen an _____

der Hort, -e _____

kinderlos _____

das Lebensziel, -e _____

leiblich _____

die Patchworkfamilie, -n _____

sich etw. sagen lassen _____

sich scheiden lassen _____

die Scheidungsrate, -n _____

der Single, -s _____

der Unterhalt _____

verkraften _____

verwitwet _____

zerbrechen (zerbricht, _____

    zerbrach, hat zerbrochen)

Modul 2 Klick dich zum Glück

der Anbieter, - _____

ansprechen (spricht an, _____

    sprach an, hat ange-

    sprochen)

die Auswahl _____

boomen _____

der Dienst, -e _____

flexibel _____

gebührenpflichtig _____

die Kontaktbörse, -n _____

kostenpflichtig _____

der/die Lebensgefährte/ _____

    -in, -n/-nen

online _____

die Partnervermittlung, -en _____

die Plattform, -en _____

das Profil, -e _____

die Suchmaschine, -n _____

unpersönlich _____

vermittelbar _____

die Zielgruppe, -n _____

Modul 3 Die große Liebe

der Altersunterschied, -e _____

begeisterungsfähig _____

erleben _____

faszinierend _____

grenzenlos _____

das Heimweh _____

die Kontaktanzeige, -n _____

die Lebensart, -en _____

die Mentalität, -en _____

nachholen _____

passen zu _____

passieren _____

plagen _____

vermissen _____

verpassen _____

das Vorurteil, -e _____

Modul 4 Eine virtuelle Romanze

das Abonnement, -s	_____	der Mailwechsel, -	_____
die Belästigung, -en	_____	die Massenmail, -s	_____
die Empfehlung, -en	_____	sich näherkommen (kom-	_____
genervt sein	_____	men sich näher, kamen	
das Happy End, -s	_____	sich näher, sind sich	
herausfordernd	_____	näher gekommen)	
ironisch	_____	schlagfertig	_____
irrtümlich	_____	schüchtern	_____
langatmig	_____	die Wortspielerei, -en	_____
lesenswert	_____		

Wichtige Wortverbindungen:

ein Abonnement abbestellen _____

im Durchschnitt _____

eine Familie gründen _____

meine große Liebe _____

Pläne schmieden _____

süchtig sein nach _____

ein Buch nicht mehr weglegen können _____

Wörter, die für mich wichtig sind:

_____	_____	_____	_____
_____	_____	_____	_____
_____	_____	_____	_____
_____	_____	_____	_____

Kaufen, kaufen, kaufen

Vor dem Start: Erinnern Sie sich? Diese Übungen bereiten Sie auf das Kapitel vor.

1 Was fällt Ihnen alles zum Thema „Kaufen" ein? Machen Sie eine Mindmap.

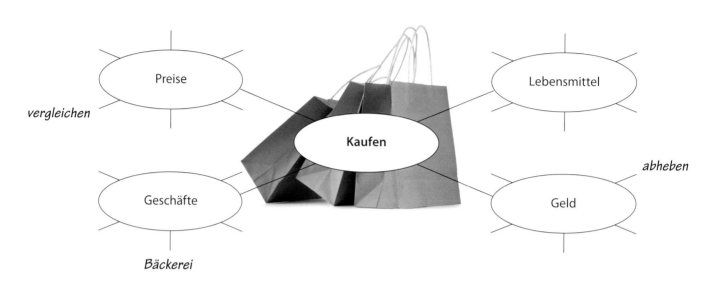

vergleichen — Preise — Lebensmittel — *abheben*

Kaufen

Geschäfte — Geld

Bäckerei

2a Wie heißen die neun Verben rund um das Thema „Einkaufen"?

1. S L E L B T E N E   b *e s t e l l e n*
2. L O A H E N B   a _ _ _ _ _ _ _
3. E A N P N K E I C   e _ _ _ _ _ _ _ _
4. T M N A U H S U E C   u _ _ _ _ _ _ _ _ _
5. C U Z Ü K E G N R B E   z _ _ _ _ _ _ _ _ _ _ _

6. B A E G E U S N   a _ _ _ _ _ _ _ _
7. E N L A H Z   z _ _ _ _ _ _
8. N K U E F E N A I   e _ _ _ _ _ _ _ _ _
9. F G L L E A E N   g _ _ _ _ _ _ _

b Ergänzen Sie die Verben aus 2a in der richtigen Form.

○ Ich gehe noch in die Stadt (1) _____, kommst du mit?

● Ja, warte, ich wollte sowieso ein Buch (2) _____, das ich gestern

(3) _____ habe. Und den Pulli hier nehme ich auch mit, er (4) _____

mir doch nicht, ich will ihn (5) _____. Ich nehme doch lieber einen blauen.

○ Na, hoffentlich haben sie den noch in Blau.

● Bestimmt. Und wenn nicht, kann ich den Pulli sicherlich (6) _____. Ich habe in dem

Geschäft schon so viel Geld für Kleidung (7) _____, die kennen mich schon.

▷ Guten Tag, was kann ich denn heute für Sie tun?

◌ Ich möchte den grauen Pulli gegen einen blauen umtauschen. Geht das?

▷ Ja, sicher. Den haben wir auch in Blau in der Größe da.

◌ Sehr schön. Und ich nehme diese Kette hier. Können Sie sie mir bitte als Geschenk

(8) _____? Und kann ich mit Karte (9) _____?

3a In welches Fachgeschäft gehen Sie, wenn Sie …

1. ____ Brötchen und Nusshörnchen einkaufen möchten?
2. ____ einen Hammer, eine Säge und Nägel brauchen?
3. ____ ein frisches Steak kaufen möchten?
4. ____ zwei Kästen Cola zu einem Fest mitbringen wollen?
5. ____ jemandem einen Roman schenken wollen?
6. ____ eine Tageszeitung kaufen wollen?
7. ____ Duschgel und Zahnpasta brauchen?

a Drogeriemarkt
b Buchhandlung
c Getränkemarkt
d Baumarkt
e Kiosk
f Metzgerei/Fleischerei
g Bäckerei

b Suchen Sie die Oberbegriffe und ergänzen Sie jeweils drei weitere Wörter.

BEL	DUNG	SCHREIB	MÖ	GE	~~KLEI~~	SCHIRR	WAREN

1. _Klei_ _____

   der Rock – die Socke – der Mantel – die Jacke – _____

2. _____

   der Stuhl – der Tisch – die Lampe – das Sofa – _____

3. _____

   der Teller – die Kanne – die Tasse – die Schüssel – _____

4. _____

   der Radiergummi – die Büroklammer – das Heft – der Füller – _____

c Schreiben Sie selbst Fragen wie in 3a zu vier Fachgeschäften und stellen Sie diese Ihrem Partner / Ihrer Partnerin. Er/Sie nennt das passende Geschäft.

Schuhladen, Gärtnerei, Juwelier, Haushaltswarenladen, Sportgeschäft, Zoogeschäft, Optiker, Schreibwarenladen, Möbelgeschäft, Obst- und Gemüsegeschäft, Parfümerie, …

4 Welche Beschreibung passt zu welchem Nomen? Ordnen Sie zu.

1. ____ die Werbung
2. ____ das Einkaufscenter
3. ____ die Reklamation
4. ____ die Sonderaktion
5. ____ das Schnäppchen
6. ____ der Preisnachlass
7. ____ die Bedienungsanleitung
8. ____ das Schaufenster
9. ____ die Umkleidekabine

a ein Angebot, das es ausnahmsweise und nur für eine bestimmte Zeit gibt
b ein großes Gebäude, in dem es viele unterschiedliche Geschäfte und Restaurants gibt
c hier sind Waren und Produkte dekoriert, die man von außen sehen kann
d etwas, das man sehr günstig eingekauft hat
e ein Zettel oder ein kleines Heft, in dem beschrieben ist, wie ein Gerät funktioniert
f Maßnahme (z. B. im Radio oder Fernsehen), mit der man versucht, Leute für ein Produkt zu interessieren
g ein Rabatt
h eine Beschwerde über ein fehlerhaftes Produkt
i ein kleiner abgetrennter Raum in einem Kaufhaus, in dem man Kleidung anprobieren kann

Dinge, die die Welt (nicht) braucht

1a Auf welche Erfindung möchten Sie auf keinen Fall verzichten? Sammeln Sie im Kurs.

Ich möchte auf Reisen auf keinen Fall auf meinen Trolley verzichten. Endlich nicht mehr so schwer tragen im Urlaub!

Für mich ist die wichtigste Erfindung der Geschirrspüler! Damit spare ich viel Zeit, in der ich schönere Dinge machen kann.

b Hören Sie eine Umfrage. Welche Dinge nennen die Personen und welche Gründe geben sie an? Machen Sie Notizen.

11-13

	Erfindung	Gründe
Mann 1		
Frau		
Mann 2		

c Hören Sie die Umfrage ein zweites Mal und ergänzen Sie Ihre Notizen zu den Gründen in 1b.

2 Schreiben Sie Sätze mit *um … zu*.

> ständig erreichbar sein   fit bleiben   dir meine neueste Erfindung erklären
>
> sich vor plötzlichem Regen schützen   den Rücken beim Reisen schonen

1. Ich fahre viel mit dem Fahrrad, _____.

2. Der Klappschirm ist perfekt, _____.

3. Diese Rollenkoffer waren die beste Erfindung, _____.

4. Ich habe mein Handy immer dabei, _____.

5. Ich rufe dich nachher an, _____.

3 Ergänzen Sie die Sätze frei.

1. Ich habe viele Monate mein Geld gespart,

   damit _____

2. Ich mache diesen Deutschkurs,

   damit _____

3. Ich werde dich nächste Woche anrufen,

   damit _____

4 *um … zu* oder *damit*? Bilden Sie die Sätze, wenn möglich, mit *um … zu*, sonst mit *damit*.

1. Ich will etwas Tolles erfinden. Ich will viel Geld verdienen.
2. Ich kaufe gern lustige Erfindungen. Meine Freunde haben Spaß.
3. Wir machen einen Spanischkurs. Wir können im Urlaub ein bisschen mit den Leuten reden.
4. Er hat einen Tanzkurs gemacht. Sie freut sich.

5 Was passt? Ordnen Sie zu und schreiben Sie die Sätze mit *um … zu* oder *damit*.

> am Buffet etwas aus einer Schüssel nehmen   den Gästen den Aufenthalt angenehm machen
> die Luft unter dem Schirm gut sein   nicht nass werden
> die Gäste in den Bach sehen konnten   die Gäste unterhalten

Hallo Robert,

letzte Woche war ich in einem verrückten Hotel und habe viele lustige Dinge gesehen. Der Frühstückraum war über einem Bach und im Boden waren Glasfenster, (1) _____

_____. Alles war sehr ruhig und gemütlich,

(2) _____.

In dem Hotel gab es lauter verrückte Sachen, (3) _____

_____. (4) _____

_____, konnte man eine Plastikhand verwenden. Bei

Regen konnte man sich natürlich einen Schirm ausleihen, (5) _____

_____ . (6) _____

_____, hatte jeder Schirm einen kleinen Ventilator!

Und es gab noch viel mehr, das muss ich dir alles mal bei einem Kaffee erzählen.

Liebe Grüße

Tina

6 Formulieren Sie die Sätze mit *zum* + nominalisierten Infinitiv.

1. Die Waschmaschine ist eine tolle Erfindung, um Wäsche zu waschen.
2. Um zu arbeiten, brauche ich Ruhe und gute Ideen.
3. Benutzen Sie die Fernbedienung, um das Gerät einzuschalten.
4. Um das Ticket zu lösen, drücken Sie auf die grüne Taste.
5. Um in diesem Geschäft einzukaufen, benötigt man eine Kundenkarte.

1. Die Waschmaschine ist eine tolle Erfindung zum Wäschewaschen.

> **TIPP** **zum + nominalisierter Infinitiv**
>
> Der Akkusativ im Satz mit *um … zu* wird oft zum Genitiv:
> *um das Buch zu lesen* →
> *zum Lesen des Buches*

Konsum heute

 1 Sortieren Sie die Wörter und Ausdrücke. Manche passen in mehrere Kategorien.

> eine Bestellung abschicken   billig   mit Kreditkarte zahlen   Ware anfassen   bar zahlen   gebrauchte Ware
> ein Formular ausfüllen   Ware im Paket   die Werbung   das Geschäft   die Neuware   das Sonderangebot
> der Trödelmarkt   Händler bewerten   der Verkaufsstand   Ware in der Tüte   die Kundenkarte
> nach Raritäten suchen   umtauschen   der Händler / die Händlerin   Fotos ansehen   um den Preis handeln

Flohmarkt	Online-Shopping	Einkaufszentrum

 2 Bilden Sie zusammengesetzte Nomen. Notieren Sie auch den Artikel.

KRAFT	WAREN	VERHALTEN	BETRAG	VERTRAG	AUTOMAT
FALSCH	**-KAUF-**		**-GELD-**	**-KONSUM-**	RATEN
BEUTEL	SCHEIN	HAUS	SORGEN	DENKEN	SUMME	VERZICHT

die Geldraten, der Ratenkauf, …

 3a Lesen Sie, was die „Konsumrebellin" in Ihrem Blog schreibt, und ergänzen Sie die Aussagen.

1. Sie hat nichts gegen Konsum, weil sie selbst …
2. Sie sieht Konsum aber auch kritisch, weil man …
3. Während der „Shoppingdiät" will sie …

KONSUM-
REBELLIN   24.7. | 18:55

Ich habe nichts gegen Konsum. Wirklich nicht.
Ich bin bekennende Genießerin und weiß eine reiche Angebotsvielfalt zu schätzen.
Ich kann mich echt begeistern für schönes Design und gutes Handwerk. Ich schätze
leckeres, ehrliches, regionales Essen und Trinken. Ach ja, und ein Buch-Junkie bin ich
sowieso.

Aber ich habe etwas dagegen, wie der Konsum unser Leben dominiert.
Wir verbringen so viel Zeit mit Geld verdienen, Geld ausgeben, gekauftes Zeug
lagern, pflegen, verkaufen, entsorgen …, dass uns am Ende kaum noch Zeit zum
Leben bleibt. Ein einfacheres Leben würde den meisten von uns gut tun. Außerdem
glaube ich, dass sich viele den Konsumrausch sowieso nicht mehr lange leisten
können.

Shoppingdiät!
Meine eigene ganz große Konsum-Achillesferse war immer die Mode. Ich habe
jahrelang viel zu viel gekauft. Und trotz eines übervollen Kleiderschranks nie genug
bekommen. Also war klar: Wenn ich was gegen meinen eigenen Konsumrausch tun
will, dann zuerst an dieser Front. Mit einer Shoppingdiät. Ein Jahr lang werde ich
weder Kleider noch Schuhe noch Accessoires kaufen. Niente.

b Schreiben Sie Ihre Reaktion an die „Konsumrebellin". Wie finden Sie die Idee mit der
Shoppingdiät? Welche Diät wäre für Sie gut (Essen, Medien, Musik …)? Oder möchten Sie lieber
etwas mehr konsumieren?

4 Der Lottogewinn: Familie Obermaier hat 1 Million Euro im Lotto gewonnen und freut sich sehr. Allerdings sind sich die Familienmitglieder nicht einig, was man am besten mit dem vielen Geld machen soll.

a Bilden Sie Sechser-Gruppen. Lesen Sie die Rollenkarten und verteilen Sie die Rollen.

b Suchen Sie Argumente für Ihren Vorschlag.

c Notieren Sie Redemittel, die Sie verwenden wollen.

d Diskutieren Sie und einigen Sie sich.

e Berichten Sie im Kurs, wie sich Ihre Gruppe geeinigt hat.

Vater Rolf, 60:
Er arbeitet seit vielen Jahren in einem kleinen Betrieb, dem die Pleite droht. Eine Finanzspritze würde die Arbeitsplätze von zehn Mitarbeitern retten.

Oma Olga, 81:
Der Haushalt wird ihr langsam zu schwer und sie würde am liebsten in das schicke Seniorenheim am See ziehen.

Mutter Ida, 59:
Sie spielt seit 25 Jahren Lotto mit den gleichen Zahlen und hat nun endlich gewonnen. Sie möchte ein großes Haus für die Familie kaufen und den Rest auf die Bank bringen.

Tochter Karin, 23:
Sie studiert an der Uni Gießen und träumt davon, an einer renommierten Uni in den USA ihr Studium fortzusetzen.

Sohn Benni, 27:
Er möchte am liebsten eine Weltreise machen und, solange es geht, nicht arbeiten, sondern nur das Leben genießen.

Tochter Melanie, 32:
Sie hat selbst schon zwei Kinder und möchte die Zukunft ihrer Söhne absichern.

Die Reklamation

1a Ergänzen Sie das Telefongespräch.

A Könnten Sie mit der Lampe vorbeikommen? Dann tauschen wir sie um.

B aber sie funktioniert irgendwie nicht.   C Aber nach ein paar Tagen hat sie angefangen zu flackern und noch ein paar Tage später war die Glühbirne kaputt.

D Ja, nicht nur mit einer, aber die sind alle immer ganz schnell kaputt.

E Könnten Sie ausprobieren, ob die Lampe funktioniert, wenn Sie sie an eine andere Steckdose anschließen?   F Die Lampe heißt „Sonnengruß".

~~G was kann ich für Sie tun?~~   H Könnten Sie mir das bitte genauer beschreiben?

Firma Lichtblick, Kundenabteilung, mein Name ist Ute Beer, (1) ___G___

Hallo, mein Name ist Greta Koch. Ich habe letzten Monat eine Lampe bei Ihnen gekauft, (2) _____

Was ist denn das Problem mit der Lampe? (3) _____

Am Anfang hat die Lampe prima funktioniert. (4) _____

(5) _____

Aha. Welches Modell ist es denn?

Ah ja. Haben Sie es denn schon mit einer neuen Glühbirne versucht?

(6) _____

Hm, das kann entweder an der Steckdose liegen oder es liegt am Schalter. (7) _____

Das habe ich schon ausprobiert, das Problem bleibt das gleiche.

Dann ist vermutlich der Trafo kaputt. (8) _____

Ja, das mache ich. Vielen Dank.

b Arbeiten Sie zu zweit und lesen Sie den Dialog. Tauschen Sie auch die Rollen.

2 Ergänzen Sie *können* im Konjunktiv II oder die Formen von *würde*.

○ Du, sag mal, ich habe mir letzte Woche einen neuen Drucker gekauft, aber er funktioniert nicht.

(1) _____ ich bei dir ein paar Seiten ausdrucken?

○ Ja, komm einfach vorbei. Aber ich habe kein Papier mehr. (2) _____ du welches mitbringen?

○ Mache ich. Ich (3) _____ dann auch gleich noch eine Druckerpatrone mitbringen. Was für einen Drucker hast du denn?

○ Ach nein, lass das, das (4) _____ du von mir doch auch nicht erwarten, oder?

○ Nein, natürlich nicht, aber freuen (5) _____ ich mich schon …

○ Du (6) _____ doch einen Kuchen mitbringen, dann mache ich uns Kaffee.

○ Okay. Gute Idee.

3 Schreiben Sie die Sätze und verwenden Sie den Konjunktiv II.

1. Ich weiß nicht, was kaputt ist. das Gerät / einen Wackelkontakt / haben können.
2. Ich an deiner Stelle das Gerät / ins Geschäft / zurückbringen.
3. Sie / bitte / hier / unterschreiben?
4. Ich möchte endlich gehen. du / dich / jetzt bitte / beeilen?
5. Ich fand den Service in diesem Geschäft sehr schlecht. Wenn ich du wäre, ich / dort / nicht mehr / einkaufen.

1. Das Gerät könnte einen Wackelkontakt haben.

4 Was hättest du nur ohne mich gemacht? Schreiben Sie Sätze.

1. Computer nie kaufen
2. kein Handy haben
3. den alten Stuhl nicht reparieren
4. wenig zu lachen haben
5. keine Reisen mehr machen

1. *Du hättest nie einen Computer gekauft.*
2. _____
3. _____
4. _____
5. _____

5 Was hätten die Personen besser machen können? Sehen Sie die Bilder an und schreiben Sie Sätze.

1. Hätte er den Kassenzettel aufgehoben / nicht weggeworfen, könnte er das Gerät umtauschen.

Kauf mich!

1 Welche Erklärung passt? Ordnen Sie zu.

1. _____ die Werbeagentur   a große Werbeaktion mit verschiedenen Mitteln (Anzeigen, Filme, Radio …)

2. _____ das Werbegeschenk   b Unternehmen, das für die Produkte anderer Firmen die Werbung entwickelt

3. _____ der Werbeslogan   c Dinge, die Kunden und Geschäftsfreunde einer Firma geschenkt bekommen

4. _____ der Werbespot   d Werbung in einer Zeitung/Zeitschrift / im Internet

5. _____ die Werbekampagne   e einprägsamer Satz, der ein Produkt bekannt machen soll

6. _____ die Werbeanzeige   f kurzer Werbefilm, der im Fernsehen/Kino/Internet gezeigt wird

2 Sehen Sie die Bilder an und beschreiben Sie sie. Welche Aspekte aus dem Text von Aufgabe 2 im Lehrbuch finden Sie hier wieder?

3a Ein Thema präsentieren.

Sie sollen Ihren Zuhörern ein aktuelles Thema präsentieren. Dazu finden Sie fünf Folien. Folgen Sie den Aufgaben links und notieren Sie rechts Ihre Ideen. Tipp: Stichworte genügen.

Stellen Sie Ihr Thema vor. Erklären Sie den Inhalt und die Struktur Ihrer Präsentation.

_____

_____

_____

_____

_____

Berichten Sie von Ihrer Situation oder einem Erlebnis im Zusammenhang mit dem Thema.

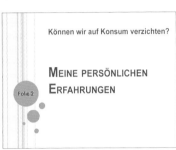

_____

_____

_____

_____

_____

Berichten Sie von der Situation in Ihrem Heimatland und geben Sie Beispiele.

_____

_____

_____

_____

_____

Nennen Sie die Vor- und Nachteile und sagen Sie dazu Ihre Meinung. Geben Sie auch Beispiele.

_____

_____

_____

_____

_____

Beenden Sie Ihre Präsentation und bedanken Sie sich bei den Zuhörern.

_____

_____

_____

_____

_____

b Arbeiten Sie in Gruppen und halten Sie Ihre Präsentationen.

c Über ein Thema sprechen. Arbeiten Sie zu zweit: Person A stellt Fragen und gibt eine Rückmeldung zu der Präsentation von Person B. Person B reagiert auf die Fragen und die Rückmeldung. Dann wechseln Sie.

Fragen
Warum glaubst/denkst du, dass …?
Was ist dir zu dem Thema in Deutschland /
Österreich / der Schweiz aufgefallen?

Antworten
Zu deiner Frage kann ich sagen, dass …
Deine Frage / Deine Rückmeldung ist interessant,
weil …
Du hast recht. Ich denke auch, dass …
Ich kann dazu nur sagen, dass …

Reaktionen
Deine Präsentation hat mir (sehr) gut gefallen,
weil …
Das war interessant, weil …
… war neu für mich.
Ich wusste nicht, dass …

d Diskutieren Sie in Gruppen: Was war gut und leicht? Was möchten Sie beim Sprechen ändern? Sammeln Sie Ideen und Vorschläge.

Aussprache: wichtige Informationen betonen

  a Lesen Sie die Sätze. Hören Sie zu und achten Sie auf die Pausen und die Betonung. Welche Aussage hören Sie? Kreuzen Sie an.

14

1. ☐ a Kommen Sie mit Frau Schulz? ☐ b Kommen Sie mit, Frau Schulz?
2. ☐ a Das Plakat gefällt mir so super. ☐ b Das Plakat gefällt mir so, super!
3. ☐ a Wir kaufen das jetzt, Maria. ☐ b Wir kaufen das jetzt Maria.
4. ☐ a Mach mit beim Kinder-Gartenprojekt! ☐ b Mach mit beim Kindergarten-Projekt!

 b Hören Sie jetzt beide Versionen und sprechen Sie nach.

15

TIPP Mit Pausen und genauer Betonung kann man die Bedeutung in einem Satz ändern. Beim Lesen helfen Satzzeichen, z. B. ein Komma.

 c Hören Sie zu und setzen Sie Satzzeichen.

16

a Sebastian will Christiane nicht c Hanne sagt Franz wird nie klug
b Sebastian will Christiane nicht d Hanne sagt Franz wird nie klug

d Arbeiten Sie zu zweit. Sprechen und kontrollieren Sie die Sätze mit der korrekten Sprechpause und Betonung.

1. a Gut haben Sie sich entschieden. b Gut, haben Sie sich entschieden?
2. a Du, mein Mann und ich gehen shoppen. b Du, mein Mann und ich gehen shoppen.
3. a Den Kaffee, nicht den Tee. b Den Kaffee nicht, den Tee.

e Hören Sie die Sätze aus d zur Kontrolle.

17

So schätze ich mich nach Kapitel 8 ein: Ich kann …	**+**	**○**	**—**
… die Argumentation in einer Diskussion über Konsumverhalten verstehen. ▶M2, A3, A4a, b, A5b	☐	☐	☐
… ein Telefongespräch zu einer Reklamation verstehen. ▶M3, A1b	☐	☐	☐
… Radiowerbungen verstehen. ▶M4, A5	☐	☐	☐
… eine Umfrage zum Thema „Unverzichtbare Erfindungen" verstehen. ▶AB M1, Ü1b, c	☐	☐	☐
… Produktbeschreibungen lesen und einem Produkt zuordnen. ▶M1, A1b	☐	☐	☐
… einen Sachtext über Werbung verstehen und in thematische Absätze gliedern. ▶M4, A2b	☐	☐	☐
… ein Produkt beschreiben/präsentieren. ▶M1, A4	☐	☐	☐
… beim Tauschen für mein Produkt werben. ▶M2, A6	☐	☐	☐
… ein Produkt reklamieren. ▶M3, A3b	☐	☐	☐
… eine erfolgreiche Werbung aus meinem Land vorstellen. ▶M4, A3	☐	☐	☐
… über Werbungen sprechen. ▶M4, A4	☐	☐	☐
… eine eigene Werbung entwickeln und präsentieren. ▶M4, A6	☐	☐	☐
… über die sinnvolle Verwendung eines Lottogewinns diskutieren. ▶AB M2, Ü4	☐	☐	☐
… ein kurzes Referat zum Thema „Können wir auf Konsum verzichten?" halten. ▶AB M4, Ü3	☐	☐	☐
… eine Reklamation schreiben. ▶M3, A4	☐	☐	☐
… eine Werbeanzeige oder einen Radiospot entwerfen. ▶M4, A7a	☐	☐	☐

Das habe ich zusätzlich zum Buch auf Deutsch gemacht (Projekte, Internet, Filme, Texte, …):

Datum: Aktivität:

_____   _____

_____   _____

_____   _____

_____   _____

_____   _____

Grammatik und Wortschatz weiterüben: interaktive Übungen unter www.aspekte.biz/online-uebungen1

Wortschatz

Modul 1 Dinge, die die Welt (nicht) braucht

anstecken	_____	nützlich	_____
der Dreck	_____	der Ring, -e	_____
der Durchblick	_____	sichtbar	_____
sich eignen für	_____	der Staub	_____
einschenken	_____	die Tastatur, -en	_____
das Fernglas, -"er	_____	unappetitlich	_____
der Fleck, -en	_____	unerwünscht	_____
der Kekskrümel, -	_____	unterwegs	_____
die Klingel, -n	_____	winzig	_____
die Lupe, -n	_____	zusammenrollen	_____

Modul 2 Konsum heute

die Abwechslung	_____	leiden (leidet, litt,	
die Bequemlichkeit, -en	_____	hat gelitten)	_____
beurteilen nach	_____	naiv	_____
der Besitz	_____	die Rücksichtnahme	_____
der Flohmarkt, -"e	_____	die Sichtweise, -n	_____
gebraucht	_____	tauschen	_____
sich etw. gönnen	_____	verzichten auf	_____
die Konsumgesellschaft, -en	_____	die Wirtschaft	_____
kritisch	_____	die Zufriedenheit	_____
		zugunsten	_____

Modul 3 Die Reklamation

dringend	_____	hinweisen auf (weist hin,	
einstellen	_____	wies hin, hat hin-	
das Elektrogeschäft, -e	_____	gewiesen)	_____
das Ersatzgerät, -e	_____	das Leihgerät, -e	_____
funktionieren	_____	der Reklamationsgrund, -"e	_____
der/die Gesprächspartner/	_____	die Rechnungsnummer, -n	_____
in, -/-nen		der Reißverschluss, -"e	_____
die Gutschrift, -en	_____	schildern	_____
der/die Hersteller/in	_____	verbinden (verbindet, ver-	
-/-nen		band, hat verbunden)	_____
		der Zoom	_____

Modul 4   Kauf mich!

begrenzt	_____
bildschön	_____
die Botschaft, -en	_____
die Distanz, -en	_____
der Duft, -"e	_____
einwickeln	_____
der Gipfel, -	_____
glatt	_____
das Kindchenschema	_____
das Klischee, -s	_____
schleichen (schleicht, schlich, ist geschlichen)	_____

das Schnäppchen, -	_____
das Sonderangebot, -e	_____
spektakulär	_____
streicheln	_____
voranbringen (bringt voran, brachte voran, hat vorangebracht)	_____
der Vorrat, -"e	_____
die Werbefalle, -n	_____
wirken	_____

Wichtige Wortverbindungen:

auf sich aufmerksam machen _____

einen Auftritt haben _____

in die (kleinsten) Ecken kommen _____

Druck machen _____

unter Druck setzen _____

Geld ausgeben _____

in Kauflaune sein _____

den Tisch decken _____

jmd. läuft das Wasser im Mund zusammen _____

Werte vermitteln _____

Wirkung zeigen _____

Wörter, die für mich wichtig sind:

_____	_____	_____	_____
_____	_____	_____	_____
_____	_____	_____	_____
_____	_____	_____	_____

Endlich Urlaub

Vor dem Start: Erinnern Sie sich? Diese Übungen bereiten Sie auf das Kapitel vor.

 1 Welche Arten von Reisen gibt es und was bedeuten sie? Ordnen Sie zu.

1. _d_ eine Städtereise	a eine Reise, die man aus beruflichen Gründen macht
2. ____ eine Sprachreise	b eine Reise mit Wohnwagen, Wohnmobil oder Zelt
3. ____ eine Weltreise	c eine Reise zum Entspannen und Ausruhen
4. ____ eine Fernreise	d eine Reise in eine Stadt
5. ____ eine Forschungsreise	e eine Reise um die Erde
6. ____ eine Flugreise	f eine Reise zum Verbessern einer Fremdsprache
7. ____ eine Campingreise	g eine Reise in ein weit entferntes Land
8. ____ eine Pauschalreise	h eine Reise zu wissenschaftlichen Zwecken
9. ____ eine Geschäftsreise	i eine Reise mit dem Flugzeug
10. ____ eine Wellnessreise	j eine Reise, in deren Preis An- und Abreise, Übernachtung, Essen etc. inklusive ist.

 2 Was gehört in das Reisegepäck? Notieren Sie den bestimmten Artikel und den Plural.
Ergänzen Sie die Liste.

1. _der_ Reisepass / _die Reisepässe_ _____
2. _____ Nagelschere / _____
3. _____ Flugticket / _____
4. _____ Pflaster / _____
5. _____ Sonnenbrille / _____
6. _____ Kamera / _____
7. _____ Visum / _____
8. _____ Badehose / _____
9. _____ Kreditkarte / _____
10. _____ Waschbeutel / _____
11. _____ / _____

12. _____ / _____
13. _____ / _____
14. _____ / _____
15. _____ / _____

3 Ergänzen Sie den Text mit den Begriffen in der richtigen Form.

Heimweh	Kontinent	per Anhalter fahren	Reisekrankenversicherung
einen Abstecher machen		Klima	Impfung

Ich bin ein richtiger Reisemuffel. Hier zu Hause ist es doch auch schön. Dieser ganze Aufwand! Erst muss

man die Reise planen. Auf welchen (1) _____ wollen wir fahren? Asien? Da ist mir

das (2) _____ zu heiß! Australien? Viel zu weit! Da bekomme ich schon am Flug-

hafen (3) _____. Und dann muss man eine teure Reise buchen. Nichts für mich.

Ich mache lieber eine Fahrradtour oder (4) _____. Das kostet wenig und auf

meinem Weg kann ich auch hier und da mal (5) _____ in Orte _____,

die ich noch nicht kenne. Außerdem brauche ich auch keine teure (6) _____ oder

(7) _____. Also: Ich bleibe lieber hier.

4 Bahn, Flugzeug oder Auto? Ordnen Sie die Begriffe zu und ergänzen Sie für jedes Verkehrsmittel zwei weitere Begriffe.

das Gleis	der Flughafen	die Garage	die Tankstelle	die Fahrkarte	die Sicherheitskontrolle
die Lok	die Autobahngebühr	der Duty-Free-Shop	der ICE	der Schaffner	die Landung
der Waggon	das Gate	der Speisewagen	der Stau	das Handgepäck	der Kofferraum
	der Verkehrshinweis	die Fahrzeugkontrolle		die Flugbegleiterin	

die Bahn	das Flugzeug	das Auto

5 Ergänzen Sie die Verben.

~~faulenzen~~	besichtigen	verbringen	übernachten	buchen
mieten	sonnen	wechseln	beantragen	probieren

1. am Strand _faulenzen_____

2. sich im Park _____

3. eine Städtereise _____

4. eine Ferienwohnung _____

5. neues Essen _____

6. Sehenswürdigkeiten _____

7. ein Visum _____

8. in einem Hotel _____

9. Urlaub im Ausland _____

10. Geld _____

Einmal um die ganze Welt

1 Axels Weltreise. Setzen Sie die Wörter in der richtigen Form ein.

| Urlaub | anstrengend | bereisen | Sand | Fernweh | klappen | Stadt |
| fühlen | | Weltreise | verreisen | erfüllen | Stress | Plan |

Axel Franke hat sich einen Traum (1) _____:

Er hat eine (2) _____ gemacht. Er hat

fünf Kontinente (3) _____ und 118

(4) _____ besucht. Schon als kleiner Junge

(5) _____ er gern. Als er 25 war, bekam er

großes (6) _____. Er wollte in die Südsee,

um den feinen, weißen (7) _____ unter

seinen Füßen zu spüren. Aus diesem Wunsch entstand der

(8) _____ für die Weltreise. Aber eine Welt-

reise ist kein langer (9) _____. Axel hatte

auf der Weltreise mehr (10) _____ als im Job. Reisen ist (11) _____ und

kann frustrieren, wenn mal nicht alles (12) _____. Für Axel war am schönsten, sich weit weg

von zu Hause „zu Hause" zu (13) _____. Und das kommt nicht so oft vor.

2 Kreuzen Sie den passenden Konnektor an. Markieren Sie die Wörter, die Ihnen bei der Entscheidung geholfen haben.

Normalerweise war ich immer ganz aufgeregt, (1) ☐ wenn ☐ als ich verreiste. Doch (2) ☐ wenn ☐ als ich das letzte Mal verreist bin, war das ganz anders. Diesmal saß ich total entspannt im Flugzeug, (3) ☐ wenn ☐ als es startete. (4) ☐ Wenn ☐ Als ich früher geflogen bin, wurde mir oft schlecht. Bei Nachtflügen esse ich normalerweise nichts. Aber beim letzten Flug hatte ich richtig Appetit, (5) ☐ wenn ☐ als mir die Stewardess das Essen brachte. Ich habe alles aufgegessen und dann sogar geschlafen. (6) ☐ Wenn ☐ Als das Flugzeug dann landete, war ich ausgeschlafen und fit. Der Urlaub konnte sofort beginnen, (7) ☐ wenn ☐ als ich im Hotel ankam.

3 Bilden Sie Sätze im Präsens mit *während* und *solange*.

Als Ilse Lehmann ihren 70. Geburtstag feierte, dachte sie sich:
1. ich / noch fit / sein, möchte ich viel reisen.
2. Ich lerne gern Land und Leute kennen, ich / reisen.
3. ich / auf Reisen / sein, habe ich keine Langeweile.
4. ich / unterwegs / sein, fotografiere ich viel.
5. ich / die Fotos / mit meinen Enkeln / anschauen, gibt es Kaffee und Kuchen.
6. ich / auf Reisen / sein können, bin ich glücklich.

1. Solange ich noch fit bin, möchte ich viel reisen.

4 Verbinden Sie die Sätze mit *während*, *bevor* oder *nachdem*. Es gibt mehrere Möglichkeiten.

1. Ich lese die Hotelbewertungen. Danach buche ich meine Reise.

2. Ich fahre los. Vorher packe ich meinen Koffer.

3. Ich lese den Reiseführer genau. Dabei höre ich Musik aus dem Urlaubsland.

4. Ich verlasse meine Wohnung. Vorher kontrolliere ich alle Zimmer.

5. Ich fahre mit dem Taxi zum Flughafen. Dabei überprüfe ich noch einmal, ob ich meinen Pass dabei habe.

6. Ich gebe mein Gepäck auf. Danach gehe ich zur Passkontrolle.

7. Ich sitze im Flugzeug. Dabei lese ich.

8. Ich gehe durch den Zoll. Vorher hole ich mein Gepäck.

1. Nachdem ich die Hotelbewertungen gelesen habe, buche ich meine Reise. / Bevor ich meine Reise buche, lese ich die Hotelbewertungen.

5 Ergänzen Sie in den Sätzen die Konnektoren *bis* und *seit/seitdem*.

1. __*Bis*_____ ich Urlaub habe, muss ich noch ein paar Wochen arbeiten.

2. Wir informieren uns so lange im Internet, _____ wir unser Traumziel gefunden haben.

3. _____ wir unser Urlaubsland ausgesucht haben, lese ich jeden Abend im Reiseführer darüber.

4. Ich zähle schon die Tage, _____ wir endlich losfliegen.

5. _____ ich meinem besten Freund von unserem Reiseziel erzählt habe, möchte er auch unbedingt dorthin fahren.

6. _____ wir die Reise gebucht haben, fragen uns unsere Kinder jeden Tag, wann es losgeht.

6 Markieren Sie den korrekten Temporalsatz.

1. Ich rufe dich an,
   a bis wir da sind.
   b wenn wir da sind.
   c seit wir da sind.

2. Gestern traf ich Ingo,
   a wenn ich im Reisebüro war.
   b als ich im Reisebüro war.
   c seitdem ich im Reisebüro war.

3. Ich höre Musik,
   a als ich fliege.
   b nachdem ich fliege.
   c während ich fliege.

4. Inge bleibt zu Hause,
   a nachdem sie krank war.
   b als sie krank war.
   c bis sie gesund ist.

5. Ich helfe dir,
   a wenn ich fertig bin.
   b während ich fertig bin.
   c bis ich fertig bin.

6. Ich besuche ihn,
   a als ich Ferien habe.
   b wenn ich Ferien habe.
   c bis ich Ferien habe.

7 Lesen Sie den Reisebericht und ergänzen Sie einen passenden temporalen Konnektor.

Immer (1) _____ wir verreisen, freut sich die ganze Familie. So auch das letzte Mal. (2) _____ wir an einem wunderschönen Tag im Mai mit dem Auto Richtung Ostsee aufbrachen, ahnten wir noch nicht, was uns erwartete. Zuerst ging es Richtung Autobahn. (3) _____ wir ungefähr eine Stunde gefahren waren, steckten wir zwei Stunden im Stau. (4) _____ wir im Stau standen, kam im Radio eine Unwetterwarnung. Eine halbe Stunde später rollte der Verkehr wieder, aber ein heftiges Gewitter begann. Wir mussten also eine Pause auf einem Rasthof einlegen. (5) _____ wir die Reise fortsetzen konnten, vergingen gut zwei Stunden. Nach einer weiteren Stunde Autofahrt erwartete uns das nächste Problem. Die Autobahn war wegen eines Unfalls komplett gesperrt. (6) _____ wir weitere fünf Stunden im Stau verbracht hatten, erreichten wir endlich das Meer. Doch (7) _____ wir aus dem Auto ausstiegen, begann es schon wieder fürchterlich zu regnen. Dann endlich im Hotel! Aber (8) _____ wir aus dem Fenster schauten, sahen wir nicht das Meer, sondern eine Großbaustelle.

8 Beschreiben Sie, wie Sie Ihren letzten Urlaub verbracht haben. Benutzen Sie dafür Temporalsätze.

Als ich im letzten Jahr Urlaub hatte, …

9a Lesen Sie das Gedicht von Paul Maar und überlegen Sie, welches der Bilder die Situation im Gedicht am besten trifft.

Ein Maulwurf und zwei Meisen
beschlossen zu verreisen
nach Salzburg oder Gießen.
Ob sie dabei zu Fuß gehen sollen
oder aber fliegen wollen –
das müssen sie noch beschließen!

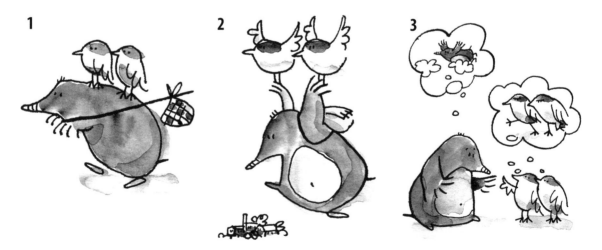

b Überlegen Sie sich einen Titel für das Gedicht.

1a Arbeiten im Urlaub. Was macht man in einem Workcamp? Ergänzen Sie die Ausdrücke.

1. an einem Workcamp teil_____
2. in ein anderes Land rei_____
3. mit anderen Menschen koo_____
4. ein Umweltprojekt unt_____

5. sich für ein Projekt enga_____
6. andere Leute kenn_____
7. etwas gemeinsam aufb_____
8. etwas über eine Kultur le_____

b Wie heißen die Nomen zu den Verben ? Ergänzen Sie.

1. sich engagieren – das _____
2. unterstützen – die _____
3. teilnehmen – die _____
4. erfahren – die _____
5. sich erholen – die _____

6. sich begeistern – die _____
7. sich interessieren – das _____
8. helfen – die _____
9. organisieren – die _____
10. bezweifeln – der _____

2 Lesen Sie die E-Mail und wählen Sie unten das jeweils passende Wort aus. Tragen Sie die Buchstaben in der E-Mail ein.

Liebe Maike,

vor über einer Woche bin ich in Chile angekommen und es gibt viel zu (1) _____. Obwohl ich jetzt schon zum dritten Mal an einem Workcamp (2) _____, sammle ich dort jedes Mal wieder neue Erfahrungen. (3) _____ dem langen Flug war ich erst ziemlich müde, musste aber noch eine abenteuerliche achtstündige Busfahrt hinter mich (4) _____. Und gleich am nächsten Tag ging es mit der Arbeit los. In (5) _____ Camp gibt es zwei Projekte: Man kann den Bauern bei der Weinernte helfen oder an einem neuen Gemeindezentrum mitbauen. Ich habe mich für die Ernte entschieden. Das ist wirklich Knochenarbeit, aber wir haben (6) _____ eine Menge Spaß. Mit dem Campleiter habe ich mich erst nicht so gut verstanden, aber mittlerweile kommen wir ganz gut miteinander aus. Ich habe viele nette, lustige Leute aus der ganzen Welt kennengelernt und beim Abendessen gibt es (7) _____ zu erzählen. Mit einigen (8) _____ ich ganz sicher in Kontakt bleiben. So eine intensive Zeit, wie wir sie hier erleben, verbindet einfach. Jeder muss übrigens mal kochen, am besten etwas Typisches aus seinem Land. Und das bei meinen Kochkünsten! Ich habe noch keine Ahnung, (9) _____ ich für die anderen kochen soll. Eine Woche bleibe ich noch hier, dann ist mein Urlaub schon wieder (10) _____.
Lass mal von dir hören!
Viele Grüße aus der Ferne
dein Florian

1. A erzähle	3. A Auf	5. A diesem	7. A mehr	9. A was
B erzählen	B Bei	B diesen	B oft	B wem
C erzählt	C Nach	C dieser	C viel	C wen
2. A teilgenommen	4. A bringe	6. A denn	8. A werde	10. A voraus
B teilnahm	B bringen	B obwohl	B werden	B vorbei
C teilnehme	C gebracht	C trotzdem	C wird	C vorhin

3 Lesen Sie die folgenden Aussagen und die Kurztexte. Wer sagt was?

1. Die Arbeit in der Natur fand ich ziemlich anstrengend.	*Merle*
2. Obwohl ich erst nicht wollte, hat mir das Workcamp dann doch gut gefallen.	
3. Sonne im Urlaub? Ja, bitte. Arbeiten in der Hitze? Nein, danke.	
4. Ich will selbst entscheiden, was ich in meiner Freizeit mache.	
5. Im Workcamp sind neue Freundschaften anders als im normalen Urlaub.	
6. Die Leute in der Gruppe haben sich nicht gut verstanden.	
7. Wenn man seine Probleme selbst löst, wird man selbstständiger.	
8. Wenn alle zusammen arbeiten, kann man viel schaffen.	
9. Das Geld für das Workcamp war nicht gut investiert.	
10. Bei meiner Arbeit gab es auch Schwierigkeiten mit der Sprache.	

Merle, 18 Jahre: Ich war zum ersten Mal in einem Workcamp hier in Deutschland, am Bodensee. Neben einer Vermittlungsgebühr musste ich die Reisekosten selbst tragen. Unsere Aufgabe bestand hauptsächlich aus Waldarbeit. Das war ziemlich hart, besonders an den Regentagen. Manchmal habe ich mich schon gefragt: Was mache ich hier eigentlich? Warum liege ich nicht irgendwo mit meiner Familie am Strand? Aber alles in allem überwiegen die positiven Erfahrungen und ich habe einen Haufen netter Leute aus ganz verschiedenen Ländern kennengelernt. In den Herbstferien besuche ich zum Beispiel ein Mädchen in Finnland, das auch an dem Camp teilgenommen hat. Ich glaube, so intensive Freundschaften entwickeln sich nicht bei einem normalen Strandurlaub.

Samuel, 19 Jahre: Ich war in einem Camp in Südkorea. Dort habe ich in einem Kinderheim gearbeitet. Ich muss sagen, durch diesen Aufenthalt bin ich viel selbstständiger geworden. Zum einen musste ich schon die ganze Reise dorthin selbst organisieren und zum anderen fand ich die Arbeit im Kinderheim oft auch ganz schön schwierig. Es war kompliziert, hat mich aber auf jeden Fall weitergebracht. Dazu kam, dass wir kein Koreanisch sprechen oder lesen konnten. Wir haben es dann mit Händen und Füßen und Zeichnungen versucht. Das war manchmal sogar richtig lustig und hat meistens funktioniert. Für nächsten Sommer habe ich schon geplant, an einem Camp in Russland teilzunehmen.

Natascha, 28 Jahre: Ich war letztes Jahr in einem Workcamp in Spanien und es hat mir überhaupt nicht gefallen. Zum einen waren die Leute alle viel jünger als ich und zum anderen wurde immer erwartet, dass wir auch unsere Freizeit größtenteils zusammen verbringen. Auf so einen Gruppenzwang habe ich überhaupt keine Lust. Man muss doch mal Zeit für sich selbst haben. Ich werde das bestimmt nicht wieder machen. Das ist echt rausgeschmissenes Geld.

Carl, 23 Jahre: Ich verbringe meinen Urlaub eigentlich am liebsten irgendwo am Strand. Tagsüber Sonne und abends ausgehen. Aber meine Freundin hat mich zu einem Workcamp überredet. Sie wollte mal was anderes machen. Am Anfang war ich sehr skeptisch. Im Urlaub arbeiten und dazu noch die Reisekosten selbst bezahlen? Aber dann hat es sogar mir Spaß gemacht. Wir haben einen alten Bauernhof renoviert, der ein kulturelles Zentrum werden soll. Es war toll zu sehen, wie viel man mit nur einfachen Mitteln, aber durch gemeinsame Arbeit erreichen kann. Jede Ferien will ich das trotzdem nicht machen, aber so ab und zu, warum nicht?

Andy, 24 Jahre: Einmal und nie wieder. Ich habe keine Lust mehr, in meinem Urlaub bei vierzig Grad im Schatten den ganzen Tag zu schuften. Ich finde, da wird man ganz schön ausgenutzt. Die Stimmung in unserer Gruppe war nicht besonders gut. Irgendwie haben wir keinen Draht zueinander gefunden und uns einfach nicht richtig verstanden. Von Spaß kann also keine Rede sein. Im nächsten Sommer lege ich mich jedenfalls faul an den Strand und genieße die Sonne.

1 Ergänzen Sie die temporalen Präpositionen.

○ Wann fahrt ihr in den Urlaub?

● (1) _In_ drei Wochen?

○ Wann fahrt ihr denn genau?

● (2) _____ 28. Juli.

○ Und wie lange bleibt ihr?

● 14 Tage. Wir haben (3) _____ 27. Juli

(4) _____ 12. August Urlaub.

○ Seit wann fahrt ihr denn schon nach Spanien?

● Schon (5) _____ zehn Jahren. Uns gefällt es dort einfach so gut.

○ Und wie ist das Wetter da?

● (6) _____ Winter ist es mild,

(7) _____ Sommer heiß.

2 Eine Frage, viele Antworten. Ergänzen Sie die Präpositionen, wo nötig. Manchmal gibt es mehrere Möglichkeiten.

a _____ Montag

b _____ einer Woche

c _____ Mai

d _____ Herbst

1. Wann hast du Urlaub?

e _____ nächsten Monat

f _____ nächste Woche

g _____ Silvester

h _____ meinem Geburtstag

i _____ 5. September

j _____ 17. Juli _____ 25. Juli

---

b _____ der 2. Hälfte des 18. Jahrhunderts

a _____ 18. Jahrhundert

c _____ Jahr 1769

2. Wann wurde Alexander von Humboldt geboren?

d _____ 1769

e _____ September 1769

f _____ etwa 250 Jahren

---

b _____ eines Urlaubs

a _____ einem halben Jahr

c _____ ihres Studiums

3. Wann haben sich Fabian und Anna kennengelernt?

d _____ ein paar Tagen

f _____ Sommer

e _____ 2005

TIPP

Präpositionen nach Bedeutungsgruppen lernen

Fragewort: *Wann?*

Antworten: Wochentage und Datum — *an* + D

bei Monatsnamen und Jahreszeiten — *in* + D

bei Feiertagen — *an/zu* + D

137

3 Schreiben Sie eine Geschichte. Benutzen Sie möglichst viele temporale Präpositionen.

Endlich ist es so weit: Familie Meier hat Urlaub. <u>Am</u> Montagmorgen fahren sie mit dem Taxi ...

4a Sie waren mit Ihrem Aufenthalt im Hotel *Paradise Village* unzufrieden. Deshalb schreiben Sie an den Reiseveranstalter eine Beschwerde-E-Mail. Überlegen Sie zuerst, was Ihnen nicht gefallen hat. Notieren Sie die Kritikpunkte.

So steht es in den Reiseunterlagen:	So war die Realität:
1. schönes Doppelzimmer	*Das Zimmer war dunkel und klein.*
2. verkehrsgünstig, direkt am Meer, Naturstrand	
3. Vollpension	

b Lesen Sie die Formulierungen für eine schriftliche Beschwerde. Markieren Sie die Formulierungen, die Sie verwenden wollen.

- ☐ 1. Ich habe ... gebucht.
- ☐ 2. Es gab kein ...
- ☐ 3. Sehr geehrte Damen und Herren, ...
- ☐ 4. Es wäre sehr nett, ...
- ☐ 5. Aus diesen Gründen ...
- ☐ 6. Ich möchte mich über ... beschweren.
- ☐ 7. Über eine Antwort würde ich mich freuen.
- ☐ 8. Leider musste ich feststellen, ...
- ☐ 9. Mit freundlichen Grüßen

- ☐ 10. Ich fordere einen Teil des Reisepreises zurück.
- ☐ 11. Bitte informieren Sie mich über ...
- ☐ 12. Sollten Sie nicht innerhalb der nächsten Tage antworten, ...
- ☐ 13. Ich schicke Ihnen Fotos mit.
- ☐ 14. Beste Grüße
- ☐ 15. In Ihrer Hotelbeschreibung stand ...
- ☐ 16. Ich hänge zwei Fotos an.

c Schreiben Sie nun die Beschwerde. Schreiben Sie zu folgenden Punkten:

- · warum Sie schreiben
- · welche Reise Sie gemacht haben (Reisedaten und Hotel)
- · womit Sie unzufrieden waren
- · was Sie erwarten

1 Sie hören vier kurze Texte zum Thema „Reisen". Sie hören jeden Text zweimal. Zu jedem Text lösen Sie zwei Aufgaben. Wählen Sie bei jeder Aufgabe die richtige Lösung. Hören und lesen Sie zuerst das Beispiel.

Beispiel:
Text 0
1. Der Flug nach Mallorca fällt aus.

| Richtig | ~~Falsch~~ |

2. Das Reisebüro fragt nach, ob Frau Lange …

- a ab Hannover fliegen möchte.
- b einen Flug von Hamburg wünscht.
- **X** auch ein anderer Termin passt.

Text 1
3. Der Zug nach Salzburg ist verspätet.

| Richtig | Falsch |

4. Die Reisenden sollen …

- a erst nach Rosenheim fahren.
- b Mitreisenden reservierte Plätze überlassen.
- c bis um 12:35 Uhr warten.

Text 2
5. Sie hören eine Wettervorhersage.

| Richtig | Falsch |

6. Welche Gefahr besteht an der Anschlussstelle Bispingen?

- a Gefahr durch Schnee.
- b Gefahr durch extreme Glätte.
- c Gefahr durch einen Unfall.

Text 3
7. Das Hotel Alster-Residenz fragt wegen einer Rechnung nach.

| Richtig | Falsch |

8. Herr Groß …

- a muss sofort 125,- Euro bezahlen.
- b soll zurückrufen.
- c muss die Buchung schriftlich bestätigen.

Text 4
9. Sie hören einen Hinweis im Flugzeug.

| Richtig | Falsch |

10. Es wird darauf hingewiesen, …

- a dass allen Gästen ein Essen serviert wird.
- b dass man für einen Kaffee 2,50 € bezahlt.
- c dass man für 6,50 € ein Sonderangebot erhält.

2 Etwas in Hamburg unternehmen – Informationen erfragen. Lesen Sie die Antworten und schreiben Sie passende Fragen.

1. Tut mir leid, in der Preisklasse bis 50 Euro ist für morgen kein Einzelzimmer im Zentrum mehr frei. Kann es auch ein Hotel außerhalb sein?
2. Am Samstag fährt nach 19 Uhr jede Stunde ein Intercity, z. B. um 19:46 Uhr, 20:46 Uhr usw. nach Bremen, der letzte fährt um 22:46 Uhr. Die Fahrt dauert eine knappe Stunde.
3. Ja, das klappt. Ein Tisch für zwei Personen für heute Abend. Auf welchen Namen, bitte?
4. Im Moment läuft „König der Löwen" im Theater am Hafen, „Phantom der Oper" in der Neuen Flora oder „Rocky – Das Musical" im Operettenhaus. Tickets und Uhrzeiten können Sie an den Spielstätten erfragen.

3 Ergänzen Sie die Mindmap mit passenden Begriffen. Suchen Sie im Modul 4 im Lehrbuch und auch im Wörterbuch.

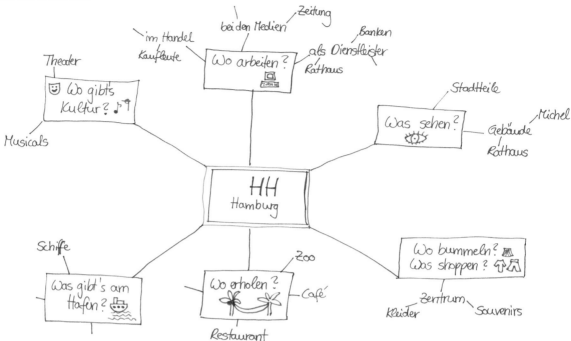

Aussprache: *kr, tr, pr, spr, str*

a Hören Sie zu und sprechen Sie den Laut und das Wort nach.

23

b Hören Sie das Gedicht und markieren Sie die Laute aus a. Sprechen Sie dann das Gedicht laut.

24

Im Haus, da bin ich nie allein,	sie springen und sprinten,
im Winter kommen Mäuse rein.	sie streiten und strampeln.
Sie trippeln und trappeln,	„Na, prima", schimpf´ ich in mich hinein
und kriechen und krabbeln,	und lad´ mir gleich ein Kätzchen ein.

c Suchen Sie noch je drei Wörter mit *kr, pr, tr, spr* und *str*, vergleichen Sie mit Ihrem Partner / Ihrer Partnerin und sprechen Sie zu zweit die gesammelten Wörter laut.

d Hören Sie die Wörter und markieren Sie: Welche Wörter werden mit *sch* gesprochen?

25

Sprit|ze – As|tro|naut – ab|stram|peln – knus|prig – Stra|ße – Strom – As|trid – ver|spre|chen – Kas|per – frus|triert – an|stren|gend

e Hören Sie noch einmal, sprechen Sie laut mit und klatschen Sie die Silben.

f Wie heißen die Regeln? Ergänzen Sie *Silbe, s* und *sch*.

1. Steht *s* am Anfang eines Wortes vor *p* oder *t*, wird es wie _____ ausgesprochen.

2. *s* wird zu *sch*, wenn es am Anfang einer _____ vor *p* oder *t* steht.

3. Befinden sich *s* und *t* oder *s* und *p* in unterschiedlichen Silben, wird *s* wie _____ ausgesprochen.

So schätze ich mich nach Kapitel 9 ein: Ich kann …	+	○	−
… ein Interview über eine Weltreise verstehen. ▶M1, A2	☐	☐	☐
… ein Interview zum Thema „Workcamps" verstehen. ▶M2, A2a	☐	☐	☐
… ein Telefongespräch für eine Hotelbuchung verstehen. ▶M4, A2b	☐	☐	☐
… kurze Texte und Ansagen aus dem Themengebiet „Reisen" verstehen. ▶AB M4, Ü1	☐	☐	☐
… Inhalte von Blogs zum Thema „Workcamps" verstehen. ▶M2, A3a	☐	☐	☐
… kurze Erfahrungsberichte zu Workcamps verstehen. ▶AB M2, Ü3	☐	☐	☐
… ein Reiseangebot richtig verstehen. ▶M3, A2	☐	☐	☐
… einen Text aus einem Reiseführer verstehen. ▶M4, A1	☐	☐	☐
… über eigene Reiseerfahrungen berichten. ▶M1, A1	☐	☐	☐
… Vermutungen anstellen, wofür sich Menschen in Workcamps engagieren. ▶M2, A1a	☐	☐	☐
… zu Aussagen über Workcamps Zustimmung, Zweifel oder Ablehnung ausdrücken. ▶M2, A2b	☐	☐	☐
… mich auf einer Reise über Mängel beschweren. ▶M3, A4	☐	☐	☐
… ein Hotelzimmer telefonisch reservieren. ▶M4, A3b	☐	☐	☐
… auf einer Reise Informationen erfragen und geben. ▶M4, A4, A5	☐	☐	☐
… einen Blogbeitrag zum Thema „Workcamps" schreiben. ▶M2, A3b	☐	☐	☐
… eine Beschwerde-Mail an einen Reiseveranstalter schreiben. ▶AB M3, Ü4	☐	☐	☐
… einen Text über einen idealen Tag in meiner Stadt schreiben. ▶M4, A6b	☐	☐	☐

Das habe ich zusätzlich zum Buch auf Deutsch gemacht (Projekte, Internet, Filme, Texte, …):

Datum: Aktivität:

_____   _____

_____   _____

_____   _____

_____   _____

_____   _____

Grammatik und Wortschatz weiterüben: interaktive Übungen unter www.aspekte.biz/online-uebungen1

Wortschatz

Modul 1 Einmal um die ganze Welt

das Abenteuer, -	_____	das Internetzeitalter	_____
beneiden	_____	der Reiseführer, -	_____
die Beschaffung	_____	die Reisevorbereitung, -en	_____
die Dauer	_____	sparen	_____
die Eckdaten (Pl.)	_____	das Startkapital	_____
das Fernweh	_____	der Traumstrand, -"e	_____
finanzieren	_____	der Unsinn	_____
der Hausrat	_____	die Weltreise, -n	_____

Modul 2 Urlaub mal anders

anpacken	_____	die Pflanze, -n	_____
sich anfreunden mit	_____	das Projekt, -e	_____
aufbauen	_____	das Richtfest, -e	_____
der Betreuer, -	_____	schuften	_____
die Eigeninitiative	_____	teamfähig	_____
der/die Einheimische, -n	_____	die Tour, -en	_____
sich einschränken	_____	die Unterkunft, -"e	_____
sich engagieren für	_____	vermitteln	_____
das Gegenteil, -e	_____	das Visum, die Visa	_____
die Impfung, -en	_____	das Workcamp, -s	_____

Modul 3 Ärger an den schönsten Tagen

der Badestrand, -"e	_____	die Meerseite	_____
der Direktflug, -"e	_____	die Preisminderung, -en	_____
enttäuscht von	_____	das Reiseangebot, -e	_____
erheblich	_____	der Reisepreis, -e	_____
der Felsen, -	_____	der Reiseveranstalter, -	_____
der Fluglärm	_____	der Streitfall, -"e	_____
das Gericht, -e	_____	der Transfer, -s	_____
hinnehmen (nimmt hin, nahm hin, hat hinge- nommen)	_____	die Umgangssprache	_____
		die Unannehmlichkeit, -en	_____
		verkehrsgünstig	_____
der Katalog, -e	_____	die Verpflegung	_____
die Küste, -n	_____	die Vollpension	_____
der Lärm	_____	die Wartezeit, -en	_____
der Mangel, -"	_____	zurückfordern	_____
der Meerblick	_____		

Modul 4   Eine Reise nach Hamburg

beladen (belädt, belud, hat beladen)	_____	extravagant	_____
		der Hafen, -"	_____
die Börse, -n	_____	die Passage, -n	_____
bummeln	_____	das Schiff, -e	_____
das Dienstleistungs- zentrum, -zentren	_____	das Schmuddelwetter	_____
		der Seemann, -"er	_____
die Entdeckungstour, -en	_____	das Viertel, -	_____
entladen (entlädt, entlud, hat entladen)	_____	vornehm	_____
		sich wandeln	_____

Wichtige Wortverbindungen:

einen Abstecher machen nach _____

per Anhalter fahren _____

eine reine Illusion sein _____

etw./nichts klappt _____

Land und Leute kennenlernen _____

eine Pause einlegen _____

überbucht sein _____

viel Zeit in Anspruch nehmen _____

Wörter, die für mich wichtig sind:

_____ _____ _____ _____

_____ _____ _____ _____

_____ _____ _____ _____

_____ _____ _____ _____

Natürlich Natur!

Vor dem Start: Erinnern Sie sich? Diese Übungen bereiten Sie auf das Kapitel vor.

 1a Ordnen Sie die Wörter in die Tabelle ein.

der Frost	der Wald	das Gewitter	das Meer	das Gras	die Luft	die Ziege	die Trockenheit
das Insekt	der Nebel	das Getreide	der Niederschlag	die Wüste	die Kuh	der Orkan	das Gebirge
das Vieh	der Strand	das Wildschwein	der Vogel	die Erwärmung	das Moor	der Sturm	
die Rose	das Reh	die Wiese	das Huhn	die Wolke	das Wetter	der Hirsch	das Glatteis

Klima	Landschaft	Pflanzen	Tiere
der Frost			

b Schreiben Sie drei Sätze mit je möglichst vielen Wörtern aus der Tabelle.

Ein Vogel flog am dunklen Himmel über das Meer und suchte Insekten, als das Gewitter begann. …

 2 Ergänzen Sie den Text.

Umweltbewusstsein	umweltfreundlich	Umweltkatastrophe	umweltschädlich
Umweltschutz	Umweltverschmutzung	Umweltzerstörung	

Die Ökis – eine Partei stellt sich vor

Ein wichtiges Anliegen unserer Partei ist der
(1) _____. Die rücksichts-
lose (2) _____ durch
(3) _____ Industrie- und
Autoabgase muss beendet werden. Durch
unsere Veranstaltungen möchten wir das
(4) _____ der Bürger stärken.
Unser großes Ziel ist es, die Nutzung alternativer Energiequellen und das Verwenden
(5) _____ Produkte zu fördern. So wollen wir es schaffen, die
fortschreitende (6) _____ zu stoppen, den Klimawandel zu verlang-
samen und die großen drohenden (7) _____ zu verhindern.

3a Bilden Sie die passenden Verben zu den Nomen. Das Wörterbuch hilft.

1. die Verschmutzung – *verschmutzen*
2. die Zerstörung – _____
3. der Schaden – _____
4. der Schutz – _____
5. die Produktion – _____

6. der Protest – _____
7. die Rettung – _____
8. das Verbot – _____
9. das Recycling – _____
10. die Gefahr – _____

b Wählen Sie fünf Verben aus 3a und bilden Sie je einen Satz.

1. _____
2. _____
3. _____
4. _____
5. _____

4 Hier finden Sie zehn Aktivitäten, um die Umwelt zu schonen. Notieren Sie sie. Was können Sie noch tun?

WASSERSPARENANDSABFALLTRENNENSBRAKEINSCHADSTOFFARMESAUTOFAHRENTELLANBÄUME
PFLANZENNABRUSTÖFFENTLICHEVERKEHRSMITTELBENUTZENDELSTRABASTANDBYAUSSCHALTEN
ANDRGENERGIESPARLAMPENBENUTZENTHALBÖKOSTROMNUTZENORIFAKNFAHRGEMEINSCHAFTEN
BILDENUNSORUMWELTFREUNDLICHHEIZENTERN

Wasser sparen, …

5 Lösen Sie das Kreuzworträtsel.

(ä, ö, ü = ein Buchstabe)

1. jemand, der sich aktiv für etwas einsetzt, zeigt …
2. Abfälle, die beim Auspacken von Gegenständen und Lebensmitteln anfallen
3. ein Behälter für Abfälle
4. eine andere Möglichkeit
5. umweltfreundlich produzierte Waren
6. schmutziges, gebrauchtes Wasser
7. Papier, das jetzt Abfall ist, z. B. alte Zeitungen
8. umweltfreundlich, umweltverträglich
9. Verpackungsmaterial (besonders Papier und Glas) wiederverwenden
10. Sammelbehälter für Biomüll
11. verschmutzte Luft, die z. B. durch Autos verursacht wird (Plural)

Umweltproblem Single

 1 Welches Verb passt? Ergänzen Sie.

verbrauchen	vermehren	verhindern	fordern	produzieren	schaffen

1. Wohnungen für nur eine Person gibt es heute viel häufiger als früher und dadurch

    _____ sich auch die Probleme für die Umwelt.

2. Ein-Personen-Haushalte _____

    pro Kopf mehr Energie als Mehr-Personen-Haushalte.

3. Sie _____ vergleichsweise auch

    mehr Müll.

4. Um noch mehr Schaden für die Umwelt zu

    _____, sollte man schnell nach Lösungen suchen.

5. Architekten versuchen, ökologisch wertvolle Wohnmöglichkeiten zu _____.

6. Viele Leute _____ aber, man sollte sich lieber mit dringenderen Umwelt-

    problemen beschäftigen.

 2 Aktiv oder Passiv? Was passt in den folgenden Situationen besser? Kreuzen Sie an.

1. Sie gehen mit einem Freund an einem großen Grundstück vorbei, auf dem früher eine schöne alte Villa stand, die Ihnen und Ihrem Freund sehr gefallen hat. Sie sagen:

    [a] Eine Firma hat das Haus leider abgerissen.

    [b] Das Haus wurde leider abgerissen.

2. Eine Freundin von Ihnen ist Ingenieurin und hat letztes Jahr ein umweltfreundliches Motorrad entwickelt. Sie sind stolz auf sie und erzählen:

    [a] Anna Maria hat letztes Jahr ein umweltfreundliches Motorrad entwickelt.

    [b] Letztes Jahr wurde ein umweltfreundliches Motorrad entwickelt.

3. Ein Kollege fragt, warum die Sekretärin nicht da ist. Sie sagen:

    [a] Frau Müller ist krankgeschrieben. Der Arzt hat sie gestern operiert.

    [b] Frau Müller ist krankgeschrieben. Sie wurde gestern operiert.

4. Sie sind umgezogen und fragen Ihre Nachbarin nach den Hausregeln. Sie fragen:

    [a] Wann schließen die Hausbewohner abends die Haustür ab?

    [b] Wann wird abends die Haustür abgeschlossen?

5. Ihr Cousin hat ein Buch geschrieben und die ganze Familie freut sich über diesen Erfolg. Sie wollen das Buch einer Freundin leihen. Sie sagen:

    [a] Mein Cousin Peter hat dieses Buch vor Kurzem veröffentlicht.

    [b] Dieses Buch wurde vor Kurzem veröffentlicht.

6. Ein wichtiger Geschäftsbrief von Ihnen soll heute noch verschickt werden. Sie fragen in der Poststelle nach den Zeiten. Sie fragen:

    [a] Wann holt jemand die Post ab?

    [b] Wann wird die Post abgeholt?

3a Umweltprobleme. Formulieren Sie Sätze im Passiv Präsens.

1. werden / heutzutage / produzieren / zu viel Verpackungsmüll

   Heutzutage _____

2. häufig / verschwenden / Ressourcen / werden

   _____

3. verpesten / durch Abgase / die Luft / werden

   _____

4. werden / informieren / über die Umweltprobleme / die Menschen

   _____

5. Lösungen für die Umweltprobleme / suchen / in vielen Projekten / werden

   _____

 b Ein Öko-Haus wurde gebaut. Was wurde alles gemacht?
Schreiben Sie im Passiv Präteritum.

1. das Haus planen

   _____

2. die Finanzierung sichern

   _____

3. Interessenten informieren

   _____

4. eine energiesparende Heizung einbauen

   _____

5. die Solaranlage installieren

   _____

c Viele Fragen. Antworten Sie mit Passiv Perfekt.

1. Warum hast du nicht beim Aktionstag geholfen? (fragen)

   Ich bin nicht gefragt worden. _____

2. Warum ist Peter nicht zur Versammlung gekommen? (einladen)

   Er _____

3. Warum ist die alte Spülmaschine immer noch hier? (abholen)

   _____

4. Warum gibt es kein Geld mehr für das Projekt? (schon ausgeben)

   _____

5. Warum sind die Müllers nicht zu der Präsentation gegangen? (zu spät informieren)

   _____

4a Was sollte hier getan werden? Schreiben Sie Sätze im Passiv.

| reparieren | rausbringen | ausschalten | sortieren | ~~runterdrehen~~ |

1. Die Heizung ist total heiß!

   Sie sollte runtergedreht werden.

2. Der Mülleimer ist schon wieder ganz voll!

   _____

3. Glas, Papier, Plastik! Der ganze Müll ist durcheinander.

   _____

4. Der Wasserhahn tropft schon seit Wochen.

   _____

5. Alle Geräte stehen auf Stand-by.

   _____

b Sehen Sie sich in Ihrer Wohnung / Ihrem Zimmer um. Was sollte/muss hier getan werden? Schreiben Sie drei Sätze.

Die Fenster müssen geputzt werden.

 5 Was darf nicht mehr passieren? Formulieren Sie Sätze wie im Beispiel.

STOPP!
→ Luft verpesten
→ Wasser verschwenden
→ Flüsse verschmutzen
→ Müll in die Natur werfen
→ die Erde vergiften
→ die Wälder abholzen

1. *Die Luft darf nicht mehr verpestet werden.*
2. _____
3. _____
4. _____
5. _____
6. _____

1 Welche Ausdrücke passen wo? Erstellen Sie eine Tabelle und tragen Sie die Ausdrücke in die passende Spalte ein.

> Ich finde es erstaunlich, dass …
>
> Ich finde es ganz besonders schön, wenn …
>
> Ich finde es wirklich schlimm, wenn …
>
> Ich freue mich, wenn ich … sehe.
>
> Ich habe den Eindruck, dass es sehr/etwas übertrieben ist, wenn …
>
> Ich finde es sehr gut, wenn jemand …
>
> Mich interessiert, wie/ob …
>
> Mich nervt es, wenn …
>
> Mich überrascht, wie …
>
> Mir scheint es richtig/wichtig, dass …
>
> Ich finde es wichtig, zu wissen, wie/ob …
>
> Ich finde es schockierend, wenn …
>
> Ich kann sehr gut verstehen, wenn …
>
> Ich kann überhaupt nicht nachvollziehen, wie jemand …

Missfallen ausdrücken	Interesse/Erstaunen ausdrücken	Gefallen ausdrücken

2 Ergänzen Sie die Wörter im Text.

> Anschaffungskosten   Futter   Halsband   Haustier   Hundebesitzer   Hundelebens
> Mietwohnung   Steuer   Tierarztbesuche   Versicherung

Wer sich in Deutschland ein (1) _____ – zum Beispiel

einen Hund – anschaffen möchte, muss vieles bedenken. Wohnt man in einer

(2) _____, muss man zunächst klären, ob man Haustiere

überhaupt halten darf. Neben den (3) _____ für

den Hund und den Kosten für das (4) _____, kommen

noch andere Ausgaben auf einen Hundebesitzer zu.

In Deutschland muss man für jeden Hund die sogenannte Hundesteuer zahlen.

Je nach Größe des Hundes und je nachdem, in welchem Ort man wohnt, ist die

(5) _____ unterschiedlich hoch. Sie liegt zwischen 20

und 250 Euro im Jahr. Jeder (6) _____ in Deutschland

bekommt für seinen Hund eine Hundemarke mit einer Steuernummer. Diese

Marke muss der Hund immer sichtbar am (7) _____ tragen.

Außerdem sollte man sich überlegen, ob man eine (8) _____ für den Hund

abschließt für den Fall, dass er etwas kaputt macht oder jemanden verletzt. Auch eine Tierkranken-

versicherung kann man abschließen – Kosten für (9) _____ werden aber in jedem

Fall anfallen, schon alleine für Impfungen.

Die Kosten für einen Hund betragen im Laufe eines (10) _____ mindestens

5.000 Euro – in vielen Fällen auch deutlich mehr.

3 Lesen Sie den Zeitungsartikel und lösen Sie dann die fünf Aufgaben zum Text. Kreuzen Sie die richtige Antwort an. Achtung: Die Reihenfolge der einzelnen Aufgaben folgt nicht immer der Reihenfolge des Textes.

Ein Tag als Tierpfleger

Jeden Morgen ...

... fangen wir mit einem kurzen Teammeeting an. Wir sprechen über den Tagesablauf und darüber, was es an diesem Tag Besonderes zu tun gibt. Dann machen
5 die einen bei den Katzen sauber und kümmern sich um sie; die anderen reinigen die Ställe der Nagetiere wie Hasen, Meerschweinchen und Hamster und betreuen unsere „Gäste". Bei uns kann man nämlich sein Tier auch in Pflege geben, während man im Urlaub ist.
10 In der Küche wird dann das Futter für die Katzen und Hunde vorbereitet und auch die Medikamente für die kranken Tiere werden bereitgelegt. Einer von uns ist immer im Büro, denn das Telefon klingelt bei uns sehr oft. Dann gehen wir in jeden Käfig, holen
15 die alten Fressnäpfe zum Saubermachen und stellen frische – und gefüllte – Futternäpfe auf. Die schmutzigen Schüsseln werden alle gereinigt und desinfiziert.
Bevor wir Mittagspause machen, besprechen wir noch mal kurz, ob es Besonderheiten gab und worauf
20 wir besonders achten sollten. Das wird alles genau protokolliert.

Am Nachmittag ...

... erledigen wir Büroarbeiten und andere organisatorische Dinge. Oft müssen wir auch noch mal den
25 einen oder anderen Käfig reinigen. Ab 14:00 Uhr kommen meistens Besucher. Das sind Leute, die sich ein Tier aussuchen möchten oder sich über unsere Arbeit informieren wollen. Manche Leute kommen auch, um regelmäßig mit einem der Hunde spazieren
30 zu gehen. Bis 16:00 Uhr nehmen wir uns meist viel Zeit für Beratungsgespräche. Da gibt es oft sehr viele Fragen von den Besuchern. Besonders an den Wochenenden ist immer viel los. Diese Besuchszeiten sind ein sehr zentraler Teil unserer Arbeit, denn es ist un-
35 ser wichtigstes Ziel, für möglichst viele Tiere ein neues Zuhause zu finden. Danach haben wir dann meist Zeit, Einkäufe zu erledigen oder zu Außeneinsätzen zu fahren. Wir werden oft gerufen, wenn jemand ein Tier gefunden hat. Dann fahren wir dorthin, holen
40 das Tier ab, bringen es zum Tierarzt und versorgen es.
Auch am Nachmittag ist das Telefon immer von jemandem aus unserem Team besetzt. Vor dem Abend werden die Tiere dann noch einmal gefüttert und alles wird aufgeräumt für den nächsten Arbeitstag.
45 Tierpfleger ist ein toller Beruf! Manche Leute denken, dass der Job total anstrengend ist, und mein Freund findet ihn auch langweilig, aber ich bin gerne Tierpfleger, denn ich lerne täglich etwas Neues dazu – und jeder Tag ist anders, weil jedes Tier anders ist.

---

1. Im Tierheim ...
   a gibt es nur Tiere, die keinen Besitzer haben.
   b werden auch Tiere von Leuten versorgt, die verreist sind.
   c werden keine kranken Katzen und Hunde aufgenommen.

2. Der Autor des Textes findet seinen Beruf ...
   a abwechslungsreich.
   b langweilig.
   c sehr ermüdend.

3. Am Morgen ...
   a gehen die Tierpfleger Tierfutter kaufen.
   b werden die anstehenden Aufgaben besprochen.
   c werden als Erstes die Tiere gefüttert.

4. Die Tierpfleger ...
   a können nur Tieren helfen, die im Tierheim sind.
   b sind auch außerhalb des Tierheims tätig, um Tieren zu helfen.
   c verlassen das Tierheim nur für dringende Besorgungen.

5. Die Tierpfleger ...
   a finden die vielen Fragen der Besucher oft lästig.
   b empfangen die Besucher nicht jeden Tag.
   c kümmern sich nachmittags intensiv um Besucher.

1a Wechselpräpositionen. Was gehört zusammen?

1. _____ Wir nehmen den Weg   a auf dem Umschlag.

2. _____ Ich klebe die Briefmarken   b über der Brücke.

3. _____ Die meisten Leute werfen den Müll immer gleich   c im Abfalleimer.

4. _____ Das kaputte Glas liegt   d vor das Auto!

5. _____ Da fehlt noch eine Briefmarke   e vor dem Auto!

6. _____ Eine dunkle Wolke steht genau   f auf den Umschlag.

7. _____ Achtung, das Reh läuft   g über die Brücke.

8. _____ Das Tier stand direkt   h in den Abfalleimer.

b Schreiben Sie Sätze.

1. die Bürger Kassels / jedes Jahr / beim Aufräumtag / in / die Stadt / mitmachen.
2. sie / immer / ungefähr 10 Kilo Müll / auf / die Straße / finden / und / ihn / in / große Müllsäcke / stecken.
3. beim letzten Mal / sie / neben / ein Autobahnparkplatz / ein altes Fahrrad / gefunden / haben.
4. jetzt / das alte Fahrrad / neben / alte Autoteile / auf / Schrottplatz / liegen.

1. Die Bürger Kassels machen jedes Jahr beim …

2a Lokale Präpositionen. Welche Präposition passt?

| ab | entlang | gegen | gegenüber | innerhalb | um … herum |

1. Der Park ist _____ dem Bahnhof.

2. Im Park geht eine Ente den Bach _____.

3. _____ des Parks darf man nicht Fahrrad fahren.

4. Ein Mann ist _____ ein Schild gelaufen.

5. Ein Hund läuft _____ den Mann und das Schild _____.

6. Der Weg ist _____ der kleinen Brücke gesperrt.

b Ergänzen Sie und achten Sie auf den Kasus.

Lorenz joggt jeden Morgen (1) _____ (durch – der Park) immer

(2) _____ (entlang – der Bach). Aber heute sieht alles ganz anders aus:

Jemand hat einen bunten Schal (3) _____ (um – der Baum) gewickelt, der

(4) _____ (gegenüber – die Brücke) steht. (5) _____

(Bei – die Brücke) ist auch alles anders: (6) _____ (Durch – das Geländer)

hat jemand bunte Strickblumen gesteckt. (7) _____ (Von – die Brücke) ist es nicht

mehr weit (8) _____ (zu – der Ausgang) des Parks.

(9) _____ (Bei – die Fahrradständer) am Ausgang hat jemand bunte

Socken aufgehängt. (10) _____ (Außerhalb – der Park) ist alles wie

immer.

3 Sie hören nun eine Diskussion und ordnen acht Aussagen zu: Wer sagt was? Lesen Sie zuerst die Aussagen 1–8. Hören Sie sich den Hörtext anschließend zweimal an.

26

Der Moderator der Radiosendung „Jetzt bin ich dran!" diskutiert mit den beiden Vielfahrern Markus Raller und Hella Steger über das Thema „Grünbrücken – sinnvolle Investition oder Geldverschwendung?".

	Moderator	Markus Raller	Hella Steger
1. Grünbrücken hat man gebaut, damit Wildtiere große Straßen gefahrlos überqueren können.	a	b	c
2. Die meisten Wildunfälle passieren am frühen Abend und in den Morgenstunden.	a	b	c
3. Wer noch nie Probleme mit Wildtieren auf der Straße hatte, kann sich glücklich schätzen.	a	b	c
4. Wildunfälle lassen sich auch mit Grünbrücken nicht gänzlich vermeiden.	a	b	c
5. Wildtiere nutzen Grünbrücken tatsächlich.	a	b	c
6. Die Kosten für Grünbrücken sind günstiger, wenn diese in den Straßenbau integriert werden.	a	b	c
7. Die gesicherte Finanzierung eines guten Straßennetzes ist eine Grundvoraussetzung.	a	b	c
8. Die Autoindustrie entwickelt bereits Sicherheitssysteme, die Gefahren selbstständig erkennen.	a	b	c

Kostbares Nass

1a Sehen Sie sich noch einmal die Fotos im Lehrbuch an. Welcher Text passt zu welchem Foto?
Ordnen Sie zu.

Text A: Foto _____   Text B: Foto _____   Text C: Foto _____   Text D: Foto _____   Text E: Foto _____

A Die Trinkwasserqualität ist in Deutschland sehr gut und wird ständig kontrolliert. Das Trinkwasser muss absolut einwandfrei sein, was Geschmack, Geruch und Aussehen betrifft. Auch die Bevölkerung ist mit der Trinkwasserqualität zufrieden.

B Weltweit leben Millionen von Menschen ständig mit der Bedrohung durch Hochwasser. An Küsten entsteht Hochwasser oft durch hohe Wellen, die sich durch Wirbelstürme oder Seebeben bilden. Im Landesinneren entstehen Hochwasser und Überschwemmungen meist durch starke und lang anhaltende Regenfälle.

C Trockenperioden mit Regenmangel und hohen Temperaturen schädigen die Vegetation, da die Pflanzen keine Feuchtigkeit mehr aus dem Boden ziehen können. Die Folgen: ausgetrocknete Landschaften, Trinkwasserknappheit, Ernteausfälle und hungernde Menschen.

D Viele Bäche und Flüsse wurden jahrelang verschmutzt, bis kein Fisch mehr in ihnen gelebt hat. Mittlerweile hat sich die Lage bei vielen Gewässern gebessert. So sah es z. B. vor vielen Jahren so aus, als sei der Rhein tot. Seit hundert Jahren als Abwasserkanal missbraucht, kämpfte der Fluss ums Überleben. In der Nacht des 1. November 1986 färbte sich das Wasser blutrot. Mit Löschwasser aus einem Brand gelangten 30 Tonnen Chemikalien und Farbstoffe direkt in den Rhein. Das Gift tötete das Leben im Rhein. Nach diesem Schock begann man umzudenken. Dank zahlreicher Aktionen ist der Rhein wieder zu einem lebendigen Fluss geworden.

E Gesteine verwittern über Jahrmillionen zu Sand und Staub. Über den Regen, Bäche und Flüsse kommen diese kleinen Gesteinsteilchen ins Meer und werden dort weiter bearbeitet. Gesteinsüberreste mit einem Durchmesser zwischen zwei und 0,063 Millimetern werden als Sand bezeichnet. Dieser wird dann an der Küste von den Wellen als Strand abgelagert.

b Wählen Sie einen Aspekt aus und berichten Sie kurz über die Situation in Ihrem Land.

Bei uns / In meinem Land …   *Ich glaube/denke, …*
Im Gegensatz zu …   *Ein Beispiel dafür ist …*

2 Wasser. Was bedeuten die Redewendungen? Verbinden Sie.

1. jmd. steht das Wasser bis zum Hals _____
2. jmd. läuft das Wasser im Mund zusammen _____
3. etwas fällt ins Wasser _____
4. sich über Wasser halten können _____
5. jmd. nicht das Wasser reichen können _____
6. mit allen Wassern gewaschen sein _____

a nicht so gut sein wie ein anderer
b etwas Geplantes kann nicht stattfinden
c viele Tricks kennen
d jmd. bekommt großen Appetit auf etwas
e jmd. hat große (finanzielle) Probleme
f gerade noch genug Geld zum Leben haben

3 Lesen Sie den Text und notieren Sie die wichtigsten Informationen in Stichwörtern. Schließen Sie dann das Buch und tauschen Sie die Informationen mit Ihrem Partner / Ihrer Partnerin aus.

Die Ostsee in Gefahr

Die Ostsee – Das ist ein einmaliges Ökosystem. Sie zeichnet sich durch eine große biologische Vielfalt aus und ist für die Menschen in vielerlei Hinsicht wichtig, z. B. für die Ernährung und den Tourismus.

5 Es gibt zahlreiche Naturschutzgebiete und Nationalparks. Umweltschützer fordern jedoch, dass diese Schutzgebiete vergrößert werden.

Denn 25 Prozent des Meeresbodens gelten als biologisch tot. Die Ostsee gehört damit zu den am stärksten

10 verschmutzten Meeren der Welt. Abwässer, Industrieabfälle und Düngestoffe werden im Meer entsorgt. Es bilden sich immer wieder giftige Algenteppiche und viele Meeresbewohner sterben.

In vielen Ostseegebieten gibt es kaum noch Fische.
15 Außerdem ist die Ostsee ein Binnenmeer, so bleiben die Gifte auch sehr lange im Ostseewasser. Das Wasser kann sich nicht so schnell erneuern wie in anderen Meeren.

Ein weiteres Problem ist der Schiffsverkehr auf der
20 Ostsee, besonders der Tankerverkehr hat in den letzten Jahren stark zugenommen.

Es gibt zahlreiche Initiativen und Projekte, um die Ostsee zu schützen. Aber bis jetzt ist das nicht genug. Eine große Schwierigkeit dabei sind die unterschiedlichen
25 wirtschaftlichen Interessen der neun Staaten, die an der Ostsee liegen.

Aussprache: lautes Lesen üben

27

1. Hören Sie den Text aus Übung 3 und lesen Sie leise mit.
2. Hören Sie noch einmal und markieren Sie im Text die Pausen und unterstreichen Sie die Wörter oder Satzteile, die der Sprecher stärker betont.
3. Lesen Sie den Text noch einmal laut. Welche Wörter sind für Sie schwierig auszusprechen? Üben Sie diese noch einmal extra.
4. Lesen Sie den Text noch einmal laut. Beachten Sie die Pausen und die betonten Wörter/Satzteile. Kontrollieren Sie noch einmal mit der CD.

TIPP
Suchen Sie im Lehrbuch oder im Internet Texte, die Sie interessant finden, und üben Sie das laute Lesen regelmäßig.
Sie können sich dabei auch aufnehmen. So können Sie sich selbst immer wieder überprüfen.

So schätze ich mich nach Kapitel 10 ein: Ich kann …	+	O	−
… ein Interview mit einem Tierschützer verstehen. ▶M2, A2b, c			
… Detailinformationen aus einem Referat zum Thema „Wasser" verstehen. ▶M4, A2a-c			
… ein Radiogespräch zu einem Umweltthema verstehen. ▶AB M3, Ü3			
… einen Sachtext zum Thema „Singles und Umweltprobleme" verstehen. ▶M1, A1b			
… Berichte über Umweltprojekte verstehen. ▶M3, A1a			
… einen Bericht über den Tagesablauf eines Tierpflegers verstehen. ▶AB M2, Ü3			
… einen Artikel über die Ostsee verstehen. ▶AB M4, Ü3			
… Vermutungen zum Thema „umweltfreundliches Wohnen" anstellen. ▶M1, A1a, c			
… mit Rollenkarten eine Talkshow zum Thema „Umgang mit Tieren" spielen. ▶M2, A4			
… über Umweltprojekte sprechen. ▶M3, A1b			
… über die Wassersituation in meinem Land sprechen. ▶M4, A2d			
… ein Referat zu einem Umweltthema halten. ▶M4, A3			
… Notizen zu einer Talkshow zum Thema „Umgang mit Tieren" machen. ▶M2, A2c			
… in einer Mail über ein Erlebnis mit einem Tier berichten. ▶M2, A3			
… ein Umweltprojekt beschreiben. ▶M3, A3			
… ein Referat schriftlich vorbereiten. ▶M4, A3			

Das habe ich zusätzlich zum Buch auf Deutsch gemacht (Projekte, Internet, Filme, Texte, …):

Datum: Aktivität:

Grammatik und Wortschatz weiterüben: interaktive Übungen unter www.aspekte.biz/online-uebungen1

Wortschatz

Modul 1   Umweltproblem Single

der Abfall, -"e	_____
alternativ	_____
appellieren an	_____
betrachten	_____
die Energie, -n	_____
fordern	_____
konsumieren	_____
konsumorientiert	_____
die Krise, -n	_____
produzieren	_____
die Ressource, -n	_____
schaffen (schafft, schuf, hat geschaffen)	_____

das Umweltproblem, -e	_____
verantwortlich sein für	_____
verbrennen (verbrennt, verbrannte, hat verbrannt)	_____
sich vermehren	_____
der Verpackungsmüll	_____
wohlhabend	_____
zunehmen (nimmt zu, nahm zu, hat zugenommen)	_____
die Zeitbombe, -n	_____
der Zuwachs, -"e	_____

Modul 2   Tierisch tierlieb?

aufnehmen (nimmt auf, nahm auf, hat aufgenommen)	_____
aussetzen	_____
gereizt	_____
herrenlos	_____
humorvoll	_____
die Leine, -n	_____

die Tierhaltung	_____
das Tierheim, -e	_____
tierlieb	_____
die Tierquälerei	_____
der Tierschützer, -	_____
traumatisiert	_____
verwahrlost	_____

Modul 3   Alles für die Umwelt?

aufmerksam machen auf	_____
aufräumen	_____
die Ausführung, -en	_____
benutzen	_____
brauchbar	_____
bunt	_____
erfinden (erfindet, erfand, hat erfunden)	_____

erfolgreich	_____
sammeln	_____
der Stadtteil, -e	_____
stricken	_____
der Trend, -s	_____
der Umgang mit	_____
vermindern	_____

Modul 4 Kostbares Nass

der Anteil, -e	_____	verschmutzen	_____
austrocknen	_____	verseucht	_____
die Dürre, -n	_____	vertrocknen	_____
durstig	_____	die Wasserknappheit	_____
fließend	_____	der Wassermangel	_____
der Flüssigkeitshaushalt	_____	der Wasserverbrauch	_____
knapp	_____	die Wasserverschmutzung	_____
das Salzwasser	_____	die Wüste, -n	_____
der Schlamm	_____	der Zugang, -"e	_____
das Süßwasser	_____	zugänglich	_____
das Trinkwasser	_____	zunehmend	_____
die Überschwemmung, -en	_____		

Wichtige Wortverbindungen:

den Alltag bunter machen _____

ein Angebot nutzen _____

eine Krise auslösen _____

zum Problem werden _____

ein Referat halten _____

unter Schock stehen _____

Wörter, die für mich wichtig sind:

_____ _____ _____ _____

_____ _____ _____ _____

_____ _____ _____ _____

_____ _____ _____ _____

Redemittel

Zustimmung ausdrücken
K8M2/K9M2

Der Meinung/Ansicht bin ich auch.
Das stimmt. / Das ist richtig. / Ja, genau.
Das ist eine gute Idee.
Es ist mit Sicherheit so, dass …
Ja, das sehe ich auch so …
Ich finde, … hat damit recht, dass …

Ich bin ganz deiner/Ihrer Meinung.
Da hast du / haben Sie völlig recht.
Ja, das kann ich mir (gut) vorstellen.
… stimme ich zu, denn/da …
Ich finde es auch (nicht) richtig, dass …

(starke) Zweifel ausdrücken
K9M2

Also, ich weiß nicht …
Ob das wirklich so ist?
Ich glaube/denke kaum, dass …
Ich sehe das völlig anders, da …
Versteh mich nicht falsch, aber …

Ich habe da so meine Zweifel, denn …
Stimmt das wirklich?
Ich bezweifle, dass …
Sag mal, wäre es nicht besser …?
Ja, aber ich bin mir noch nicht sicher …

Ablehnung ausdrücken
K8M2/K9M2

Das finde ich nicht so gut.
Es ist ganz sicher nicht so, dass …
Das kann ich mir überhaupt nicht vorstellen, weil …

Es kann nicht sein, dass …
… halte ich für übertrieben.
Ich denke, diese Einstellung ist falsch, denn …

Wichtigkeit ausdrücken
K6M3

Bei einer Bewerbung ist … am wichtigsten.
Für mich ist es wichtig, dass …

Der Bewerber muss erst einmal …
Am wichtigsten ist für mich, dass …

Vermutungen ausdrücken
K6M1/K6M4/K8M3

Ich kann/könnte mir gut vorstellen, dass …
Es kann/könnte (gut) sein, dass …
Er/Sie wird … sein.
Im Alltag wird er/sie …
Es ist denkbar/möglich/vorstellbar, dass …

Vielleicht/Wahrscheinlich/Vermutlich ist/macht …
Ich vermute/glaube / nehme an, dass …
Er/Sie sieht aus wie …
Er/Sie wird vermutlich/wahrscheinlich …
Es könnte … sein. / Es könnte sein, dass …

höfliche Bitten ausdrücken
K8M3

Könnten Sie … bitte …?
Dürfte ich … bitte …?
Hätten Sie bitte … für mich?

Würden Sie … bitte …?
Ich würde Sie bitten, …
Ich bräuchte …

etwas vergleichen
K6M3

Im Gegensatz zu … mache ich immer …
Während … abends …, mache ich …
Bei uns ist … am wichtigsten.

Bei uns ist das ähnlich. Wir beide …
Bei mir ist das ganz anders: …

Beschwerden ausdrücken und darauf reagieren K8M3/K9M3

sich beschweren

Könnten Sie mich bitte mit … verbinden?
Könnte ich bitte Ihren Chef sprechen?
Darauf hätten Sie hinweisen müssen.
Wenn Sie … hätten, hätte ich jetzt kein Problem.
Es kann doch nicht sein, dass …
Ich finde es nicht in Ordnung, dass …
Ich habe da ein Problem: …
Es kann doch nicht in Ihrem Sinn sein, dass …
Ich muss Ihnen leider sagen, dass …
… lässt zu wünschen übrig.
Es stört mich sehr, dass …
Ich möchte mich darüber beschweren, dass …

auf Beschwerden reagieren

Ich würde Sie bitten, sich an … zu wenden.
Wir könnten Ihnen … geben.
Könnten Sie bitte zu uns kommen?
Wir würden Ihnen eine Gutschrift geben.
Würden Sie mir das bitte alles schriftlich geben?
Entschuldigung, wir überprüfen das.
Ich kann Ihnen … anbieten.
Einen Moment bitte, ich regele das.
Oh, das tut mir sehr leid.
Wir kümmern uns sofort darum.

Argumente verbinden K7M2

Zunächst einmal denke ich, dass …
Außerdem/Weiterhin ist für mich wichtig, dass …
Schließlich möchte ich noch darauf hinweisen, dass …

Ein weiterer Vorteil ist, dass man … ist/hat.
Ich glaube darüber hinaus, dass man so … besser …

ein Verkaufs-/Tauschgespräch führen K8M2

ein Produkt bewerben/anpreisen

Ich habe es gekauft, weil …
Das kannst du immer …
Das ist noch ganz neu / wenig gebraucht / …
… steht dir super / ist total praktisch / …
Man kann es super gebrauchen, um … zu …

etwas aushandeln / Angebote bewerten

Tut mir leid. Das habe ich schon.
Das ist ein bisschen wenig/viel.
Ich würde lieber gegen … tauschen.
Das finde ich einen guten Tausch / ein faires Angebot.

ein Zimmer telefonisch buchen K9M4

Gast

Guten Tag, mein Name ist …
Ich möchte ein Zimmer buchen.
Ich brauche ein Zimmer für … Nächte.
Ich möchte am … anreisen.
Ich reise am … wieder ab.
Ich komme mit dem Auto/Zug/…
Wir sind zu zweit.
Das Zimmer sollte ruhig/klimatisiert /
    ein Nichtraucherzimmer / … sein.
Was kostet das Zimmer?
Senden Sie mir bitte eine Bestätigung.
Danke für Ihre Hilfe.

Rezeption

Hotel …, mein Name ist …
Was kann ich für Sie tun?
Wann möchten Sie anreisen/abreisen?
Wie lange werden Sie bleiben?
Reisen Sie alleine?
Haben Sie einen besonderen Wunsch?
Wir haben ein / leider kein Zimmer frei.
Wie reisen Sie an?
Das Zimmer kostet … Euro pro Nacht.
Auf welchen Namen darf ich das Zimmer reservieren?
Möchten Sie eine Reservierungsbestätigung?
Wie lautet Ihre Adresse?
Gern geschehen.

Redemittel

eine Diskussion führen K10M2

um das Wort bitten / das Wort ergreifen
Dürfte ich dazu auch etwas sagen?
Ich möchte dazu etwas ergänzen.
Ich verstehe das schon, aber …
Glauben/Meinen Sie wirklich, dass …?
Da muss/möchte ich kurz einhaken: …
Entschuldigen Sie, wenn ich Sie unterbreche, …

sich nicht unterbrechen lassen
Lassen Sie mich bitte ausreden.
Ich möchte nur noch eines sagen: …
Einen Moment bitte, ich möchte nur noch …
Augenblick noch, ich bin gleich fertig.
Lassen Sie mich noch den Gedanken/Satz zu Ende bringen.

ein Referat / einen Vortrag halten K10M4

Einleitung
Das Thema meines Referats/Vortrags lautet …
Ich spreche heute über das Thema …
Ich möchte euch/Ihnen heute folgendes Thema präsentieren: …

Strukturierung
Mein Referat/Vortrag besteht aus drei Teilen: …
Ich möchte einen kurzen Überblick über … geben.
Zuerst spreche ich über …, dann komme ich im zweiten Teil zu … und zuletzt befasse ich mich mit …

Übergänge
Soweit der erste Teil. Nun möchte ich mich dem zweiten Teil zuwenden.
Nun spreche ich über …
Ich komme jetzt zum zweiten/nächsten Teil.

Interesse wecken
Wusstet ihr / Wussten Sie eigentlich, dass …?
Ist euch/Ihnen schon mal aufgefallen, dass …?
Findet ihr / Finden Sie nicht auch, dass …?

wichtige Punkte hervorheben
Das ist besonders wichtig/interessant, weil …
Ich möchte betonen, dass …
Man darf nicht vergessen, dass …

Dank und Schluss
Ich komme jetzt zum Schluss.
Zusammenfassend möchte ich sagen, …
Abschließend möchte ich noch erwähnen, …
Gibt es noch Fragen?
Vielen Dank für eure/Ihre Aufmerksamkeit!

etwas beschreiben/vorstellen K8M1

Aussehen/Art beschreiben
Das macht man aus/mit …
Es ist/besteht aus …
Es ist ungefähr so groß/breit/lang wie …
Es ist rund/eckig/flach/oval/hohl/gebogen/…
Es ist schwer/leicht/dick/dünn/…
Es ist aus Holz/Metall/Plastik/Leder/…
Es ist … mm/cm/m lang/hoch/breit.
Es ist billig/preiswert/teuer/…
Es schmeckt/riecht nach …

Funktion beschreiben
Ich habe es gekauft, damit …
Besonders praktisch ist es, um …
Es eignet sich sehr gut zum …
Ich finde es sehr nützlich, weil …
Ich brauche/benutze es, um …
Dafür/Dazu verwende ich …
Dafür braucht man …
Das isst man an/zu …

Grammatik

Verb

Konjunktiv II

Kapitel 8

Funktionen

Wünsche ausdrücken	Ich würde gern einen neuen Laptop kaufen.
Bitten höflich ausdrücken	Könnten Sie mir das Problem bitte genau beschreiben?
Irreales ausdrücken	Hätten Sie die Ware doch früher abgeschickt.
Vermutungen ausdrücken	Es könnte sein, dass der Laptop einen Defekt hat.
Vorschläge machen	Ich könnte Ihnen ein Leihgerät anbieten.

Bildung Konjunktiv II der Gegenwart

Die meisten Verben bilden den Konjunktiv II mit den Formen von *würde* + Infinitiv.

ich	**würde** anrufen	wir	**würden** anrufen
du	**würdest** anrufen	ihr	**würdet** anrufen
er/es/sie	**würde** anrufen	sie/Sie	**würden** anrufen

müssen, können, dürfen, sein, haben, brauchen und *wissen* bilden den Konjunktiv II aus den Präteritum-Formen + Umlaut. Die 1. und 3. Person Singular von *sein* bekommt die Endung *-e*.

ich	wäre, hätte, müsste, könnte, dürfte, wollte, sollte, bräuchte, wüsste	wir	wären, hätten, müssten, könnten, dürften, wollten, sollten, bräuchten, wüssten
du	wärst, hättest, müsstest, könntest, dürftest, wolltest, solltest, bräuchtest, wüsstest	ihr	wärt, hättet, müsstet, könntet, dürftet, wolltet, solltet, bräuchtet, wüsstet
er/es/sie	wäre, hätte, müsste, könnte, dürfte, wollte, sollte, bräuchte, wüsste	sie/Sie	wären, hätten, müssten, könnten, dürften, wollten, sollten, bräuchten, wüssten

Bildung Konjunktiv II der Vergangenheit

Konjunktiv II von *haben* oder *sein* + Partizip II:
Ich **wäre gekommen**, aber ich hatte keine Zeit.
Ich **hätte angerufen**, aber mein Akku war leer.

mit Modalverb: Konjunktiv II von *haben* + Infinitiv + Modalverb im Infinitiv:
Ich **hätte** ins Geschäft **gehen können**.

Viele unregelmäßige Verben können den Konjunktiv II wie die Modalverben bilden, meistens verwendet man jedoch die Umschreibung mit *würde* + Infinitiv:
Ich **käme** gern zu euch. → Ich **würde** gern zu euch **kommen**.

Grammatik

Zukünftiges ausdrücken

Zukünftiges kann man mit zwei Tempusformen ausdrücken.

Präsens (oft mit Adverbien und anderen Zeitangaben)	_Bald_ **habe** _ich einen besseren Job._
Futur I (_werden_ + Infinitiv)	_Ich_ **werde** _(bald) einen besseren Job_ **haben**.

Das Futur I wird auch oft verwendet, um Vermutungen oder Aufforderungen auszudrücken.
Hast du Marco gesehen? – Ach, der **wird** _schon in der Kantine_ **sein**.   Vermutung
Sie **werden** _das Protokoll jetzt bitte sofort_ **schreiben**.   Aufforderung

Aufforderungen mit Futur I sind sehr direkt und eher unhöflich.

Bildung des Futur I

ich	**werde** anrufen	wir	**werden** anrufen
du	**wirst** anrufen	ihr	**werdet** anrufen
er/es/sie	**wird** anrufen	sie/Sie	**werden** anrufen

Passiv

Kapitel 10

Verwendung
Man verwendet das Passiv, wenn ein Vorgang oder eine Aktion im Vordergrund stehen (und nicht eine handelnde Person).
Das Aktiv verwendet man, wenn wichtig ist, wer oder was etwas macht.

Bildung des Passivs

Präsens	_Das Öko-Haus_ _wird_ _jetzt_ _gebaut_.	_werden_ im Präsens + Partizip II
Präteritum	_Das Öko-Haus_ _wurde_ _letztes Jahr_ _gebaut_.	_werden_ im Präteritum + Partizip II
Perfekt	_Das Öko-Haus_ _ist_ _letztes Jahr_ _gebaut worden_.	_sein_ + Partizip II + _worden_

Aktiv-Satz	**Passiv-Satz**
Der Architekt _plant_ _das Öko-Haus._ Nominativ Akkusativ	_Das Öko-Haus_ _wird_ _(vom Architekten)_ _geplant_. Nominativ (_von_ + Dativ)

Die meisten Verben mit Akkusativ können das Passiv bilden. Der Akkusativ im Aktiv-Satz wird im Passiv-Satz zum Nominativ.

Andere Ergänzungen bleiben im Aktiv und im Passiv im gleichen Kasus.

Zu viel Müll schadet der Umwelt. Nominativ Dativ	_Der Umwelt wird geschadet._ Dativ

Passiv mit Modalverben
Modalverb im Präsens/Präteritum + Partizip II + _werden_ im Infinitiv
Präsens: _Die Öko-Häuser_ _müssen geplant werden_.
Präteritum: _Das Müllproblem_ _konnte gelöst werden_.

Verben mit Präpositionen

Viele Verben stehen mit einer oder mehreren Präpositionen. Bei Verben mit Präpositionen bestimmt die Präposition den Kasus der Ergänzungen.

diskutieren **über** + Akk.	*Wir diskutieren* **über** *die neuen Arbeitszeiten.*
diskutieren **mit** + Dat.	*Wir diskutieren* **mit** *unserem Chef.*
diskutieren **mit** + Dat. **über** + Akk.	*Wir diskutieren* **mit** *unserem Chef* **über** *die neuen Arbeitszeiten.*

Eine Übersicht über Verben mit Präpositionen finden Sie im Anhang.

Reflexive Verben

Arten	Beispielsätze	weitere Verben
Manche Verben sind immer reflexiv.	*Ich habe mich entschlossen, wieder zu arbeiten.* *Er hat sich sofort in sie verliebt.*	*sich entschließen, sich verlieben, sich beschweren, sich kümmern, sich beeilen …*
Manche Verben können reflexiv sein oder mit einer Akkusativergänzung stehen.	*Ich verstehe mich gut mit Peter.* *Ich verstehe diesen Mann einfach nicht.*	*(sich) verstehen, (sich) ärgern, (sich) treffen, (sich) unterhalten …*
Reflexivpronomen stehen normalerweise im Akkusativ. Gibt es eine Akkusativergänzung, steht das Reflexivpronomen im Dativ.	*Ich ziehe mich an.* *Ich ziehe mir den Mantel an.*	*sich anziehen, sich waschen, sich kämmen …*
Bei manchen Verben steht das Reflexivpronomen immer im Dativ. Diese Verben brauchen immer eine Akkusativergänzung.	*Ich wünsche mir mehr Zeit.* *Merk dir dieses Datum!*	*sich etwas wünschen, sich etwas merken, sich etwas vorstellen, sich etwas denken …*

Reflexivpronomen

Personal-pronomen	Reflexivpronomen im Akkusativ	im Dativ
ich	mich	mir
du	dich	dir
er/es/sie	sich	
wir	uns	
ihr	euch	
sie/Sie	sich	

Eine Übersicht über reflexive Verben finden Sie im Anhang.

Grammatik

Präposition

Temporale Präpositionen

Kapitel 9

mit Akkusativ	mit Dativ	mit Genitiv
bis nächstes Jahr **für** drei Tage **gegen** fünf Uhr **um** Viertel nach sieben **um** Ostern **herum** **über** eine Woche	**ab** drei Tagen **an** den schönsten Tagen **beim** Packen der Koffer **in** der Nacht **nach** der Reise **seit** einem Monat **von** jetzt **an** **von** morgens **bis** abends **vor** der Buchung **zu** Weihnachten **zwischen** Montag und Mittwoch	**außerhalb** der Saison **innerhalb** eines Monats **während** des Urlaubs

Lokale Präpositionen

Kapitel 10

	Wo?	Wohin?	Woher?
mit Akkusativ	entlang*, um … herum	bis, durch, gegen, um	
mit Dativ	ab, an … entlang, bei, entlang*, gegenüber, von … aus	nach, zu	aus, von
mit Genitiv	außerhalb, innerhalb, jenseits		
mit Dativ oder Akkusativ (Wechselpräpositionen)	an, auf, hinter, in, neben, über, unter, vor, zwischen		

* *Wir gehen den Bach entlang.*   nachgestellt mit Akkusativ
  Wir gehen entlang dem Bach.   vorangestellt mit Dativ

Wechselpräpositionen
Einige lokale Präpositionen werden sowohl mit Dativ als auch mit Akkusativ verwendet. Man nennt sie Wechselpräpositionen.

Frage *Wo?*	Frage *Wohin?*
Wechselpräposition mit Dativ ○ **Wo** ist der Müll? ● **Im** Abfalleimer.	Wechselpräposition mit Akkusativ ○ **Wohin** wirfst du den Müll? ● **In den** Abfalleimer.

Präpositionaladverbien und Fragewörter

davon, daran, darauf … und *wovon, woran, worauf …*   Kapitel 6

wo(r)… und *da(r)…* verwendet man bei Sachen und Ereignissen.
Präposition + Pronomen/Fragewort verwendet man bei Personen und Institutionen.
da(r)… steht auch vor Nebensätzen (*dass*-Satz, Infinitiv mit *zu*, indirekter Fragesatz).

Nach *wo…* und *da…* wird ein *r* eingefügt, wenn die Präposition mit einem Vokal beginnt: *auf → worauf/darauf*

Sachen/Ereignisse	Personen/Institutionen
wo(r) + Präposition	**Präposition + Fragewort**
○ **Woran** *denkst du?* ● **An** *unsere Zukunft!*	○ **An wen** *denkst du?* ● **An** *meine Kollegin.*
○ **Wovon** *redet er?* ● **Vom** *neuen Projekt.*	○ **Mit wem** *redet er?* ● **Mit** *dem Projektleiter.*
da(r) + Präposition	**Präposition + Pronomen**
○ *Erinnerst du dich* **an dein Bewerbungsgespräch***?* ● *Natürlich erinnere ich mich* **daran***. Ich erinnere ich mich auch gut* **daran***, wie nervös ich war.*	○ *Erinnerst du dich* **an Sabine***?* ● *Natürlich erinnere ich mich* **an sie***.*

Satz

Finalsätze   Kapitel 8

Finale Nebensätze drücken ein Ziel oder eine Absicht aus.
Sie geben Antworten auf die Frage *Wozu?* oder in der gesprochenen Sprache auch oft auf die Frage *Warum?*.

Gleiches Subjekt in Haupt- und Nebensatz → Nebensatz mit *um … zu* oder *damit*	
Klingeln <u>Sie</u>, **damit** <u>Sie</u> *auf sich aufmerksam machen.*	Im Nebensatz mit *damit* muss das Subjekt genannt werden.
Klingeln <u>Sie</u>, **um** *auf sich aufmerksam* **zu** *machen.*	Im Nebensatz mit *um … zu* entfällt das Subjekt, das Verb steht im Infinitiv.
Unterschiedliche Subjekte in Haupt- und Nebensatz → Nebensatz immer mit *damit*	
Klingeln <u>Sie</u>, **damit** <u>andere Personen</u> *Sie hören.*	
Hauptsatz mit *zum* + nominalisierter Infinitiv	
Ich nehme ein feuchtes Taschentuch **zum Reinigen** *meiner Tastatur.*	Alternative zu *um … zu* oder *damit* (bei gleichem Subjekt in Haupt- und Nebensatz): *Ich nehme ein feuchtes Taschentuch, um die Tastatur zu reinigen.*

wollen, sollen und *möchten* stehen nie in Finalsätzen:
Ich hebe Geld ab. Ich will das Monokular kaufen. → Ich hebe Geld ab, um das Monokular zu kaufen.

Relativsätze

Relativpronomen

	Singular			Plural
Nominativ	der	das	die	die
Akkusativ	den	das	die	die
Dativ	dem	dem	der	**denen**
Genitiv	**dessen**	**dessen**	**deren**	**deren**

Genus und Numerus des Relativpronomens richten sich nach dem Bezugswort.
Der Kasus richtet sich nach dem Verb im Relativsatz oder der Präposition.

Sie war die erste Frau, die ich getroffen habe.
+ Akk.

Sie war die erste Kollegin, mit der ich gearbeitet habe.
mit + Dat.

Relativpronomen *wo, wohin, woher*
Gibt ein Relativsatz einen Ort, eine Richtung oder einen Ausgangspunkt an, kann man statt Präposition und Relativpronomen *wo, wohin, woher* verwenden.

Ich habe Anne in der Stadt kennengelernt,
… ***wo*** *wir gearbeitet haben.*   Ort
… ***wohin*** *ich gezogen bin.*   Richtung
… ***woher*** *mein Kollege kommt.*   Ausgangspunkt

Bei Städte- und Ländernamen benutzt man immer *wo, wohin, woher.*
Gabriel kommt aus São Paulo, ***wo*** *auch seine Familie lebt.*

Relativpronomen *was*
Bezieht sich das Relativpronomen auf einen ganzen Satz oder stehen die Pronomen *das, etwas, alles* und *nichts* im Hauptsatz, dann verwendet man das Relativpronomen *was.*

Das, ***was*** *du suchst, gibt es nicht.*
Meine Beziehung ist etwas, ***was*** *mir viel bedeutet.*
Alles, ***was*** *er mir erzählt hat, habe ich schon gewusst.*
Es gibt nichts, ***was*** *ich meinem Freund verschweigen würde.*
Meine Schwester hat letztes Jahr geheiratet, ***was*** *mich sehr gefreut hat.*

Satz

Fragewort	Beispiel
Wann? Wie lange? Gleichzeitigkeit: Hauptsatz **gleichzeitig mit** Nebensatz	*Immer **wenn** ich Radtouren <u>unternommen habe</u>, <u>hat</u> mich das Reisefieber gepackt.* **wenn:** wiederholter Vorgang in der Vergangenheit *__Als__ ich 25 <u>war</u>, <u>bekam</u> ich großes Fernweh.* **als:** einmaliger Vorgang in der Vergangenheit *__Während__ ich letzte Reisevorbereitungen <u>traf</u>, <u>verkaufte</u> ich meinen kompletten Hausrat.* **während:** andauernder Vorgang *__Solange__ ich nicht zu Hause <u>war</u>, <u>war</u> ich einfach glücklich.* **solange:** gleichzeitiges Ende beider Vorgänge
Vorzeitigkeit: Nebensatz **vor** Hauptsatz	*__Nachdem__ ich das Abi <u>geschafft hatte</u>, <u>fuhr</u> ich per Anhalter durch Europa.*
Nachzeitigkeit: Nebensatz **nach** Hauptsatz	*__Bevor__ ich die Reise beginnen <u>konnte</u>, <u>brauchte</u> ich das notwendige Startkapital.*
Seit wann?	*__Seitdem__ ich nichts mehr <u>besitze</u>, <u>fühle</u> ich mich freier.*
Bis wann?	*__Bis__ die Reise beginnen <u>konnte</u>, <u>hat</u> es noch einen Monat <u>gedauert</u>.*

Zeitenwechsel bei *nachdem*

Gegenwart:	*Ich <u>fahre</u> per Anhalter durch Europa, nachdem ich das Abi <u>geschafft habe</u>.*	Präsens Perfekt
Vergangenheit:	*Ich <u>fuhr</u> per Anhalter durch Europa, nachdem ich das Abi <u>geschafft hatte</u>.*	Präteritum Plusquamperfekt

Auswertung

Auswertung zum Test „Reisetyp", Kapitel 9, S. 56/57

8–12 Punkte:

Keine Experimente, bitte. Sie möchten in aller Ruhe Ihren Urlaub genießen. Dazu lassen Sie sich gerne vorher im Reisebüro beraten. Und das Reisebüro organisiert dann alles für Sie. Ein Pauschalurlaub kommt Ihnen da gerade recht. Und wenn Sie zufrieden sind, fahren Sie gerne immer wieder an den gleichen Ort. Sie brauchen keine Abenteuer und Sie müssen auch nicht immer Neues ausprobieren. Mit einem entspannten Urlaub in der Heimat sind Sie auch oft sehr glücklich. Es ist einfach schön, wenn Sie sich sicher und geborgen fühlen. Und nach zwei Wochen kommen Sie auch gerne wieder nach Hause zurück.

13–17 Punkte:

Sie möchten Spaß im Urlaub. Ruhige Orte sind nicht Ihr Ziel. Es darf gerne bunt und temperamentvoll zugehen und darum lieben Sie die „Hot Spots" unter südlicher Sonne. Tagsüber tanken Sie Energie am Strand, die Sie nachts für fröhliche Abende mit lustigen Leuten brauchen. Sie möchten schön braun werden und etwas erleben. Mit so viel unbeschwertem Spaß könnte Ihr Urlaub ewig dauern. Ein dickes Kulturprogramm ist Ihnen dabei nicht so wichtig. Eine kurze Rundfahrt mit dem Bus und ein paar Fotos von den wichtigsten Sehenswürdigkeiten sind absolut ausreichend. Aber alles zusammen soll nicht zu teuer werden und die Organisation darf auch gerne ein Reiseveranstalter übernehmen. Darum reisen Sie auch gerne „Last Minute".

18–25 Punkte:

Kulturgüter, Kunst und gepflegte Atmosphäre liegen Ihnen sehr am Herzen. Und das besonders, wenn Sie im Urlaub sind. Schon vor der Reise informieren Sie sich über antike Stätten, historische Bauwerke, Museen und Theater. Gerne stellen Sie sich einen Plan zusammen, was Sie alles sehen möchten. Ihr Aufenthaltsort sollte gepflegt, gern auch etwas mondän sein und auch fürs Shopping etwas bieten. Die Vorbereitung übernehmen Sie oft selbst, buchen aber gerne kompetente Führungen durch Städte und Museen. Abends mögen Sie Theaterbesuche oder gutes Essen in einem ausgewählten Restaurant. Gerne besuchen Sie für einige Tage Städte wie Florenz oder Paris. Und weil Sie nie lange weg sind, können Sie sich mehrmals im Jahr Kurzurlaube gönnen.

26–32 Punkte:

In Ihnen schlägt das Herz eines Abenteurers. Bitte keine Pauschalreise, hier ist ein Individualist unterwegs, den das Exotische, das Neue und Fremde reizt. Das Leben und der Aufenthalt in der Natur sind bei Ihnen besonders beliebt, Sie kommen aber auch gerne mit den Einheimischen zusammen. Am liebsten ziehen Sie für mehrere Wochen spontan los, nur mit dem Flugticket, Ihrem Pass und leichtem Gepäck. Sie lassen sich gerne überraschen, probieren Neues aus und folgen gerne unbekannten Wegen, die Sie mit dem Fahrrad, dem Jeep oder einem Kanu bewältigen. Wenn Sie zurückkehren, haben Sie immer viel zu erzählen.

Mischtyp:

Liegen Sie mit Ihren Punkten an der Grenze zwischen zwei Gruppen, können Sie auch ein Mischtyp aus beiden Gruppen sein.

Vorlage für eigene Porträts einer Person

Name, Vorname(n)	
Nationalität	
geboren/gestorben am	
Beruf(e)	
bekannt für	
wichtige Lebensstationen	
Was sonst noch interessant ist (Filme, Engagement, Hobbies…)	

Vorlage für eigene Porträts eines Unternehmens / einer Organisation

Name	
Hauptsitz	
gegründet am/in/von	
Tätigkeitsfeld(er)	
bekannt für	
wichtige Daten/ Entwicklungen	
Was sonst noch interessant ist (Engagement, Sponsoren …)	

Lösungen zum Arbeitsbuch

Kapitel 6   Berufsbilder

Wortschatz

Ü1 1. programmieren, eine Datenbank entwickeln, Software entwickeln, 2. Haare schneiden, Haare färben, föhnen, 3. eine Spritze geben, einen Verband anlegen, Fieber messen, 4. ein Bankkonto eröffnen, in Geldangelegenheiten beraten, über Online-Banking informieren, 5. Familien beraten, bei Problemen unterstützen, mit Jugendlichen arbeiten, 6. Gebäude planen, ein Modell bauen, ein Bauprojekt betreuen

Ü2 2. Grafiker, 3. Rechtsanwältin, 4. Dolmetscher, 5. Hebamme, 6. Schauspieler, 7. Journalistin, 8. Apotheker, **Lösungswort:** Traumberuf

Ü3 2. a, b; 3. d, e, g; 4. h; 5. d, f, g; 6. c, d, g; 7. d, e, g; 8. a, d, f, g

Ü4 1. Stelle, 2. Arbeit, 3. Job, 4. Beruf

Ü5a 1. e, 2. d, 3. g, 4. h, 5. a, 6. b

Ü5b c Arbeitszeit, f Freizeit

Modul 1   Wünsche an den Beruf

Ü1a 1. gemeinsam, 2. langweiligen, 3. Karriere, verdienen, 4. verantwortungsvolle, 5. Überstunden, 6. Herausforderung

Ü1b (1) Teilzeitjob, (2) Gehalt, (3) freiberuflich, (4) anbieten, (5) Betriebsklima, (6) Kontakt, (7) Arbeitszeit, (8) Interessen

Ü3a 2. Er wird auf dem Schreibtisch liegen. 3. Dann wird er (noch) im Kopierer sein. 4. …, wird er (schon) im Postfach sein/liegen.

Ü3b 2. Sie werden bitte sofort den Drucker reparieren (lassen)! 3. Sie werden sofort die Füße vom Tisch nehmen! 4. Sie werden sofort den Kunden anrufen! 5. Sie werden jetzt sofort die Post wegbringen! 6. Herr Huber wird / Sie werden sofort in mein Büro kommen! 7. Sie werden (sofort) das Angebot fertig machen!

Ü3c 2. Könnten/Würden Sie bitte den Drucker reparieren (lassen)? 3. Könnten/Würden Sie bitte die Füße vom Tisch nehmen? 4. Könnten/Würden Sie bitte den Kunden anrufen? 5. Könnten/Würden Sie bitte die Post wegbringen? 6. Könnten/Würden Sie bitte in mein Büro kommen? 7. Könnten/Würden Sie bitte das Angebot fertig machen?

Modul 2   Ideen gesucht

Ü1a individuell, kompetent, modern, praktisch, professionell, preiswert, persönlich, sauber, unkompliziert, zuverlässig

Ü2 1. erreichen, 2. erfüllen, 3. herstellen, 4. vereinbaren, 5. ausdrücken

Ü3a 1. der eigene Chef sein, 2. Geld, 3. Plan, 4. Werbung, 5. Beratung und Austausch

Ü3b der eigene Chef sein: realistisch sein, mehr Arbeit, muss sich um alles kümmern, trägt Verantwortung, am Wochenende arbeiten, kein bezahlter Urlaub
Geld: man muss mit finanziellem Risiko leben, auch Zeiten, in denen man wenig verdient
Plan: Schritte genau planen: Wann, wo, welche Konkurrenz, wie viel Kapital? Workshop gut
Werbung: muss man planen: Webseite, Flyer, Anzeige, Gestaltung, Kosten
Beratung: Workshops, Beratungsstellen, mit anderen austauschen

Modul 3   Darauf kommt's an

Ü1 1. ein interessantes Stellenangebot lesen, 2. sich genauer über die Firma und die Stelle informieren, 3. eine Bewerbung schreiben, 4. zum Vorstellungsgespräch eingeladen werden, 5. den Arbeitsvertrag unterschreiben

Ü2 2. f, 3. c, 4. b, 5. a, 6. d

Ü3 (2) auf, (3) bei, (4) mit, (5) an, (6) mit, (7) über, (8) von

Ü4a 2. Mit wem?, 3. Worauf?, 4. Wonach?, 5. Mit wem?

Ü4b 2. Wofür hast du dich entschuldigt? Für meinen Fehler. 3. An wen denkst du? An meine Familie. 4. Mit wem triffst du dich? Mit meinen Kollegen. 5. Worauf freust du dich? Auf das Wochenende.

Ü5 (1) bei, (2) vom, (3) darauf, (4) Zu, (5) über, (6) bei, (7) darüber, (8) darauf, (9) zu, (10) für, (11) zu, (12) darauf

Ü6 Musterlösung: 2. Ich habe lange darüber nachgedacht, ob ich wirklich kündigen soll. 3. Was hältst du davon, wenn wir gemeinsam einen Computerkurs besuchen? 4. Ich kann mich nicht daran gewöhnen, dass meine neue Chefin alles anders macht. 5. Wir freuen uns sehr darauf, zu verreisen.

Ü7 1. G, 2. D, 3. I, 4. X/0, 5. E, 6. A, 7. H

Modul 4   Mehr als ein Beruf

Ü3 1. Er wollte schon immer Alphirt sein, hat seinen Beruf als Dozent an der Uni nicht aufgegeben / als zweites Standbein und findet zwei Berufe abwechslungsreich. 2. Er verdient zu wenig Geld mit seiner Praxis. 3. R. Helbling sieht im Sommer seine Familie sehr wenig. M. Studer hat fast keine Freizeit.

Ü4a 2. glücklich sein, 3. traurig sein, 4. zwinkern, 5. krank sein, 6. überrascht sein, 7. wütend sein, 8. weinen, 9. laut lachen, 10. schweigen

Ü4b 2. komme gleich wieder, 3. Liebe Grüße, 4. Was ist los?, 5. Bis später!, 6. Gute Nacht!, 7. Mit freundlichen Grüßen

Ü5 1. G, 2. H, 3. A, 4. L, 5. F, 6. P, 7. B, 8. M, 9. O, 10. I

Aussprache -e, -en und -er am Wortende

Üa 1. [ən] wie hören und [n̩] wie lesen, 2. [ɐ] wie Bruder, 3. [ə] wie Tage

Üc Zweitjob gesucht?
Wir bieten [n̩] interessanten [n] Sommerjob für zuverlässige [ə] Personen [ən]. Wenn Sie Erfahrung mit Nutztierhaltung haben [n̩] und Zeit und Lust haben [n̩], im Sommer [ɐ] (mindestens 2 Monate [ə]) auf unserem Bauernhof in Niederbayern mitzuhelfen [n̩], melden [n̩] Sie sich bitte [ə].

Kapitel 7 Für immer und ewig

Wortschatz

Ü1a 2. g, 3. d, 4. a, 5. b, 6. c, 7. e

Ü2 (2) sich … kennengelernt, (3) geheiratet, (4) sich … scheiden lassen, (5) ist Witwe, (6) ist … gestorben, (7) ist schwanger, (8) zur Welt kommen

Ü3 2. die Familie, 3. die Liebe, 4. das Misstrauen, 5. der Freundeskreis, 6. sich versöhnen, 7. das Gespräch, 8. verliebt

Ü4 1. Partner, 2. Hochzeit, 3. Paar, 4. Beziehung, 5. Scheidung, 6. Single

Ü5a die Partnersuche, die Patchworkfamilie, die Familienfeier, das Familienmitglied, die Familiengeschichte, das Kinderlachen, die Lebensgeschichte, die Liebesgeschichte, der Liebeskummer, die Hochzeitsfeier, das Beziehungsproblem

Ü5b 1. c, 2. a, 3. e, 4. b, 5. d

Modul 1 Lebensformen

Ü2

	ich	du	er/es/ sie	wir	ihr	sie/Sie
Akk.	mich	dich	sich	uns	euch	sich
Dat.	mir	dir	sich	uns	euch	sich

Ü3 1. mich, 2. mich, 3. mir, 4. mir, 5. mich, 6. mir, 7. mich

Ü4 2. Dann wasch dir die Hände. 3. Dann hol dir einen Joghurt aus dem Kühlschrank. 4. Dann kämm dir die Haare. 5. Dann kauf dir ein Heft. 6. Dann zieh dir die Jacke aus.

Ü5 (1) mich, (2) mich, (3) uns, (4) mir, (5) sich, (6) mich, (7) uns, (8) dich

Ü6 2. Hast du dich schon erkundigt, … 3. Ich habe mich auch schon gewundert, … 4. Wir freuen uns sehr auf das Fest. … 5. Er muss sich doch immer um seine kranken Eltern kümmern.

6. Aber er beschwert sich nie. … 7. Ich muss mich beeilen, sonst regt sich mein Chef wieder auf. 8. Okay, dann melde dich doch heute Abend, dann können wir uns weiter unterhalten.

Modul 2 Klick dich zum Glück

Ü1a 1. Ratgebersendung, 2. Partnervermittlung im Internet, 3. über eigene Erfahrungen berichten

Ü1b 1. Mike: kommt aus Hannover, hat eine Partnerin in einer Partnerbörse gefunden, Liebe auf den ersten Klick
2. Rüdiger: kommt aus Brandenburg, hat seine zukünftige Frau in einer Partnerbörse kennengelernt
3. Julia: kommt aus Hamburg, würde nie Geld für Partnerbörsen ausgeben. Findet, wenn man intensiv sucht, kann man nicht erfolgreich sein. Hat ihren Freund in einem sozialen Netzwerk kennengelernt.

Ü1c Mike: 3, 6, 8, Rüdiger: 2, 4, 9, Julia: 1, 5, 7, 10

Ü2a linke Spalte: 4, 12, 9, 5, 13, 2, 15, 10
rechte Spalte: 3, 16, 8, 6, 1, 11, 14, 7

Modul 3 Die große Liebe

Ü1 Aussehen: modern, sportlich, gepflegt, mollig, schick, elegant, hübsch, schlank
Charakter: tolerant, temperamentvoll, zuverlässig, egoistisch, warmherzig, ehrlich, sensibel, begeisterungsfähig, ernst, geduldig, liebenswert, gesprächig

Ü2a 1. Das ist mein Freund, …
a. der leider ganz weit weg lebt.
b. den du sicher nett finden würdest.
c. dem ich immer alles verzeihe.
d. für den ich alles tun würde.
e. dessen Humor toll ist.
2. Das ist das Kind, …
a. das neben mir wohnt.
b. das man oft draußen spielen sieht.
c. dem das Spielzeug gehört.
d. von dem ich dir schon oft erzählt habe.
e. dessen Lachen man oft hört.
3. Das ist meine beste Freundin, …
a. die mich immer versteht.
b. die ich fast jeden Tag sehe.
c. der ich immer bei ihren Seminararbeiten helfe.
d. mit der ich aufgewachsen bin.
e. deren Familie ich auch gut kenne.
4. Das sind meine Eltern, …
a. die immer für mich da sind.
b. die ich heute eingeladen habe.
c. denen ich viel verdanke.
d. mit denen ich mich auch manchmal streite.
e. deren Hilfe oft wichtig für mich ist.

Lösungen zum Arbeitsbuch

Ü3 (1) dem, (2) der, (3) die, (4) der, (5) die, (6) der, (7) die, (8) dem, (9) der, (10) dem, (11) die, (12) die

Ü4 1. was, 2. woher, 3. was, 4. wo, 5. was, 6. was, 7. was, 8. wohin, 9. was, 10. was

Modul 4   Eine virtuelle Romanze

Ü1a <u>Nomen</u>: der Liebhaber, die Nächstenliebe, die Liebesgeschichte die Vorliebe, die Liebeserklärung, das Liebespaar,
<u>Adjektive</u>: kinderlieb, lieblich, verliebt, ordnungsliebend, lieblos, ruheliebend, liebevoll, unbeliebt, liebeskrank

Ü1b 1. Nächstenliebe, 2. Vorliebe, 3. Liebespaar, 4. ordnungsliebender, 5. Liebeserklärung, 6. unbeliebte, 7. kinderlieb, 8. Liebesgeschichte

Ü2 A 4, B 3, C 2, D 1

Aussprache   begeistert und ablehnend

Üa ○ <u>Mann</u>, war <u>das</u> ein tolles Fest!
● <u>Was</u>? Das war doch <u>furchtbar</u>!
○ <u>Wieso</u>? Die Leute waren doch <u>total</u> nett.
● Na <u>ja</u>. Du hast ja auch nicht neben Sandras <u>Schwester</u> gesessen. Die <u>redet</u> und <u>redet</u> und <u>redet</u>. Ohne Pause.
○ Aber ich habe <u>ganz</u> <u>toll</u> mit ihr getanzt.
● <u>Toll</u>. Und <u>ich</u> musste mit ihrem <u>Mann</u> tanzen. Der hat ja <u>wirklich</u> zwei linke Füße.
○ Ist aber <u>so</u> ein netter Typ. Und die <u>Band</u> war echt super. Und das Essen <u>erst</u>. <u>Fan</u>tastisch!
● <u>Ja</u>, war ganz <u>gut</u> … Aber das Kleid von <u>Sandra</u>. Das geht ja <u>gar</u> nicht …
○ Du hast auch <u>immer</u> was zu meckern!
● Wenn es doch <u>wahr</u> ist!

Kapitel 8   Kaufen, kaufen, kaufen

Wortschatz

Ü2a 2. abholen, 3. einpacken, 4. umtauschen, 5. zurückgeben, 6. ausgeben, 7. zahlen, 8. einkaufen, 9. gefallen

Ü2b (1) einkaufen, (2) abholen, (3) bestellt, (4) gefällt, (5) umtauschen, (6) zurückgeben, (7) ausgegeben, (8) einpacken, (9) zahlen

Ü3a 1. g, 2. d, 3. f, 4. c, 5. b, 6. e, 7. a

Ü3b **Musterlösung:**
1. Kleidung: die Bluse, das Hemd, der Pullover
2. Möbel: das Regal, der Schrank, die Kommode
3. Geschirr: die Untertasse, die Suppentasse, die Platte; 4. Schreibwaren: der Stift, der Block, das Papier

Ü4 1. f, 2. b, 3. h, 4. a, 5. d, 6. g, 7. e, 8. c, 9. i

Modul 1   Dinge, die die Welt (nicht) braucht

Ü1b <u>Mann 1</u>: Auto; Freundin wohnt 50 Kilometer entfernt, dort fährt kein Zug hin, Bus fährt nicht oft; Ausflüge in die Berge oder an einen See; Dinge transportieren für Job
<u>Frau</u>: Telefon/Handy; ohne Telefon weniger Kontakt zu guten Freunden, Austauschen auch über Entfernungen möglich; weniger Missverständnisse als in Mails oder Briefen; Kinder leben in London und in Australien
<u>Mann 2</u>: Klappschirm; 15 Minuten Fußweg bis zur U-Bahn; schon oft nass geworden; Klappschirm passt immer in Tasche

Ü2 1. …, um fit zu bleiben. 2. …, um sich vor plötzlichem Regen zu schützen. 3. …, um den Rücken beim Reisen zu schonen. 4. …, um ständig erreichbar zu sein. 5. …, um dir meine neueste Erfindung zu erklären.

Ü4 1. Ich will etwas Tolles erfinden, um viel Geld zu verdienen. 2. Ich kaufe gern lustige Erfindungen, damit meine Freunde Spaß haben. 3. Wir machen einen Spanischkurs, um im Urlaub ein bisschen mit den Leuten reden zu können. 4. Er hat einen Tanzkurs gemacht, damit sie sich freut.

Ü5 (1) …, damit die Gäste in den Bach sehen konnten. (2) …, um den Gästen den Aufenthalt angenehm zu machen. (3) …, um die Gäste zu unterhalten. (4) Um am Buffet etwas aus einer Schüssel zu nehmen, …
(5) …, um nicht nass zu werden. (6) Damit die Luft unter dem Schirm gut ist, …

Ü6 2. Zum Arbeiten brauche ich Ruhe und gute Ideen. 3. Benutzen Sie die Fernbedienung zum Einschalten des Geräts. 4. Zum Lösen des Tickets drücken Sie auf die grüne Taste. 5. Zum Einkaufen in diesem Geschäft benötigt man eine Kundenkarte.

Modul 2   Konsum heute

Ü1 <u>Flohmarkt</u>: billig, Ware anfassen, bar zahlen, gebrauchte Ware, der Trödelmarkt, der Verkaufsstand, nach Raritäten suchen, um den Preis handeln
<u>Online-Shopping</u>: eine Bestellung abschicken, mit Kreditkarte zahlen, ein Formular ausfüllen, Ware im Paket, die Werbung, das Sonderangebot, Händler bewerten, Fotos ansehen, die Neuware, umtauschen
<u>Einkaufszentrum</u>: der Verkaufsstand, mit Kreditkarte zahlen, bar zahlen, das Geschäft, die Neuware, die Werbung, das Sonderangebot, die Kundenkarte, umtauschen, der Händler / die Händlerin, Ware anfassen, Ware in der Tüte

Ü2 die Kaufkraft, das Kaufhaus, das Kaufverhalten, der Kaufvertrag, der Falschkauf, der Warenkauf, der Ratenkauf, der Geldbeutel, der Geldschein, die Geldsorgen (Pl.), der Geldbetrag, die Geldsumme, der Geldautomat, das Falschgeld, die Konsumkraft, die Konsumwaren (Pl.), das Konsumverhalten, das Konsumdenken, der Konsumverzicht, der Warenkonsum

Ü3a Musterlösung:
1. Sie hat nichts gegen Konsum, weil sie selbst gerne genießt und eine große Auswahl schätzt.
2. Sie sieht Konsum aber auch kritisch, weil man zu viel Zeit mit Geld und Konsum verbringt und keine Zeit mehr für sein Leben hat.
3. Während der „Shoppingdiät" will sie ein Jahr lang keine Kleidung, Schuhe und Accessoires kaufen.

Modul 3 Die Reklamation

Ü1a 2. B, 3. H, 4. C, 5. F, 6. D, 7. E, 8. A
Ü2 (1) Könnte, (2) Könntest, (3) könnte/würde, (4) würdest, (5) würde, (6) könntest
Ü3 2. Ich an deiner Stelle würde das Gerät ins Geschäft zurückbringen. 3. Würden/Könnten Sie bitte hier unterschreiben? 4. Würdest/Könntest du dich jetzt bitte beeilen? 5. … Wenn ich du wäre, würde ich dort nicht mehr einkaufen.
Ü4 2. Du hättest kein Handy. 3. Du hättest den alten Stuhl nicht repariert. 4. Du hättest wenig zu lachen. 5. Du würdest keine Reisen mehr machen.
Ü5 Musterlösung: 2. Hätte sie schneller gefrühstückt / Wäre sie früher aufgestanden, hätte sie den Bus nicht verpasst. 3. Hätte er nicht vergessen einzukaufen, wäre der Kühlschrank nicht leer. 4. Hätte er/sie sich besser auf die Prüfung vorbereitet, hätte er/sie bestanden. 5. Hätte das Paar Karten reserviert, könnten sie ins Kino gehen. 6. Hätte die Frau besser auf ihre Tasche aufgepasst, hätte der Dieb sie nicht gestohlen.

Modul 4 Kauf mich!

Ü1 1. b, 2. c, 3. e, 4. f, 5. a, 6. d
Ü2 Bild A: Männer in der Natur, Meer, Segelboot, Strand
Bild B: Harter Boden zum Gehen, Teppich zum Stehen vor der Ware, Ware in die Hand nehmen, nette Verkäuferin
Bild C: Werbung mit Kindern für Frauen, Kindchenschema, Kaufhausmusik aus Lautsprecher, Duft von frischem Brot

Aussprache Wichtige Informationen betonen

Üa 1. b, 2. a, 3. b, 4. a
Üc a Sebastian, will Christiane nicht? b Sebastian will, Christiane nicht. c Hanne, sagt Franz, wird nie klug. d Hanne sagt, Franz wird nie klug.

Wortschatz

Ü1 2. f, 3. e, 4. g, 5. h, 6. i, 7. b, 8. j, 9. a, 10. c
Ü2 2. die Nagelschere / die Nagelscheren, 3. das Flugticket / die Flugtickets, 4. das Pflaster / die Pflaster, 5. die Sonnenbrille / die Sonnenbrillen, 6. die Kamera / die Kameras, 7. das Visum / die Visa, 8. die Badehose / die Badehosen, 9. die Kreditkarte / die Kreditkarten, 10. der Wasch-beutel / die Waschbeutel, …
Ü3 (1) Kontinent, (2) Klima, (3) Heimweh, (4) fahre per Anhalter, (5) einen Abstecher … machen, (6) Impfung, (7) Reisekrankenversicherung
Ü4 die Bahn: das Gleis, die Fahrkarte, die Lok, der Schaffner, der Waggon, der ICE, der Speise-wagen
das Flugzeug: der Flughafen, die Sicherheits-kontrolle, der Duty-Free-Shop, das Gate, die Landung, das Handgepäck, die Flugbegleiterin
das Auto: die Garage, die Tankstelle, die Autobahngebühr, der Stau, der Kofferraum, der Verkehrshinweis, die Fahrzeugkontrolle
Ü5 2. sich im Park sonnen, 3. eine Städtereise buchen, 4. eine Ferienwohnung mieten, 5. neues Essen probieren, 6. Sehenswürdigkeiten besichtigen, 7. ein Visum beantragen, 8. in einem Hotel übernachten, 9. Urlaub im Ausland verbringen, 10. Geld wechseln

Modul 1 Einmal um die ganze Welt

Ü1 (1) erfüllt, (2) Weltreise, (3) bereist, (4) Städte, (5) verreiste, (6) Fernweh, (7) Sand, (8) Plan, (9) Urlaub, (10) Stress, (11) anstrengend, (12) klappt, (13) fühlen
Ü2 (1) (immer) wenn , (2) als (das letzte Mal), (3) (Diesmal) als, (4) wenn (früher … oft), (5) (beim letzten Flug) als, (6) als (dann), (7) (sofort) als
Ü3 2. Ich lerne gern Land und Leute kennen, während ich reise. 3. Solange/Während ich auf Reisen bin, habe ich keine Langeweile. 4. Während/Solange ich unterwegs bin, fotografiere ich viel. 5. Während ich die Fotos mit meinen Enkeln anschaue, gibt es Kaffee und Kuchen. 6. Solange ich auf Reisen sein kann, bin ich glücklich.
Ü4 2. Bevor ich losfahre, packe ich meinen Koffer. / Nachdem ich meinen Koffer gepackt habe, fahre ich los. 3. Während ich den Reiseführer genau lese, höre ich Musik aus dem Urlaubsland. 4. Bevor ich meine Wohnung verlasse, kontrolliere ich alle Zimmer. / Nachdem ich alle

Zimmer kontrolliert habe, verlasse ich die Wohnung. 5. Während ich mit dem Taxi zum Flughafen fahre, überprüfe ich noch einmal, ob ich meinen Pass dabei habe. 6. Bevor ich zur Passkontrolle gehe, gebe ich mein Gepäck auf. / Nachdem ich mein Gepäck aufgegeben habe, gehe ich zur Passkontrolle. 7. Während ich im Flugzeug sitze, lese ich. 8. Bevor ich durch den Zoll gehe, hole ich mein Gepäck. / Nachdem ich mein Gepäck geholt habe, gehe ich durch den Zoll.

Ü5 2. bis, 3. seit/seitdem, 4. bis, 5. seit/seitdem, 6. seit/seitdem

Ü6 1 b, 2 b, 3 c, 4 c, 5 a, 6 b

Ü7 (1) wenn, (2) als, (3) nachdem, (4) während/als, (5) bis, (6) nachdem, (7) als, (8) als

Modul 2 Urlaub mal anders

Ü1a 1. teilnehmen, 2. reisen, 3. kooperieren, 4. unterstützen, 5. engagieren, 6. kennenlernen, 7. aufbauen, 8. lernen

Ü1b 1. das Engagement, 2. die Unterstützung, 3. die Teilnahme, 4. die Erfahrung, 5. die Erholung, 6. die Begeisterung, 7. das Interesse, 8. die Hilfe, 9. die Organisation, 10. der Zweifel

Ü2 (1) B, (2) C, (3) C, (4) B, (5) A, (6) C, (7) C, (8) A, (9) A, (10) B

Ü3 2. Carl, 3. Andy, 4. Natascha, 5. Merle, 6. Andy, 7. Samuel, 8. Carl, 9. Natascha, 10. Samuel

Modul 3 Ärger an den schönsten Tagen

Ü1 (2) Am, (3) vom, (4) bis (zum), (5) seit, (6) Im, (7) im

Ü2 1. (a) Am, (b) In, (c) Im, (d) Im, (e) Im, (f) -, (g) Zu/An, (h) Zu/An, (i) Am, (j) Vom ... bis (zum)
2. (a) Im, (b) In, (c) Im, (d) -, (e) Im, (f) Vor
3. (a) Vor, (b) Während, (c) Während, (d) Vor, (e) -, (f) Im

Modul 4 Eine Reise nach Hamburg

Ü1 3. richtig, 4. b), 5. falsch, 6. a), 7. falsch, 8. b), 9. richtig, 10. c)

Ü2 Musterlösung
1. Haben Sie / Gibt es für morgen noch ein Einzelzimmer bis 50 Euro im Zentrum? 2. In welchen Abständen kann ich am Samstag ab/ nach 19 Uhr mit dem ICE nach Bremen fahren und wie lange dauert die Fahrt? 3. Könnte ich für heute Abend einen Tisch für zwei Personen reservieren? 4. Ich wollte fragen / mich erkundigen, welche Musicals zurzeit in Hamburg laufen.

Aussprache *kr, tr, pr, spr, str*

Üb trippeln, trappeln, kriechen, krabbeln, springen, sprinten, streiten, strampeln, prima

Üd Spritze, abstrampeln, Straße, Strom, versprechen, anstrengend

Üe a) sch, b) Silbe, c) s

Kapitel 10   Natürlich Natur!

Wortschatz

Ü1a <u>Klima</u>: das Gewitter, die Luft, die Trockenheit, der Nebel, der Niederschlag, der Orkan, die Erwärmung, der Sturm, die Wolke, das Wetter, das Glatteis
<u>Landschaft</u>: der Wald, das Meer, die Wüste, das Gebirge, der Strand, das Moor, die Wiese
<u>Pflanzen</u>: das Gras, das Getreide, die Rose
<u>Tiere</u>: die Ziege, das Insekt, die Kuh, das Vieh, das Wildschwein, der Vogel, das Reh, das Huhn, der Hirsch

Ü2 (1) Umweltschutz, (2) Umweltverschmutzung/ Umweltzerstörung, (3) umweltschädliche, (4) Umweltbewusstsein, (5) umweltfreundlicher, (6) Umweltzerstörung/Umweltverschmutzung, (7) Umweltkatastrophen

Ü3a 2. zerstören, 3. schaden, 4. schützen, 5. produzieren, 6. protestieren, 7. retten, 8. verbieten, 9. recyceln, 10. gefährden

Ü4 Wasser sparen, Abfall trennen, ein schadstoffarmes Auto fahren, Bäume pflanzen, öffentliche Verkehrsmittel benutzen, Stand-by ausschalten, Energiesparlampen benutzen, Ökostrom nutzen, Fahrgemeinschaften bilden, umweltfreundlich heizen

Ü5 1. Engagement, 2. Verpackungsmüll, 3. Mülleimer, 4. Alternative, 5. Bioprodukte, 6. Abwasser, 7. Altpapier, 8. ökologisch, 9. recyceln, 10. Biotonne, 11. Abgase

Modul 1 Umweltproblem Single

Ü1 1. vermehren, 2. verbrauchen, 3. produzieren, 4. verhindern, 5. schaffen, 6. fordern

Ü2 1. b, 2. a, 3. b, 4. b, 5. a, 6. b

Ü3a Musterlösung: 1. Heutzutage wird zu viel Verpackungsmüll produziert. 2. Häufig werden Ressourcen verschwendet. 3. Die Luft wird durch Abgase verpestet. 4. Die Menschen werden über die Umweltprobleme informiert. 5. Lösungen für die Umweltprobleme werden in vielen Projekten gesucht.

Ü3b 1. Das Haus wurde geplant. 2. Die Finanzierung wurde gesichert. 3. Interessenten wurden informiert. 4. Eine energiesparende Heizung wurde eingebaut. 5. Die Solaranlage wurde installiert.

Ü3c 2. Er ist nicht eingeladen worden. 3. Sie ist nicht abgeholt worden. 4. Es ist schon ausgegeben worden. 5. Sie sind zu spät informiert worden.

Ü4a 2. Er sollte rausgebracht werden. 3. Er sollte sortiert werden. 4. Er sollte repariert werden. 5. Sie sollten ausgeschaltet werden.

Ü5 2. Das Wasser darf nicht mehr verschwendet werden. 3. Die Flüsse dürfen nicht mehr verschmutzt werden. 4. Der Müll darf nicht mehr in die Natur geworfen werden. 5. Die Erde darf nicht mehr vergiftet werden. 6. Die Wälder dürfen nicht mehr abgeholzt werden.

Modul 2   Tierisch tierlieb?

Ü1 Missfallen ausdrücken: Ich finde es wirklich schlimm, wenn …; Ich habe den Eindruck, dass es sehr/etwas übertrieben ist, wenn …; Ich kann überhaupt nicht nachvollziehen, wie jemand …; Mich nervt es, wenn …; Ich finde es schockierend, wenn …;
Interesse/Erstaunen ausdrücken: Ich finde es erstaunlich, dass …; Mich interessiert, wie/ob …; Mich überrascht, wie …; Ich finde es wichtig, zu wissen, wie/ob…
Gefallen ausdrücken: Ich finde es ganz besonders schön, wenn …; Ich freue mich, wenn ich … sehe. Ich finde es sehr gut, wenn jemand …; Mir scheint es richtig/wichtig, dass …; Ich kann sehr gut verstehen, wenn …

Ü2 (1) Haustier, (2) Mietwohnung, (3) Anschaffungskosten, (4) Futter, (5) Steuer, (6) Hundebesitzer, (7) Halsband, (8) Versicherung, (9) Tierarztbesuche (10) Hundelebens

Ü3 1. b, 2. a, 3. b, 4. b, 5. c

Modul 3   Alles für die Umwelt?

Ü1a 1. g, 2. f, 3. h, 4. c, 5. a, 6. b, 7. d, 8. e

Ü1b 1. Die Bürger Kassels machen jedes Jahr beim Aufräumtag in der Stadt mit. 2. Sie finden immer ungefähr 10 Kilo Müll auf der Straße und stecken ihn in große Müllsäcke. 3. Beim letzten Mal haben sie neben einem Autobahnparkplatz ein altes Fahrrad gefunden. 4. Jetzt liegt das alte Fahrrad neben alten Autoteilen auf einem Schrottplatz.

Ü2a 1. gegenüber, 2. entlang, 3. innerhalb, 4. gegen, 5. um … herum, 6. ab

Ü2b (1) durch den Park, (2) den Bach entlang / entlang dem Bach, (3) um den Baum, (4) gegenüber der Brücke, (5) Bei der Brücke, (6) Durch das Geländer, (7) Von der Brücke, (8) zum Ausgang,

(9) Bei den Fahrradständern, (10) Außerhalb des Parks

Ü3 1. a, 2. c, 3. b, 4. a, 5. b, 6. c, 7. b

Modul 4   Kostbares Nass

Ü1a Text A: Foto 1, Text B: Foto 5, Text C: Foto 4, Text D: Foto 2, Text E: Foto 3

Ü2 1. e, 2. d, 3. b, 4. f, 5. a, 6. c

Ü3 **Musterlösung:** Ostsee: einmaliges Ökosystem, große biologische Vielfalt, wichtig für Ernährung und Tourismus, viele Naturschutzgebiete + Nationalparks, Umweltschützer → Schutzgebiete sollten vergrößert werden, 25 Prozent Meeresboden biologisch tot, gehört zu den am stärksten verschmutzten Meeren: Abwässer, Industrieabfälle, Düngestoffe, giftige Algenteppiche, kaum noch Fische, Binnenmehr, Gifte bleiben lange im Wasser, starker Schiffsverkehr, größte Schwierigkeit bei Schutz → wirtschaftliche Interessen

Aussprache   lautes Lesen üben

Musterlösung
Die Ostsee in Gefahr|
Die <u>Ostsee</u> – |Das ist ein <u>einmaliges</u> Ökosystem.|| Sie zeichnet sich durch eine große biologische <u>Vielfalt</u> aus| und ist für die Menschen in vielerlei Hinsicht <u>wichtig</u>,| z. B. für die <u>Ernährung</u> und den <u>Tourismus</u>. |Es gibt <u>zahlreiche</u> Naturschutzgebiete und Nationalparks.|| Umweltschützer fordern <u>jedoch</u>,| dass diese <u>Schutzgebiete</u> vergrößert werden.| Denn <u>25 Prozent des Meeresbodens</u> gelten als <u>biologisch tot</u>.|| Die Ostsee gehört <u>damit</u> zu den am <u>stärksten verschmutzten Meeren der Welt</u>.|| Abwässer,| Industrieabfälle und Düngestoffe werden im Meer entsorgt.| Es bilden sich immer wieder <u>giftige Algenteppiche</u>| und viele Meeresbewohner <u>sterben</u>.| In vielen Ostseegebieten| gibt es <u>kaum noch</u> Fische.|| <u>Außerdem</u> ist die Ostsee ein Binnenmeer, so bleiben die Gifte auch <u>sehr lange</u> im Ostseewasser. |Das Wasser kann sich nicht so schnell <u>erneuern</u> wie in anderen Meeren.|| <u>Ein weiteres Problem</u> ist der Schiffsverkehr auf der Ostsee,| <u>besonders der Tankerverkehr</u> hat in den letzten Jahren <u>stark zugenommen</u>.| Es gibt <u>zahlreiche</u> Initiativen und Projekte, um die Ostsee zu schützen.| Aber <u>bis jetzt</u> ist das <u>nicht genug</u>.| <u>Eine große Schwierigkeit dabei</u>| sind die unterschiedlichen wirtschaftlichen Interessen der <u>neun Staaten</u>,| die an der Ostsee liegen.||

Transkript zum Arbeitsbuch

Kapitel 6 — Berufsbilder

Modul 2 Übung 3

○ Wer träumt nicht davon, eine tolle Geschäftsidee zu haben und damit viel Geld zu verdienen? Endlich sein eigener Chef sein. Aber das bedeutet auch ein gewisses Risiko. Worauf muss man achten, wenn man sich mit einer Idee selbstständig macht? Ganz herzlich begrüßen darf ich zu diesem Thema heute Morgen bei uns im Studio Frau Karen Müller. Schön, dass Sie da sind.

● Hallo!

○ Frau Müller, Sie geben Workshops für Menschen, die sich mit einer Geschäftsidee selbstständig machen möchten. Worauf sollte man dabei denn besonders achten?

● Nun, zunächst einmal ist es wichtig, dass man realistisch bleibt. Der eigene Chef zu sein, bedeutet in der Regel, dass man mehr Arbeit hat. Man muss sich um alles kümmern, man trägt viel Verantwortung. Man muss oft am Wochenende arbeiten und bezahlten Urlaub hat man auch keinen mehr.

○ Aber man verdient viel Geld mit einer guten Idee.

● Na ja, vielleicht. Grundsätzlich sollte man sich überlegen, ob man mit dem finanziellen Risiko leben kann. Auch wenn die Geschäftsidee erfolgreich ist, gibt es sicherlich Zeiten, in denen man nicht viel Geld verdient.

○ Wie beginnt man am besten?

● Ganz wichtig ist ein guter Plan. Man muss die verschiedenen Schritte richtig planen, also zum Beispiel wann und wo gründet man das Unternehmen, welche Konkurrenz gibt es auf dem Markt, wie viel Kapital braucht man? Und so weiter. Wie man das alles am besten macht, kann man auch in einem Workshop lernen.
Wenn man Leute anstellen muss, ist es ganz wichtig, ein gutes Team zu haben, auf das man sich verlassen kann und das motiviert und mit viel Engagement bei der Sache ist.

○ Man braucht auch ein gutes Netzwerk, oder? Dadurch kann eine Geschäftsidee auch bekannt werden.

● Richtig. Und das ist ein weiterer wichtiger Punkt. Wie wird meine Idee bekannt? Wie erfahren die Leute davon? Es ist auch ganz wichtig, die Werbung für die eigene Geschäftsidee zu planen. Also, zum Beispiel eine eigene Webseite, Flyer oder Anzeigen in der Zeitung. Wer gestaltet die Werbung und was kostet sie mich? All diese Punkte muss man bedenken.

○ Viele Leute unterschätzen das sicher, wenn sie von dem eigenen kleinen Café träumen.

● Ja, das stimmt. Aber deshalb gibt es ja auch Workshops dazu, wie ich sie zum Beispiel anbiete. Und es gibt auch diverse Beratungsstellen, die einem helfen. Ein guter Tipp ist auch, sich regelmäßig mit anderen Leuten zu treffen, die sich selbstständig gemacht haben, und Erfahrungen auszutauschen. Solche Treffen gibt es eigentlich in jeder Stadt. Am besten recherchiert man da ein bisschen im Internet.

○ Vielen Dank, Frau Müller, das war sehr informativ. Frau Müller ist noch für eine Stunde hier bei uns im Studio und beantwortet im Chat Ihre Fragen. Wenn Sie also Fragen haben, dann schreiben Sie. Frau Müller wird direkt antworten. Und wir machen jetzt weiter mit Musik.

Aussprache Übung a

[ə] wie in Tage, [ɐ] wie in Bruder, [ən] wie in hören, [n̩] wie in lesen

1. an manchen Tagen; mitten in einem kleinen Bach
2. ein schöner Sommer; ein guter Autofahrer
3. mein Kollege macht Mittagspause; eine hohe Welle

Aussprache Übung c

Zweitjob gesucht?
Wir bieten interessanten Sommerjob für zuverlässige Personen. Wenn Sie Erfahrung mit Nutztierhaltung haben und Zeit und Lust haben, im Sommer (mindestens 2 Monate) auf unserem Bauernhof in Niederbayern mitzuhelfen, melden Sie sich bitte.

Kapitel 7 — Für immer und ewig

Modul 2 Übung 1a

Herzlich willkommen zu einer neuen Ausgabe unserer Ratgebersendung heute zum Thema „Partnervermittlung im Internet". Im Studio bis 12 für Sie: Anja Beckmann.
Man sucht und erhält Partnervorschläge online. Jeder Zweite, der einen Partner oder eine Partnerin sucht, macht das mittlerweile im Internet mithilfe von Online-Partnerbörsen. Aber wie erfolgreich ist diese Art der Partnersuche? Entstehen dadurch wirklich Partnerschaften?
Darüber wollen wir heute in unserer Ratgebersendung sprechen und natürlich wollen wir gerne wissen, welche eigenen Erfahrungen Sie, liebe Hörerinnen und Hörer, mit solchen Partnerbörsen gemacht haben. Berichten Sie uns das – gerne auch anonym – unter unserer kostenlosen Nummer 0800-21 21 04.

Modul 2 Übung 1b und c

6 ○ Wir haben den ersten Hörer in der Leitung: Mike aus Hannover. Guten Morgen, Mike. Welche Erfahrungen haben Sie denn mit Partnerbörsen im Internet gemacht?

● Ja, guten Morgen. Also ganz unterschiedliche. Sie reichen von „empfehlenswert und hilfreich" bis hin zu „lieber nicht".

○ Wie kommt es, dass Ihre Erfahrungen so unterschiedlich sind?

● Das ist ganz einfach: Partnerbörsen im Internet haben natürlich ein wirtschaftliches Interesse. Sie verdienen mit der Partnersuche Geld. Das Finanzielle steht für manche Kontaktbörsen im Vordergrund, weniger das Menschliche. Das merkt man am Service und im Portemonnaie. Denn jedes Mitglied schließt mit einer solchen Partnerbörse einen Vertrag für drei Monate, ein halbes oder für ein ganzes Jahr ab. Das ist alles andere als billig. Dafür bekommt man im Gegenzug dann Partnervorschläge.

○ Aber ein Vierteljahr ist doch nicht so lang?

● Da haben Sie recht, aber einige Börsen sind da sehr geschickt. Sie schicken einem genau gegen Ende der Mitgliedschaft besonders viele Partnervorschläge …

○ Die man sich dann alle gern noch anschauen möchte.

● Genau, weil man natürlich neugierig ist und mit den Personen in Kontakt treten möchte. Wenn man wirklich auf der Suche ist, möchte man alle Vorschläge sehen. Man hofft ja wirklich, eine Partnerin oder einen Partner zu finden.

○ Verraten Sie uns, ob Sie schon Glück hatten?

● Ja, ich hatte Glück. Ich habe eine Partnerin gefunden. Es war Liebe auf den ersten Blick, also eher Klick. Aber, jetzt habe ich ein ganz anderes Problem …

○ Welches denn?

● Ich habe meinen Vertrag verlängert und zahle jetzt noch elf Monate weiter. Deswegen ist mein Tipp an alle Hörer, die vielleicht auch einmal eine Kontaktbörse ausprobieren möchten: Am besten sind meiner Meinung nach Mitgliedschaften für drei Monate. Die sind zwar etwas teurer, aber man kommt dann schneller aus so einem Vertrag heraus.

○ Danke für diesen Tipp, Mike. Und da Sie ja erfolgreich waren und Ihr Glück gefunden haben, verschmerzen Sie sicher auch den Beitrag für die restlichen Monate. Für Sie und Ihre neue Partnerin alles Gute.

○ Wir haben den nächsten Hörer in der Leitung. Guten Morgen nach Brandenburg. Rüdiger? Sind Sie noch dran?

7

● Ja, guten Morgen. Ich rufe an, weil ich über eine bekannte Kontaktbörse meine zukünftige Frau kennengelernt habe. Für mich ist das ein großes Glück. Ich bin mit 63 Jahren nun auch nicht mehr der Jüngste und wollte nach dem Tod meiner Frau, nach so langer Zeit nicht mehr allein bleiben. Ich sehe mich als ein positives Beispiel und will deswegen gerade älteren Menschen die Angst vor dieser Art des Kennenlernens nehmen und Ihnen Mut machen.

○ Die haben Angst?

● Ja. Wem auch immer ich in meinem Freundes- und Bekanntenkreis erzähle, wie Anni und ich uns kennengelernt haben, alle schauen uns verwundert und verunsichert an. Für viele ältere Menschen ist diese Art des Kennenlernens zu unpersönlich und vielleicht auch ein bisschen unseriös. Man hört ja oft ganz andere Geschichten über das Internet.

○ Und was empfehlen Sie älteren Menschen?

● Probieren Sie es einfach aus. Nutzen Sie diese Möglichkeit! Ich rate eher zu den größeren, bekannten Partnerbörsen. Ich denke, wenn man ehrlich ist und konkret sagt, was man sucht, ist die Wahrscheinlichkeit groß, dass man Menschen trifft, mit denen man auf einer Linie liegt. Und nach meinen Erfahrungen sind Partnerbörsen, in denen man etwas bezahlt, erfolgreicher, weil sie wirklich etwas tun für das Geld. Ich habe auch schon kostenlose Kontaktbörsen genutzt, hatte da aber keinen Erfolg.

○ Vielen Dank, Rüdiger, für Ihren Anruf und alles Gute für Sie.

○ Wir haben eine Hörerin aus Hamburg in der Leitung. Guten Morgen, Julia.

8

● Guten Morgen.

○ Julia, du gehörst zu der Generation, die mit dem Internet groß geworden ist. Hast du denn schon Erfahrungen mit Kontaktbörsen gemacht?

● Mit Kontaktbörsen nicht, aber mit dem Kennenlernen im Internet schon. Ich würde niemals Geld für Partnerbörsen ausgeben. Das kann ich gar nicht verstehen. Es gibt doch so viele andere Möglichkeiten, die überhaupt nichts kosten. In sozialen Netzwerken zum Beispiel kann man so viele Leute kennenlernen …

○ …, aber in diesen Netzwerken suchen nicht alle einen Partner.

● Das stimmt. Aber ich glaube auch nicht, dass man wirklich erfolgreich sein kann, wenn man so intensiv auf diese Art sucht. Ich glaube, man verrennt sich da.

○ Wie meinst du das?

● Na, wenn man immer wieder neue Partnervorschläge bekommt und Profile durchliest. Das klingt für mich so, als blättere man in einem Katalog.

○ Du hast am Anfang gesagt, dass du Erfahrungen mit dem Kennenlernen im Internet gemacht hast. Welche denn?

● Ich habe meinen jetzigen Freund in einem großen sozialen Netzwerk kennengelernt. Wir waren da beide bei einem Freund verlinkt. Auf diese Weise haben wir Kontakt aufgenommen. Und das sehr erfolgreich, denn wir wollen im nächsten Jahr heiraten.

○ Na, Glückwunsch. Was würdest du denn unseren Hörern raten?

● Das Internet ist eine wunderbare Erfindung, die jeder nutzen sollte, egal, ob jung oder alt. Für die Partnersuche gibt es viele Möglichkeiten, ich finde, dafür sollte man nichts zahlen. Netzwerke gibt es für alle Generationen und viele Interessen. Da kann jeder mitmachen.

○ Vielen Dank, Julia, und alles Gute. Und wenn Sie, liebe Hörerinnen und Hörer, auch Erfahrungen mit der Partnervermittlung im Internet haben, dann rufen Sie an. Wir sind für Sie bis 12 im Studio.

Aussprache Übung a und b

9/10

○ Mann, war das ein tolles Fest!

● Was? Das war doch furchtbar!

○ Wieso? Die Leute waren doch total nett.

● Na ja. Du hast ja auch nicht neben Sandras Schwester gesessen. Die redet und redet und redet. Ohne Pause.

○ Aber ich habe ganz toll mit ihr getanzt.

● Toll. Und ich musste mit ihrem Mann tanzen. Der hat ja wirklich zwei linke Füße.

○ Ist aber so ein netter Typ. Und die Band war echt super. Und das Essen erst. Fantastisch!

● Ja, war ganz gut. Aber das Kleid von Sandra. Das geht ja gar nicht …

○ Du hast auch immer was zu meckern!

● Wenn es doch wahr ist!

Kapitel 8   Kaufen, kaufen, kaufen

Modul 1 Übung 1b und c

11

○ Guten Tag, darf ich Sie kurz etwas fragen? Wir machen eine Umfrage.

● Worum geht es denn?

○ Wir möchten von Ihnen gerne wissen, auf welche Erfindung Sie auf keinen Fall verzichten möchten.

● Auf welche Erfindung? Also, wie meinen Sie das genau? Auf welche neue Erfindung oder Erfindungen ganz allgemein?

○ Ganz allgemein – es kann also auch die Glühbirne oder das Rad sein.

● Ah, verstehe – da muss ich mal kurz nachdenken. Hm … ja klar, das Auto.

○ O. k., und darf ich auch fragen, warum?

● Natürlich. Also, meine Freundin wohnt in einem Dorf ungefähr 50 Kilometer von hier – und da fährt kein Zug hin. Es gibt einen Bus, aber der fährt nur unter der Woche und nur dreimal am Tag. Ich brauche also mein Auto, wenn ich sie besuchen will! Und auch sonst möchte ich nicht auf mein Auto verzichten: Wir machen gerne Ausflüge in die Berge oder an einen See und für meinen Job muss ich auch öfter größere Dinge transportieren: Ich mache und renoviere Bilderrahmen. Das geht nicht mit der U-Bahn.

○ O. k., herzlichen Dank!

● Gerne, tschüss.

12

○ Guten Tag, darf ich Sie auch etwas fragen?

● Aber gerne.

○ Auf welche Erfindung möchten Sie auf gar keinen Fall verzichten?

● Oh, das ist schwer – da fallen mir so viele Sachen ein!

○ Na, was ist für Sie die allerwichtigste Erfindung?

● Das Telefon! Und natürlich auch das Handy.

○ Aha, und darf ich fragen, warum?

● Aber natürlich. Ohne Telefon hätte ich zu vielen Freunden keinen so guten Kontakt mehr. Entweder sie wohnen in anderen Städten oder sie sind nicht mehr so mobil. Wie könnte man sich denn da ohne Telefon austauschen? Das würde gar nicht gehen … Briefe sind viel zu lange unterwegs und auch bei Mails muss man sich jedes Wort genau überlegen. Nein, also das Telefon ist für mich die beste Erfindung aller Zeiten.

Mit meinen Kindern kann ich zum Glück auch viel reden, die leben in London und in Australien!

○ Ui, das ist aber wirklich weit weg. Da ist das sehr verständlich, dass für Sie das Telefon am wichtigsten ist.

● Ja. Wobei ich sagen muss, dass ich mit meiner Tochter in Australien meistens übers Internet telefoniere. Wir skypen oft – aber ohne Telefon hätte man das ja auch nie erfunden.

○ Ja, das stimmt. Dann alles Gute für Sie.

● Danke, auf Wiedersehen!

○ Guten Tag.

● Hallo! Ihr macht eine Umfrage?

○ Ja. Auf welche Erfindung möchtest du auf keinen Fall verzichten?

● Hm … Ach ja, was ganz Praktisches und Spießiges: Ein Klappschirm.

○ Ein Klappschirm? Falls es regnet?

● Ja, genau, so ein ganz banaler Klappschirm. Ich wohne ungefähr 15 Minuten Fußweg von der U-Bahn-Haltestelle weg und ich bin schon so oft nass geworden. Jetzt habe ich immer – auch wenn das Wetter noch so schön ist – einen Klappschirm in der Tasche. Der hat mir schon sehr oft, sehr gute Dienste geleistet.

○ Ja, das glaube ich – bei dem Wetter hier …

Aussprache Übung a

1. Kommen Sie mit, Frau Schulz?
2. Das Plakat gefällt mir so super.
3. Wir kaufen das jetzt Maria.
4. Mach mit beim Kinder-Gartenprojekt!

Aussprache Übung b

1. a Kommen Sie mit Frau Schulz?
   b Kommen Sie mit, Frau Schulz?
2. a Das Plakat gefällt mir so super.
   b Das Plakat gefällt mir so, super!
3. a Wir kaufen das jetzt, Maria.
   b Wir kaufen das jetzt Maria.
4. a Mach mit beim Kinder-Gartenprojekt!
   b Mach mit beim Kindergarten-Projekt!

Aussprache Übung c

a Sebastian, will Christiane nicht?
b Sebastian will, Christiane nicht.
c Hanne, sagt Franz, wird nie klug.
d Hanne sagt, Franz wird nie klug.

Aussprache Übung e

1. a Gut haben Sie sich entschieden.
   b Gut, haben Sie sich entschieden?
2. a Du, mein Mann und ich gehen shoppen.
   b Du, mein Mann und ich gehen shoppen.
3. Was nimmst du? Kaffee oder Tee?
   a Den Kaffee, nicht den Tee.
   b Den Kaffee nicht, den Tee.

Kapitel 9   Endlich Urlaub

Modul 4   Übung 1

Beispiel: Sie hören eine Nachricht auf einem Anrufbeantworter.

Guten Tag, Frau Lange, hier spricht Frau Thomas vom Reisebüro Suder. Es geht um Ihre Reise nach Mallorca am 17. Oktober. Leider sind an dem Tag, an dem Sie reisen möchten, alle Flüge ab Hamburg bereits ausgebucht. Könnten Sie vielleicht an einem anderen Tag fliegen? Das wäre eine gute Alternative, denn am 17. Oktober sind auch die Flüge von anderen Flughäfen im Norden wie Bremen oder Hannover nicht optimal. Bitte rufen Sie mich kurz zurück. Sie erreichen mich heute noch bis 18 Uhr und morgen ab 8 Uhr unter 778956. Vielen Dank.

Text 1: Sie hören eine Durchsage am Bahnhof.

Achtung an Gleis 8. Es hat Einfahrt der verspätete EuroCity 113 von München Hauptbahnhof nach Salzburg Hauptbahnhof über Rosenheim, Prien am Chiemsee, Traunstein, Freilassing. Planmäßige Abfahrt war 12 Uhr 35. Bitte beachten Sie, dass die elektronische Platzreservierung wegen eines technischen Defekts heute nicht angezeigt werden kann. Bitte geben Sie die Plätze für Personen frei, die eine Reservierung gebucht haben. Wir danken für Ihr Verständnis.

Text 2: Sie hören eine Meldung im Radio.

Und hier die aktuellen Verkehrsmeldungen für den kalten Norden. A7 Hannover Richtung Hamburg: 6 Kilometer Stau wegen einer Baustelle am Dreieck Walsrode. Im weiteren Verlauf Behinderungen wegen starken Schneefalls. Und ebenfalls A7 zwischen Anschlussstelle Bispingen und Anschlussstelle Evendorf: Gefahr durch Eis auf der Fahrbahn. Fahren Sie hier besonders vorsichtig, es ist spiegelglatt. A1 Bremen Richtung Cloppenburg: Vor dem Dreieck Stuhr 4 Kilometer stockender Verkehr wegen eines Unfalls. Kommen Sie weiter gut durch den Tag. Radio Nordwest informiert Sie immer aktuell.

Text 3: Sie hören eine Nachricht auf einem Anrufbeantworter.

Hier spricht Herr Hansen vom Hotel Alster-Residenz, dies ist eine Nachricht für Herrn Groß. Wie besprochen melden wir uns noch einmal auf Ihre Anfrage für ein Doppelzimmer vom 24. bis 25. November. Wir können Ihnen für diesen Zeitraum ein Standardzimmer für 125,- Euro inklusive Frühstück anbieten. Für die

Transkript zum Arbeitsbuch

Buchung benötigen wir noch Ihre Kreditkartennummer. Bitte teilen Sie uns diese telefonisch unter 040/8900321933 mit. Danach senden wir Ihnen gerne die schriftliche Buchungsbestätigung. Wir freuen uns auf Ihren Rückruf, auf Wiederhören.

Text 4: Sie hören einen Hinweis auf einer Flugreise.
22 Meine Damen und Herren, wir haben nun unsere Reisehöhe erreicht. Aus Sicherheitsgründen möchten wir darauf hinweisen, dass Sie aber weiter angeschnallt bleiben sollten. In Kürze haben Sie die Möglichkeit, einen preiswerten Imbiss oder auch Getränke bei unserem Servicepersonal zu bestellen. Die Preise entnehmen Sie bitte dem Prospekt an Ihren Plätzen. Wir möchten Sie auch noch auf unsere günstigen Kombiangebote aufmerksam machen: ein Heißgetränk und ein Sandwich Ihrer Wahl für nur 6,50 €. Kalte Getränke erhalten Sie für 2,50 €. Wir wünschen guten Appetit.

Aussprache **Übung a**
23
Tr – tr – trinken
Spr – spr – sprechen
Pr – pr – probieren
Str – str – streicheln
Kr – kr – kratzen

Aussprache **Übung b**
24
Im Haus, da bin ich nie allein,
im Winter kommen Mäuse rein.
Sie trippeln und trappeln
und kriechen und krabbeln,
sie springen und sprinten,
sie streiten und strampeln,
„Na, prima", schimpf' ich in mich hinein
und lad' mir gleich ein Kätzchen ein.

Aussprache **Übung d**
25
Spritze, Astronaut, abstrampeln, knusprig, Straße, Strom, Astrid, versprechen, Kasper, frustriert, anstrengend

Kapitel 10   Natürlich Natur!

Modul 3 **Übung 3**
26
○ Schönen guten Abend hier in unserer Sendung „Jetzt bin ich dran!". Heute geht es um Grünbrücken. Sie fragen sich vielleicht, was das ist. Ganz einfach, eine Grünbrücke ist eine Brücke über eine stark befahrene Straße. Aber keine Brücke für Menschen –, sondern eine schön bepflanzte Brücke nur

für Tiere, die für mehr Sicherheit im Straßenverkehr sorgt. Ich begrüße hier im Studio die beiden leidenschaftlichen Autofahrer Markus Raller und Hella Steger. Frau Steger, was sagen Sie zum Thema Grünbrücken?

● Nun ja, ich bin wirklich viel mit dem Auto unterwegs. Da weiß ich natürlich, wie gefährlich Unfälle mit Wildtieren sein können. Aber mir ist noch nie ein Tier vor das Auto gelaufen. Und das, obwohl ich auch oft in der Dämmerung unterwegs bin, und das ist ja bekanntlich die Zeit, in der die meisten Unfälle passieren.

○ Herr Raller, Sie fahren ja auch viel mit dem Auto. Ist Ihnen schon mal ein Tier vor das Auto gesprungen?

■ Ja. Mir ist das schon einmal passiert. Ich war gerade auf dem Weg nach Hause von der Arbeit, da stand plötzlich dieses Reh direkt vor mir auf der Straße. Ich hab' eine Vollbremsung gemacht und kann nur von Glück reden, dass ich nicht so schnell unterwegs war. Frau Steger kann froh sein, dass sie diese Erfahrung noch nicht gemacht hat.

○ Frau Steger, ändert das Ihre Meinung?

● Tja, aber ändern denn die Grünbrücken grundsätzlich etwas an dem Risiko? Ich kann mir nicht vorstellen, dass ein Reh einen Umweg über eine Grünbrücke nimmt!

○ Das ist natürlich ein Argument: Grünbrücken sind noch lange keine Garantie dafür, dass einem kein Reh vor das Auto läuft!

■ Studien haben aber durchaus gezeigt, dass die Tiere die Grünbrücken erstaunlich gut annehmen. Wenn sie die Brücke einmal entdeckt haben, dauert es nicht lange, bis sie ihre Routen so ändern, dass der Weg über die Brücke zur Gewohnheit wird.

● Ja, das ist interessant, das hätte ich nicht gedacht. Ich bin ja auch für Tierschutz, aber es muss alles in einem gewissen Verhältnis stehen. Ich denke, es ist wichtiger, Geld in die Sanierung von Straßen und Autobahnbrücken zu investieren, als solche Grünbrücken zu bauen. Wenn das geschehen ist und noch Gelder übrig sind, dann kann man gerne Grünbrücken bauen … Oder man sollte sie beim Bau von neuen Straßen von Anfang an mitplanen, dann kommen sie nicht so teuer.

■ Ja, teuer sind diese Brücken. Aber ich halte sie trotzdem für gerechtfertigt, schließlich können sie Menschenleben retten.

○ Aber für Sie als Vielfahrer sind gut ausgebaute Straßen doch auch von Relevanz, oder?

■ Ja, das stimmt. Die Investition in gut ausgebaute Straßen, auch zu abgelegenen Orten, ist natürlich

das Wichtigste überhaupt, damit alle Orte gut an-
gebunden sind und wir nicht unnötig lang von A
nach B brauchen. Aber insgesamt ist die Situation
hierzu in Deutschland ja ganz gut.

● Na ja … Ich fände es viel sinnvoller, wenn die Autoindustrie mehr Geld in Frühwarnsysteme inves-
tiert. Dann könnten die Fahrer immer rechtzeitig
gewarnt werden, wenn sich ein Tier der Fahrbahn
nähert.

○ Das ist natürlich eine Möglichkeit, die in Zukunft
sicherlich zur Erhöhung der Sicherheit von Mensch
und Tier beitragen wird. In der Autoindustrie wird
hieran ja heutzutage schon intensiv geforscht. Es
gibt sogar schon Autos, die mit Kameras ausgestattet sind und Hindernisse auf der Fahrbahn anzeigen.

Frau Steger und Herr Raller, ich bedanke mich sehr
herzlich dafür, dass Sie sich die Zeit genommen
haben, zu uns ins Studio zu kommen.

Liebe Hörerinnen und Hörer, ich wünsche Ihnen
einen schönen Abend und bis nächste Woche,
wenn es wieder heißt: „Jetzt bin ich dran!".

Aussprache

27

Die Ostsee in Gefahr

Die Ostsee – Das ist ein einmaliges Ökosystem. Sie
zeichnet sich durch eine große biologische Vielfalt aus
und ist für die Menschen in vielerlei Hinsicht wichtig,
z. B. für die Ernährung und den Tourismus. Es gibt
zahlreiche Naturschutzgebiete und Nationalparks.
Umweltschützer fordern jedoch, dass diese
Schutzgebiete vergrößert werden.

Denn 25 Prozent des Meeresbodens gelten als
biologisch tot. Die Ostsee gehört damit zu den am
stärksten verschmutzten Meeren der Welt. Abwässer,
Industrieabfälle und Düngestoffe werden im Meer
entsorgt. Es bilden sich immer wieder giftige
Algenteppiche und viele Meeresbewohner sterben. In
vielen Ostseegebieten gibt es kaum noch Fische.
Außerdem ist die Ostsee ein Binnenmeer, so bleiben
die Gifte auch sehr lange im Ostseewasser. Das Wasser
kann sich nicht so schnell erneuern wie in anderen
Meeren.

Ein weiteres Problem ist der Schiffsverkehr auf der
Ostsee, besonders der Tankerverkehr hat in den
letzten Jahren stark zugenommen.

Es gibt zahlreiche Initiativen und Projekte, um die
Ostsee zu schützen. Aber bis jetzt ist das nicht genug.
Eine große Schwierigkeit dabei sind die unter-
schiedlichen wirtschaftlichen Interessen der neun
Staaten, die an der Ostsee liegen.

Verben mit Präpositionen

Mit Akkusativ

achten	auf	Achte bei der Prüfung genau auf die Aufgabenstellung.
ankommen	auf	Bei einer Bewerbung kommt es nicht nur auf gute Noten an.
anpassen	an	Man muss sich nicht an jeden Trend anpassen.
antworten	auf	Hat die Firma schon auf deine Bewerbung geantwortet?
sich ärgern	über	Ich habe mich heute so über meine Kollegin geärgert.
aufpassen	auf	Könntest du heute Abend auf meine Kinder aufpassen?
ausgeben	für	Wie viel hast du für das Geschenk ausgegeben?
sich bedanken	für	Wir wollten uns für das schöne Geschenk bedanken.
sich beklagen	über	Der Gast hat sich ständig über das Essen beklagt.
berichten	über	Im Fernsehen wurde über das Ereignis kaum berichtet.
sich beschweren	über	Herr Müller hat sich gestern über den Lärm beschwert.
sich bewerben	als	Er hat sich als Event-Manager beworben.
sich bewerben	auf/um	Er hat sich auf/um die Stelle als Event-Manager beworben.
bezeichnen	als	Er bezeichnet sich selbst als Experten.
sich beziehen	auf	Die Mahnung bezieht sich auf die Rechnung vom Januar.
bitten	um	Könnte ich dich um einen Gefallen bitten?
danken	für	Ich möchte dir für deine Unterstützung danken.
denken	an	Denk doch nicht immer nur an dich!
diskutieren	über	Ich will nicht schon wieder über dieses Thema diskutieren.
eingehen	auf	Dirk geht einfach nie auf die Meinung anderer ein.
sich einsetzen	für	Wir setzen uns für eine bessere Ausbildung ein.
sich einsetzen	gegen	Meine ganze Familie setzt sich gegen Atomenergie ein.
einziehen	in	Wir sind erst vor Kurzem in die neue Wohnung eingezogen.
sich engagieren	für	Viele Leute engagieren sich für einen guten Zweck.
sich engagieren	gegen	Wir engagieren uns gegen Gewalt im Alltag.
sich entscheiden	für/gegen	Wir haben uns für/gegen dieses Sofa entschieden.
sich entschuldigen	für	Kristina hat sich heute für ihren Fehler entschuldigt.
(sich) erinnern	an	Erinnerst du dich an unser Gespräch neulich?
erzählen	über	Was hat er denn über seinen Chef erzählt?
sich freuen	auf	Ich freue mich auf unseren Ausflug am Wochenende.
sich freuen	über	Meine Eltern haben sich sehr über meinen Besuch gefreut.
sich gewöhnen	an	Ich kann mich einfach nicht an dieses Essen gewöhnen.
glauben	an	Seine Eltern glauben an ihn, das macht ihm Mut.
halten	für	Ich halte Sie für eine sehr kompetente Fachkraft.
sich halten	an	Halte dich doch bitte an unsere Abmachung!
sich handeln	um	Hier handelt es sich um eine seltene Pflanze.
hinweisen	auf	Ich möchte Sie noch auf unsere Sonderangebote hinweisen.
hoffen	auf	Wir haben lange auf besseres Wetter gehofft.
(sich) informieren	über	Vor seiner Bewerbung hat er sich über die Firma informiert.
sich interessieren	für	Maren interessiert sich sehr für Tiere und Naturschutz.
investieren	in	Das Unternehmen hat viel Geld in dieses Projekt investiert.
kämpfen	für	Sie kämpfen für eine saubere Umwelt.
kämpfen	gegen	Sie kämpfen gegen Umweltverschmutzung.
sich konzentrieren	auf	Seid leiser! Ich muss mich auf die Aufgabe konzentrieren.
sich kümmern	um	Wer kümmert sich um den Hund, wenn wir weg sind?
lachen	über	Über diesen Witz kann ich echt überhaupt nicht lachen.
nachdenken	über	Ich denke über dein Angebot nach und gebe dir Bescheid.

reagieren	auf	Wie hat dein Chef eigentlich auf deinen Vorschlag reagiert?
reden	über	Wir haben lange über das Problem geredet.
schimpfen	über	Er schimpft den ganzen Abend über seine Kollegen.
sorgen	für	Olaf will für seine kranken Eltern sorgen.
sich sorgen	um	Katja sorgt sich oft zu sehr um ihre berufliche Zukunft.
sich spezialisieren	auf	Er hat sich während des Studiums auf Chirurgie spezialisiert.
sprechen	über	Habt ihr auch über die Arbeitsbedingungen gesprochen?
(sich) streiten	über	Streitet ihr schon wieder über die gleiche Frage?
(sich) streiten	um	In Beziehungen wird oft um Geld gestritten.
sich unterhalten	über	Wir haben uns den ganzen Abend über Politik unterhalten.
sich verlassen	auf	Auf meinen besten Freund kann ich mich immer verlassen.
sich verlieben	in	Nina hat sich schon während der Schulzeit in Paul verliebt.
verzichten	auf	Ich kann am Morgen einfach nicht auf Kaffee verzichten.
sich vorbereiten	auf	Hast du dich gut auf das Vorstellungsgespräch vorbereitet?
warten	auf	Auf wen wartest du denn?
sich wenden	an	Wenden Sie sich bitte an Herrn Kohl.
werben	für	Die Firma wirbt für ihre Produkte.
wetten	um	Wir haben um ein Abendessen gewettet.
sich wundern	über	Ich habe mich sehr über diese Frage gewundert.

Mit Dativ

abhalten	von	Ich konnte ihn nicht von seinem Vorhaben abhalten.
abhängen	von	Der Klimawandel hängt auch von unserem Verhalten ab.
abmelden	von	Hast du dich wirklich vom Sportstudio abgemeldet?
abraten	von	Ich kann euch von diesem Restaurant nur abraten.
ändern	an	Bert sagt, dass er an der Situation nichts ändern kann.
anfangen	mit	Er hat mit dem Tanzkurs angefangen.
anrufen	bei	Hast du bei unserem Vermieter angerufen?
arbeiten	an	Sie arbeiten an einem großen Projekt.
arbeiten	bei	Er arbeitet bei BMW.
arbeiten	in	Sie arbeitet in einer großen Firma.
aufhören	mit	Kinder, könnt ihr bitte mit dem Lärm aufhören?
ausgehen	von	Ich gehe davon aus, dass wir uns morgen wiedersehen.
sich auskennen	mit	Er kennt sich gut mit moderner Technik aus.
sich austauschen	mit	Im Forum kann sich Tom mit anderen Betroffenen austauschen.
sich bedanken	bei	Ich muss mich unbedingt bei dir bedanken.
sich befassen	mit	Der Film befasst sich mit traditioneller Musik.
sich befinden	in	Wir befinden uns hier im Zentrum von Hamburg.
beginnen	mit	Wann beginnst du mit dem Deutschkurs?
beitragen	zu	Möchtest du auch etwas zu dieser Diskussion beitragen?
sich beklagen	bei	Unsere Nachbarin hat sich wieder beim Vermieter beklagt.
berichten	von	Matthias berichtet immer sehr ausführlich von seinen Reisen.
sich beschweren	bei	Herr Müller hat sich bei der Hausverwaltung beschwert.
bestehen	aus	Diese Schokolade besteht hauptsächlich aus Kakao.
bestellen	bei	Habt ihr die Lieferung bei Herrn Krömer bestellt?
sich beteiligen	an	Habt ihr euch auch an der Demo gestern beteiligt?
sich bewerben	bei	Susanne hat sich bei einer Software-Firma beworben.
bringen	zu	Er bringt mich immer zum Lachen.

Verben mit Präpositionen

diskutieren	mit	Wir haben lange mit unserem Vermieter diskutiert.
einladen	zu	Ich würde dich gern zu meiner Party einladen.
(sich) entfernen	von	Der Taucher hat sich weit von der Küste entfernt.
sich entschließen	zu	Kristina hat sich zu einem Fernstudium entschlossen.
sich entschuldigen	bei	Kristina hat sich heute bei mir entschuldigt.
erhalten	von	Haben Sie die Nachricht von Frau Krause erhalten?
sich erholen	von	Sie hat sich gut von der Krankheit erholt.
erkennen	an	Ich erkenne ihn an seiner Stimme.
sich erkundigen	bei /nach	Ich habe mich bei der VHS nach Kursen erkundigt.
erwarten	von	Was erwartest du von diesem Kurs?
erzählen	von	Erzähl doch mal was von deiner Familie!
erziehen	zu	Sie haben ihre Kinder früh zur Selbstständigkeit erzogen.
experimentieren	mit	Habt ihr mit Wasser experimentiert?
fragen	nach	Wo warst du? Max hat schon dreimal nach dir gefragt.
führen	zu	Der Klimawandel führt zu immer mehr Unwettern.
gehören	zu	Zu welcher Projektgruppe gehörst du?
gratulieren	zu	Ich möchte dir zu deinem guten Prüfungsergebnis gratulieren.
greifen	nach	Er greift nach dem Treppengeländer.
handeln	mit	Die Firma handelt mit Schmuck.
handeln	von	Das Buch handelt von drei Freunden.
halten	von	Was hältst du von dem neuen Büro?
helfen	bei	Könntest du mir bitte beim Aufräumen helfen?
hören	von	Hast du mal was von Tina und Moritz gehört?
klarkommen	mit	Sie kommt sehr gut mit ihren Kolleginnen klar.
klingen	nach	Das klingt nach einem tollen Film.
leiden	an	Er leidet an Asthma.
leiden	unter	Er leidet unter Schlaflosigkeit.
liegen	an	Es liegt an seinem Ehrgeiz, dass er so weit gekommen ist.
sich melden	bei	Meldest du dich morgen bei mir?
motivieren	zu	Kann ich dich heute zum Joggen motivieren?
nachfragen	bei	Dein Paket ist nicht da? Hast du schon bei der Poststelle nachgefragt?
naschen	von	Wer hat von dem Kuchen genascht?
sich orientieren	an	Er hat sich an seinen Vorbildern orientiert.
passen	zu	Der Pulli passt gut zu der Hose.
raten	zu	Ich rate dir zu einem Arztbesuch.
(sich) retten	vor	Alle haben sich vor dem Feuer gerettet.
sich richten	nach	Ich richte mich da ganz nach dir.
schimpfen	mit	Er schimpft den ganzen Tag mit seinem Hund.
schmecken	nach	Die Schokolade schmeckt nach Nougat.
speichern	auf	Du solltest die Datei auf einer externen Festplatte speichern.
sprechen	mit	Kann ich mal kurz mit dir sprechen?
sprechen	von	Adrian hat den ganzen Abend nur von dir gesprochen.
sterben	an	Mein Opa ist letztes Jahr an Krebs gestorben.
(sich) streiten	mit	Ich habe mich gestern mit meinem Freund gestritten.
teilnehmen	an	Nimmst du auch am nächsten Kurs teil?
telefonieren	mit	Ich habe gerade mit der Personalabteilung telefoniert.
träumen	von	Ich träume vom nächsten Urlaub.
sich treffen	mit	Nach dem Kurs treffe ich mich noch mit Rosalie.
(sich) trennen	von	Sie hat sich von ihrem alten Auto getrennt.

überreden	zu	Ich habe sie zu einem Ausflug überredet.
überzeugen	von	Versuch nicht, mich vom Gegenteil zu überzeugen.
umgehen	mit	Kannst du gut mit dem neuen Programm umgehen?
unterbrechen	bei	Meine Kinder unterbrechen mich ständig beim Telefonieren.
sich unterhalten	mit	Gestern habe ich mich lange mit meinem Chef unterhalten.
sich unterscheiden	von	Ein Pony unterscheidet sich deutlich von einem Pferd.
unterstützen	bei	Kannst du mich bei dem Projekt unterstützen?
sich verabreden	mit	Ich würde mich gern mal mit ihr verabreden.
sich verabschieden	von	Die Gäste haben sich von uns verabschiedet.
verbinden	mit	Was verbindest du mit dem Begriff „Freundschaft"?
vergleichen	mit	Man kann Äpfel nicht mit Birnen vergleichen.
verlangen	von	Was verlangst du von mir?
(sich) verstecken	vor	Er versteckt sich vor ihr.
sich verstehen	mit	Valentin versteht sich sehr gut mit seinen Eltern.
vorbeikommen	bei	Kommt ihr nachher noch bei uns vorbei?
vorkommen	bei	Das kommt bei meinem Computer öfter vor, dass er abstürzt.
vortragen	vor	Er hat das Gedicht vor über 100 Leuten vorgetragen.
weglaufen	vor	Die Tiere laufen vor dem Feuer weg.
sich wünschen	von	Simon wünscht sich von mir ein Buch.
zurückkommen	von	Gestern ist mein Bruder von einer langen Reise zurückgekommen.
zählen	zu	Walter zählt zu den besten Studenten der Universität.
zweifeln	an	Zweifelst du an seiner Ehrlichkeit?
zwingen	zu	Niemand kann dich zu dieser Prüfung zwingen.

Reflexive Verben

Verben, die immer reflexiv sind und deren Reflexivpronomen im Akkusativ steht:

sich auskennen	Kennst du dich mit diesem Programm aus?
sich äußern	Mein Kollege hat sich noch nicht zu dem Problem geäußert.
sich ausruhen	Ich will mich im Urlaub vor allem ausruhen.
sich austoben	Kinder müssen sich richtig austoben können.
sich bedanken	Du musst dich doch bei mir nicht bedanken.
sich beeilen	Schnell, wir müssen uns beeilen.
sich befassen mit	Warum befassen wir uns denn jetzt mit diesem Thema?
sich befinden	Wir befinden uns hier in der Altstadt.
sich beschweren bei/über	Sie beschwert sich ständig bei mir über die Musik.
sich bewerben	Wer hat sich denn auf die Stelle noch beworben?
sich einsetzen für/gegen	Dieser Verein setzt sich für Obdachlose ein.
sich entschließen	Ich habe mich entschlossen, das Studium abzubrechen.
sich erholen	Herr Meier hat sich im Urlaub nicht richtig erholt.
sich erkundigen nach	Jemand hat sich vorhin nach dir erkundigt.
sich freuen auf/über	Freut ihr euch auch schon auf das Fest?
sich interessieren für	Ich interessiere mich wirklich überhaupt nicht für Fußball.
sich irren	Hier lang? Ich glaube, du irrst dich.
sich konzentrieren	Bei diesem Lärm kann sich ja kein Mensch konzentrieren!
sich kümmern um	Kannst du dich um meine Katzen kümmern?
sich lustig machen über	Mach dich nicht immer lustig über mich!
sich orientieren	So viele Informationen! Ich muss mich erst mal orientieren.
sich richten nach	Immer sollen sich alle nach ihm richten.
sich schämen	Also wirklich! Du solltest dich schämen!
sich scheiden lassen	Hast du schon gehört? Frau Schmidt lässt sich scheiden.
sich sehnen nach	Sie sehnt sich nach ihrer Heimat.
sich setzen	Ach, Frau Holzmann, setzen Sie sich doch.
sich verabreden	Wir könnten uns doch mal wieder verabreden.
sich vergnügen	Alle müssen arbeiten und Peter vergnügt sich am Strand.
sich verlassen auf	Auf mich kannst du dich immer verlassen.
sich verlaufen	Oh nein, wir haben uns völlig verlaufen.
sich verlieben	Sie hat sich sofort in ihn verliebt.
sich verloben	Wir haben uns verlobt. Sieh mal, mein Ring!
sich wandeln	Die Gesellschaft wandelt sich ständig.
sich wenden an	Wenden Sie sich bitte an den Direktor.
sich wohlfühlen	Sie fühlt sich hier einfach nicht wohl.
sich wundern	Über sein Verhalten kann man sich nur wundern.
sich zurückziehen	Sie hat sich völlig aus dem Geschäft zurückgezogen.
sich zuwenden	Er wendete sich den wartenden Leuten zu.

Verben, die reflexiv gebraucht werden können (Reflexivpronomen im Akkusativ) oder mit einer Akkusativergänzung stehen:

(sich) ändern	Es hat sich überhaupt nichts geändert.	Wir können den Plan nicht mehr ändern.
sich anstellen	Komm, wir stellen uns hier an.	Die Firma kann niemanden anstellen.
(sich) anstrengen	Du musst dich mehr anstrengen.	Streng doch mal deinen Kopf an.
(sich) ärgern	Ich ärgere mich über meinen Bruder.	Mein Bruder ärgert mich oft.
(sich) aufregen	Reg dich doch nicht immer so auf!	Die Nachricht hat ihn sehr aufgeregt.
(sich) austauschen	Alle Mitarbeiter haben sich ausgetauscht.	Wir müssen das Gerät austauschen.
(sich) begeistern für	Ich kann mich für vieles begeistern.	Er hat die Schüler für das Thema begeistert.
(sich) beklagen	Sie beklagt sich oft über die Arbeit.	Der Politiker beklagt die Korruption.
(sich) beteiligen	Sie sollten sich stärker an der Diskussion beteiligen.	Er hat seinen Partner nicht an dem Geschäft beteiligt.
(sich) bewegen	Ich muss mich mehr bewegen.	Sie bewegte nur ihre Hand.
(sich) beziehen	Der Artikel bezieht sich auf ein aktuelles Thema.	Woher beziehen Sie Ihre Informationen?
(sich) duschen	Ich dusche mich.	Ich dusche meinen Hund.
(sich) einarbeiten	Sie müssen sich schnell in das Thema einarbeiten.	Wir arbeiten gerade viele Leute ein.
(sich) einbringen	Ich möchte mich in die Diskussion einbringen.	Er bringt viele neue Ideen ein.
(sich) engagieren	Wir engagieren uns für ein soziales Projekt.	Die Firma hat einen Anwalt engagiert.
(sich) einfügen	Er hat sich gut in die neue Abteilung eingefügt.	Hier musst du noch ein Wort einfügen.
(sich) entfernen	Sie hat sich unauffällig entfernt.	Den Verband muss der Arzt entfernen.
(sich) entscheiden	Entscheide dich jetzt endlich!	Das musst du allein entscheiden.
(sich) entschuldigen	Ich möchte mich für mein Verhalten entschuldigen.	Ich möchte meinen Sohn entschuldigen, er ist krank.
(sich) entwickeln	Das Kind hat sich gut entwickelt.	Wer hat das Konzept entwickelt?
(sich) erinnern	Erinnerst du dich noch an Maria?	Ich sollte dich an den Termin erinnern.
(sich) erfrischen	Puh, ich muss mich erst mal erfrischen.	Das Wasser hat mich erfrischt.
(sich) fühlen	Ich fühle mich ganz gut.	Er kann den Schmerz fühlen.
(sich) gewöhnen an	Wir gewöhnen uns langsam an das Klima.	Wir gewöhnen die Tiere langsam an die Umgebung.
(sich) informieren	Wo kann ich mich denn informieren?	Die Leitung muss noch alle informieren.
(sich) melden	Melde dich, wenn du da bist.	Ich möchte einen Unfall melden.
(sich) stressen	Ich will mich nicht so stressen.	Die Prüfung stresst mich.
(sich) trennen	Lea hat sich von Kevin getrennt.	Wir haben die streitenden Kinder getrennt.
(sich) unterscheiden	Dieses Produkt unterscheidet sich sehr von den anderen.	Ich kann die beiden Farben nicht unterscheiden.
(sich) unterhalten	Wir haben uns gestern gut unterhalten.	Er hat die ganze Gruppe unterhalten.
(sich) verabschieden	Ich muss mich jetzt verabschieden.	Das Parlament ihn verabschiedet.
(sich) verändern	Er hat sich sehr verändert.	Wir haben etwas verändert.
(sich) verbessern	Ich will mich wirklich verbessern.	Wir können das Ergebnis verbessern.
(sich) verbrennen	Das Kind hat sich verbrannt.	Warum hast du den Brief verbrannt?

Reflexive Verben

(sich) verständigen	Sie kann sich gut verständigen.	Man musste die Polizei verständigen.
(sich) verstecken	Komm, wir verstecken uns.	Sollen wir die Geschenke verstecken?
(sich) verstellen	Er kann sich gut verstellen.	Kannst du deine Stimme verstellen?
(sich) vorbereiten	Ich bereite mich gut vor.	Wir bereiten ein Fest vor.
(sich) vorstellen	Ich möchte mich gerne vorstellen.	Ich möchte euch Betty vorstellen.

Verben, deren Reflexivpronomen im Akkusativ stehen oder im Dativ stehen, wenn es eine andere Akkusativergänzung gibt:

sich anziehen	Ich ziehe mich an.	Ich ziehe mir das T-Shirt an.
sich ausziehen	Ich ziehe mich aus.	Ich ziehe mir das T-Shirt aus.
sich eincremen	Ich creme mich ein.	Ich creme mir das Gesicht ein.
sich kämmen	Ich kämme mich.	Ich kämme mir die Haare.
sich rasieren	Er rasiert sich.	Er rasiert sich das Gesicht.
sich verbrennen	Ich habe mich verbrannt.	Ich habe mir die Finger verbrannt.
sich waschen	Ich wasche mich.	Ich wasche mir die Hände.

Verben, deren Reflexivpronomen im Dativ stehen und die eine Akkusativergänzung brauchen:

sich etw. aneignen	Ich habe mir dieses Wissen im Studium angeeignet.
sich etw. ansehen	Hat der Chef sich schon die Unterlagen angesehen?
sich etw. einprägen	Du musst dir die Wörter gut einprägen.
sich etw. leisten (können)	Wie können die Müllers sich nur dieses Haus leisten?
sich etw. merken	Ich habe mir seinen Namen sofort gemerkt.
sich etw. überlegen	Wir haben uns das gut überlegt.
sich etw. vorstellen	Kannst du dir das vorstellen?

Verben, deren Reflexivpronomen im Dativ stehen und die eine Akkusativergänzung brauchen, die aber auch mit einer Dativergänzung stehen können:

(sich) etw. abgewöhnen	Du muss dir das Rauchen unbedingt abgewöhnen.	Wir haben unserem Hund das Hochspringen abgewöhnt.
(sich) etw. angewöhnen	Sie hat sich das Jammern richtig angewöhnt.	Wir haben unserem Hund das Gehorchen angewöhnt.
(sich) etw. erfüllen	Ich erfülle mir einen Traum.	Er möchte seiner Tochter einen Wunsch erfüllen.
(sich) etw. gönnen	Komm, wir gönnen uns jetzt etwas Gutes.	Du gönnst mir aber auch gar nichts.
(sich) etw. leihen	Ich habe mir Geld geliehen.	Ich habe dir schon so oft Geld geliehen.
(sich) etw. wünschen	Ich wünsche mir eine gute Note.	Wir wünschen euch eine schöne Reise.

Bild- und Textnachweis

S. 8 1 Tyler Olson – shutterstock.com; 2 PhotoStock10 – shutterstock.com; 3 Dron – Fotolia.com; 4 Candy-Box Images – shutterstock.com

S. 9 5 Goodluz – shutterstock.com; 6 CandyBox Images – shutterstock.com; 7 Celeste Clochard – Fotolia.com; 8 Stefano Lunardi – shutterstock.com

S. 10 von links nach rechts: wavebreakmedia – shutterstock.com; auremar – Fotolia.com; fotogestoeber – Fotolia.com; Minerva Studio – shutterstock.com

S. 12 oben: T-Design – shutterstock.com; unten links: Primalux – Fotolia.com; unten rechts: Elena Grigorieva – shutterstock.com

S. 13 shutterstock.com

S. 14 links, Mitte: shutterstock.com; rechts: Dieter Mayr

S. 16 links: Rudolf Helbling; rechts: Dieter Mayr

S. 17 Text oben: Context. 1–2/06, 20. Januar 2006, Fabrice Müller, Journalistenbüro Lexpress (gekürzt)

S. 18 links und Mitte: Valerija Vlasov; rechts: Gorden Klisch

S. 20 Fotos: DaWanda GmbH; Text (gekürzt): Lisa Nienhausen, „Ich kauf's mir lieber selbstgemacht" in faz.net, 21.02.2011

S. 22/23 „Auf der Walz" Lizenz durch www.zdf-archive.com / ZDF Enterprises GmbH – Alle Rechte vorbehalten.

S. 24 Dieter Mayr

S. 25 Dieter Mayr

S. 26 A Blend Images – shutterstock.com; B Andi Berger – shutterstock.com; C Rob Hainer – shutterstock.com; D CEFutcher – iStockphoto.com; E Dirk Ott – shutterstock.com; F mangostock – shutterstock.com

S. 27 links: Dieter Mayr; rechts: Gladskikh Tatiana – shutterstock.com

S. 29 Dubova – shutterstock.com

S. 30 oben links: shutterstock.com; unten links: Bildagentur Mauritius GmbH; rechts: Rick Gomez – Corbis

S. 32–35 Text: Daniel Glattauer: „Gut gegen den Nordwind". © Deuticke im Paul Zsolnay Verlag Wien 2006; Cover: Daniel Glattauer – Gut gegen Nordwind, erschienen im Goldmann Verlag 2008

S. 36 Horst Galuschka/dpa – picture alliance

S. 38/39 ZDF Volle Kanne „Beim Geld hört die Liebe auf – Streit ums Haushaltsgeld" Lizenz durch www.zdf-archive.com / ZDF Enterprises GmbH – Alle Rechte vorbehalten.

S. 41 Christina Stürmer: Supermarkt. Aus: Soll das wirklich alles sein. © 2004 Universal Music GmbH, Austria (gekürzt)

S. 42 1, 2, 4 Holger Albrich; 3 Numatic International GmbH

S. 43 Andy Lidstone – shutterstock.com

S. 44 A Dmitrijs Dmitrijevs – shutterstock.com; B M R – shutterstock.com; C dem10 – iStockphoto.com; unten von links nach rechts: XiXinXing – shutterstock.com; BestPhotoPlus – iStockphoto.com; bikeriderlondon – shutterstock.com

S. 45 designedbystrunck für das Eine Welt Netz NRW

S. 46 S. Dashkevych – shutterstock.com

S. 49 links: GoodMood Photo – shutterstock.com; Mitte: Kochneva Tetyana – shutterstock.com; rechts: Blend Images – shutterstock.com

S. 50 oben links: ConocoPhillips Germany GmbH / Grabarz & Partner Werbeagentur GmbH; oben rechts: WMF Württembergische Metallwarenfabrik AG / KNSK Werbeagentur GmbH; Mitte rechts: BREITLING SA; unten links: Volkswagen AG; unten rechts: © 2014 Schmidt-Spiele GmbH, Berlin. Lizenz durch KIDDINX Media GmbH, Berlin. Alle Rechte vorbehalten.

S. 51 A, B iStock International Inc.; C Shaiith – shutterstock.com; D Alaettin Yildrim – shutterstock.com; E Minerva Studio – shutterstock.com; F kurhan – shutterstock.com

S. 52 links: dm / Daniel Torz; rechts: © 2013 dm-drogerie markt GmbH + Co. KG; Text: Claudia Thesenfitz – aus FÜR SIE

S. 54/55 3sat nano „Generation Konsum?" Lizenz durch www.zdf-archive.com / ZDF Enterprises GmbH – Alle Rechte vorbehalten.

S. 56 1 vm – iStockphoto.com; 2 YanLev – shutterstock.com; 3 von links nach rechts: shutterstock.com; Bettina Lindenberg; Dieter Mayr; Sabine Reiter; 4 AT Verlag

S. 57 5 1000 Words – shutterstock.com; 6 Charlie Edward – shutterstock.com; 7 1, 3, 4 Sven Williges; 2 Africa Studio – Fotolia.com; 8 Alexander Tolstykh – shutterstock.com

S. 58 von oben nach unten: Jens Ottoson – shutterstock.com; West Coast Scapes – shutterstock.com; Luiz Rocha – shutterstock.com; Inc – shutterstock.com; CHEN WS – shutterstock.com

S. 60 links: SEEDS Iceland / Anne Prémel-Cabic; Mitte: Bettina Schlüter; rechts: LVR-Amt für Bodendenkmalpflege im Rheinland; unten: Liviu Ionut Pantelimon – shutterstock.com

S. 61 durantelallera – shutterstock.com

S. 62 oben von links nach rechts: Luiz Rocha – shutterstock.com; Jens Ottoson – shutterstock.com; Mapics – shutterstock.com; leoks – shutterstock.com; unten: slava296 – shutterstock.com

S. 64 oben: armvector – shutterstock.com; Mitte links: Fabian Wentzel – iStockphoto.com; Mitte rechts: Oliver Hoffmann – shutterstock.com; unten links: Mapics – shutterstock.com; unten rechts: Chupa – Fotolia.com

S. 65 oben links: Caro – Alamy; unten links: Marco Brockmann – shutterstock.com; rechts: Jorg Hackemann – shutterstock.com

S. 66 links: Cheryl Savan – shutterstock.com; rechts: racorn – shutterstock.com

S. 67 oben: Jakubaszek – Getty Images; unten: United Archives GmbH – Getty Images; Text (adaptiert): GEO / Verlagshaus Gruner + Jahr AG & Co KG

S. 68 links: traveler1116 – iStockphoto.com; rechts: Wikipedia / Alexander Karnstedt (Alexrk)

Bild- und Textnachweis

S. 70/71 „Erfurt Rendevouz in der Mitte Deutschlands", Erfurt Tourismus GmbH; Stadtplan: ARTIFEX Computerkartographie & Verlag Bartholomäus und Richter

S. 74 ponsulak – shutterstock.com; Text (gekürzt): Singles werden zum Umweltproblem. Aus: FOCUS online

S. 76 1 Jeroen van den Broek – shutterstock.com; 2 waldru – shutterstock.com; 3 mrivserg – shutterstock.com; 4 nulinukas – shutterstock.com; 5 aktion tier; 6 anyaivanova – shutterstock.com

S. 78 1 Hessisches Ministerium für Umwelt, Energie, Landwirtschaft und Verbraucherschutz; 2 Vielfalt – Fotolia.com; 3 Ökokiste e.V., www.oekokiste.de; 4 Florian Schreiber / Fotografie

S. 80 1 Gemenacom – shutterstock.com; 2 design36 – shutterstock.com; 3 pixelquelle.de; 4 Harald Riemann; 5 shutterstock.com

S. 83 Goldfaery – iStockphoto.com

S. 84 oben: United Archives GmbH – Alamy; unten: shutterstock.com; Text: mare – Die Zeitschrift der Meere

S. 86/87 oben links: shutterstock.com; Rest: ZDF Reporter „Wildtiere in Berlin" Lizenz durch www.zdf-archive.com / ZDF Enterprises GmbH – Alle Rechte vorbehalten.

S. 89 Minerva Studio – shutterstock.com

S. 90 1. u. 2. v. oben: Klett-Langenscheidt Bildarchiv; 3. u. 4. v. oben: shutterstock.com

S. 92 robert werner – toonmix digital artworks

S. 93 Peggy Blume – Fotolia.com

S. 97 links: Rudolf Helbling; rechts: Dieter Mayr; Smileys: Beboy – Fotolia.com

S. 102 Pressmaster – shutterstock.com

S. 103 tina7si – Fotolia.com

S. 104 oben: Pinkyone – shutterstock.com; unten: Kzenon – Fotolia.com

S. 106 Olesia Bilkei – shutterstock.com

S. 107 Luis Carlos Torres – shutterstock.com

S. 112 digitalstock – Fotolia.com

S. 116 Elnur – shutterstock.com

S. 118 paffy – shutterstock.com

S. 120 Text: konsumrebellion.wordpress.com

S. 125 oben: Valua Vitaly – shutterstock.com; unten: goodluz – Fotolia.com

S. 130 oben v. links n. rechts: auremar – shutterstock.com; Kurt Kleemann – shutterstock.com; Ersler Dmitry – shutterstock.com; unten: Africa Studio – Fotolia.com

S. 132 oben: Jens Ottoson – shutterstock.com; unten: Stanislav Tiplyashin – shutterstock.com

S. 133 l i g h t p o e t – shutterstock.com

S. 134 Foto: Christian Mueller – shutterstock.com; Text: „Schwierige Entscheidung" von Paul Maar aus JAguar und NEINguar. Gedichte von Paul Maar © Verlag Friedrich Oetinger, Hamburg 2007

S. 144 Lorelyn Medina – shutterstock.com

S. 146 Andrew Scherbackov – shutterstock.com

S. 147 photobank.ch – shutterstock.com

S. 149 Ralf Sonntag

S. 152 FiledIMAGE – Fotolia.com

S. 154 links oben: DeVIce – Fotolia.com; links unten: Almotional – shutterstock.com; rechts: Perry – Fotolia.com

Audio-CD zum Arbeitsbuch

Track	Modul, Aufgabe	Länge
1	Vorspann	0:17
	Kapitel 6, Berufsbilder	
2	Modul 2, Übung 3	3:05
3	Aussprache, Übung a	1:11
4	Aussprache, Übung c	0:26
	Kapitel 7, Für immer und ewig	
5	Modul 2, Übung 1a	1:01
6	Modul 2, Übung 1b und c Mike	2:01
7	Rüdiger	1:46
8	Julia	1:44
9	Aussprache, Übung a	0:52
10	Aussprache, Übung b	1:43
	Kapitel 8, Kaufen, kaufen, kaufen	
11	Modul 1, Übung 1b und c Mann 1	1:14
12	Frau	1:17
13	Mann 2	0:41
14	Aussprache, Übung a	0:40
15	Aussprache, Übung b	1:15
16	Aussprache, Übung c	0:40
17	Aussprache, Übung e	0:59

Track	Modul, Aufgabe	Länge
	Kapitel 9, Endlich Urlaub	
18	Modul 4, Übung 1	1:49
19	Text 1	1:15
20	Text 2	1:31
21	Text 3	1:44
22	Text 4	1:25
23	Aussprache, Übung a	0:54
24	Aussprache, Übung b	0:24
25	Aussprache, Übung d	0:36
	Kapitel 10, Natürlich Natur!	
26	Modul 3, Übung 3	3:45
27	Aussprache	1:43

Sprecherinnen und Sprecher:
Ulrike Arnold, Olga Balboa, Simone Brahmann, Farina Brock, Vincent Buccarello, Walter von Hauff, Lena Kluger, Detlef Kügow, Nikola Lainović, Verena Rendtorff, Jakob Riedl, Annalisa Scarpa-Diewald, Marc Stachel, Peter Veit, Gisela Weiland
Schnitt und Postproduktion: Christoph Tampe
Studio: Plan 1, München